聚焦三农：农业与农村经济发展系列研究（典藏版）

中国乳品产业发展研究

何玉成　著

科学出版社

北京

内 容 简 介

本书从原奶生产、收购、乳品加工到终端消费一系列紧密衔接的经济活动的集合界定为乳品产业，利用产业组织理论和产业链理论对其进行了理论与实证研究。系统深入地分析中国原奶生产、乳品加工和乳品消费三个主要经济活动的发展历史、现状、主要问题和未来发展趋势；研究中国乳品产业纵向链关系的历史演变过程、纵向链关系的现存模式及其对产业发展的影响；界定和测算中国乳品市场结构并探讨其主要影响因素；利用博弈论深入剖析乳品企业的市场竞争行为；评价乳品市场绩效、实证乳品市场集中度与市场绩效关系并分析乳品企业行为对市场绩效的影响；分析世界乳业与中国乳品产业的发展趋势；归纳研究结论并提出促进乳品产业发展的建议。

本书可供相关产业研究院所、咨询机构、行业主管协会、政府管理机构及高校相关专业师生参考。

图书在版编目（CIP）数据

中国乳品产业发展研究／何玉成著. —北京：科学出版社，2010. 5
（2017. 3 重印）

（聚焦三农：农业与农村经济发展系列研究：典藏版）

ISBN 978-7-03-027358-1

Ⅰ. ①中… Ⅱ. ①何… Ⅲ. ①乳品工业－经济发展－研究－中国
Ⅳ. ①F426. 82

中国版本图书馆 CIP 数据核字（2010）第 077272 号

责任编辑：林　剑／责任校对：李奕萱
责任印制：钱玉芬／封面设计：王　浩

科 学 出 版 社 出版

北京东黄城根北街 16 号
邮政编码：100717
http://www.sciencep.com

北京京华虎彩印刷有限公司 印刷
科学出版社发行　各地新华书店经销

*

2010 年 4 月第　一　版　开本：B5（720×1000）
2010 年 4 月第一次印刷　印张：13 3/4
2017 年 3 月印　　刷　字数：263 000

定价：86. 00 元
（如有印装质量问题，我社负责调换）

总　序

农业是国民经济中最重要的产业部门，其经济管理问题错综复杂。农业经济管理学科肩负着研究农业经济管理发展规律并寻求解决方略的责任和使命，在众多的学科中具有相对独立而特殊的作用和地位。

华中农业大学农业经济管理学科是国家重点学科，挂靠在华中农业大学经济管理学院和土地管理学院。长期以来，学科点坚持以学科建设为龙头，以人才培养为根本，以科学研究和服务于农业经济发展为己任，紧紧围绕农民、农业和农村发展中出现的重点、热点和难点问题开展理论与实践研究，21世纪以来，先后承担完成国家自然科学基金项目23项，国家哲学社会科学基金项目23项，产出了一大批优秀的研究成果，获得省部级以上优秀科研成果奖励35项，丰富了我国农业经济理论，并为农业和农村经济发展作出了贡献。

近年来，学科点加大了资源整合力度，进一步凝练了学科方向，集中围绕"农业经济理论与政策"、"农产品贸易与营销"、"土地资源与经济"和"农业产业与农村发展"等研究领域开展了系统和深入的研究，尤其是将农业经济理论与农民、农业和农村实际紧密联系，开展跨学科交叉研究。依托挂靠在经济管理学院和土地管理学院的国家现代农业柑橘产业技术体系产业经济功能研究室、国家现代农业油菜产业技术体系产业经济功能研究室、国家现代农业大宗蔬菜产业技术体系产业经济功能研究室和国家现代农业食用菌产业技术体系产业经济功能研究室等四个国家现代农业产业技术体系产业经济功能研究室，形成了较为稳定的产业经济研究团队和研究特色。

为了更好地总结和展示我们在农业经济管理领域的研究成果，出版了这套农业经济管理国家重点学科《农业与农村经济发展系列研究》丛书。丛书当中既包含宏观经济政策分析的研究，也包含产业、企业、市场和区域等微观层面的研究。其中，一部分是国家自然科学基金和国家哲学社会科学基金项目的结题成果，一部分是区域经济或产业经济发展的研究报告，还有一部分是青年学者的理论探索，每一本著作都倾注了作者的心血。

本丛书的出版，一是希望能为本学科的发展奉献一份绵薄之力；二是希望求教于农业经济管理学科同行，以使本学科的研究更加规范；三是对作者辛勤工作的肯定，同时也是对关心和支持本学科发展的各级领导和同行的感谢。

李崇光

2010 年 4 月

目　　录

第 1 章
导　　论

1.1　问题的提出

　　发达国家的历史表明，乳品产业是现代农业的主导产业，其主导地位的形成是在市场经济条件下系统地优化农业生产与食品消费结构的结果。首先，优化农业内部的产业结构，把传统种植业的二元结构变成加上饲料作物的三元结构，用饲料作物来发展畜牧业，并且主要是发展奶牛业。因为在种植业中，饲料作物的经济效益最高，而在饲料作物中，又以人工牧草的经济效益最高，号称"绿色黄金"。此外，牧草是多年生的，对农业的持续发展和生态环境保护作用都远远高于一年生的谷物。其次，优化畜牧业结构，大力发展奶牛饲养业。因为大宗饲养的动物中，奶牛的经济效益最高，同样的投入，它的产出是肉牛的 2 倍，是生猪的 3 倍。因此在许多现代化国家，牛奶的产值都占农业总产值的第一位（刘振邦，2000）。再次，在大力发展牧草种植与奶牛饲养的基础上，加强乳品加工业在国民经济中的地位。西方国家在农业现代化初期的很长一段历史时期内，都把食品加工业作为国民经济的主导产业，其产值占国民经济总产值的 20% 左右。在食品加工业中，乳品工业占第一位，几乎占发达国家食品工业产值的一半。例如，法国乳品工业的产值占国民经济总产值的 8%，比其汽车工业还高（刘振邦，2000）。最后，居民膳食结构的优化调整。乳品是营养最全面的食品，含有人类生长发育和保健所必需的全部营养物质和许多生物活性物质，其营养价值和保健功能是其他食物无法比拟的。因此，西方发达国家在营养科学的指导下，制订了营养改善计划，大力倡导乳品消费，使膳食中乳品所占比例很大，约占食物总量的 10% ~20% 。日本、印度、韩国等东方国家也纷纷仿效西方国家，调整膳食结构，增加乳品消费。在 1998 年时，日本的人均乳品消费量就已达 74 千克，韩国 50 千克，中国台湾在 1997 年的人均消费量达 72 千克（卢良恕，2000）。正是乳品的重要性及乳品产业在众产业中的绝对优势，使其在西方发达国家经济发展进程中成为农业甚至是国民经济的主导产业。根据发达国家的经验和中国乳品产业的发展趋势，可以断定乳品产业也将发展成为中国农业现代化的主导产业，因为它对中国民族的强盛和国民经济发展具有重要作用。

在 WTO 框架下，中国经济正在全面进入国际竞争的行列，各产业的发展与前途主要取决于竞争力的强弱。在经济全球化背景下，中国乳品产业是国际竞争力快速提高的产业，市场需求规模不断扩张，产业供给能力不断提高，产业竞争力不断增强。在中国乳品企业迅速增强竞争力的挤压下，许多国际大型乳品企业在一段时间内纷纷退出中国乳品市场。但是面对有如此发展前景的产业和市场，各大跨国乳品企业集团的撤退很可能是一种战略性退出，它们很可能在等待中国乳品产业的兼并时机。因此，在全球经济一体化的背景下，中国乳品企业应该利用国内经济发展有利条件和国际乳品企业的退出时机，在新世纪将中国从一个乳品产业大国发展成为乳品产业强国。但是，在一定意义上，实现乳品产业由大到强的转变，比实现从无到有、从少到多的转变更加困难。

从现实情况看，中国乳品产业的产业组织状况还存在许多不合理的地方。中国经济处于体制转轨和供给与需求结构不断变动的特殊时期，决定乳品产业竞争优势的因素十分复杂。从理论上看，有两个根本性的决定因素：①建立在资源禀赋和要素成本之上的比较优势，这种比较优势决定国际分工、国际投资和国际贸易的基本格局，这种比较优势具有先天性的特点，由一国的资源禀赋与丰腴度决定；②建立在包括产业组织因素在内的制度条件之上的竞争优势，这种竞争优势是可以通过相关制度与政策的设计来加以培育的。从乳品产业实际情况来看，中国乳品产业目前所具有的竞争力主要来源于第一种因素，表现为中国具有数量巨大、供给充足而成本低廉的乳品产业劳动力，具有拉动乳品产业快速发展的巨大国内市场及在此基础上形成的规模经济优势。随着世界经济一体化进程的深入，来源于比较优势的竞争优势会逐渐变弱，因为中国丰富而低廉的劳动力和巨人的乳品需求市场优势将同时为国际乳品企业通过兼并国内企业的投资的方式加以利用。因此，增强中国乳品产业竞争力的途径将被限制在第二个决定因素上，但是在此方面，中国乳品产业同发达国家相比还存在很大差距，尤其是乳品产业组织存在许多不合理的地方。主要表现为：中国乳品企业规模结构不合理，企业数目过多，中小型乳制品企业比重很高，而且大多数规格偏小而大型乳品企业数目太少；大型乳品企业同国际乳品企业相比规模偏小且生产能力和技术水平相对落后，导致龙头企业对整个乳品产业链的带动能力不强；企业间产品同质化严重、差异化水平低，导致企业间协作不够、竞争过度，严重伤害奶农的经济利益；整个乳品产业的国内进入壁垒很低，而国内企业开拓国际市场的能力不强，导致中国乳品市场呈现出集中度较低的"垄断不足、竞争有余"的结构状况。不合理的乳品市场结构给乳品企业行为带来较坏的影响，进而使乳品产业呈现出较差市场绩效，例如，乳品企业的奶源竞争导致奶农"倒奶事件"频繁发生；乳品企业的市场竞争导致"有抗奶"、"还原奶"和"三聚氰胺"等恶性问题。因进入壁垒和集中度低而导致竞争力弱小的小型企业数量持续增长，引起乳品产业生产能力严重过剩，极大地降低了中国乳品产业的资源配置效率。

1.2 研究目的与意义

目前中国乳品消费需求高速增长，拉动着乳品产业快速发展，产业链上各环节的生产规模急剧膨胀，彼此间的专业化分工逐渐深化。随着分工深化，各种深层次问题逐渐显现出来，如原奶生产的小规模低技术导致的单产低、成本高、质量差等问题；乳品加工企业的奶源竞争导致的奶农"倒奶事件"频繁发生等问题；乳品加工企业的市场竞争导致"有抗奶"、"还原奶"、"有毒奶"和"三聚氰胺"等恶性问题。这些问题或使中国乳业的资源利用效率低下甚至浪费，或使消费者的福利受到损失甚至危及健康安全，或使中国乳品产业的国际市场竞争力下降，严重影响中国乳品产业的健康发展。在市场机制的作用下，乳品企业在整个产业链上拥有强大的支配与协调作用，上述问题在很大程度上根源于乳品企业间的市场竞争行为。因此，要寻找中国乳品产业高速发展中出现的各种问题的根源，应立足于市场机制，从乳品企业间市场竞争行为的角度去研究。只有根据制约乳品产业发展问题的根源，才能制定正确的产业政策，促进中国乳品产业快速健康发展，从而实现国家中长期科学和技术发展规划纲要中建立现代奶业的目标，这是本研究选题的现实意义。

同时本研究以乳品产业为典型代表，对其微观主体（乳品企业）的市场竞争行为及对产业发展影响进行研究，可以为解决中国其他农产品加工业发展中的问题提供理论参考与借鉴。因此，本书的研究具有重要的理论价值。

1.2.1 本研究有助于提高国民乳品消费水平

乳品是营养最全面的理想食品，富含人体生长发育所必需的各种氨基酸和微量元素。世界各国都非常重视通过乳品消费来强盛自己的民族。日本提出"一杯牛奶强盛一个民族"口号，通过增加乳品消费使日本战后 14 岁的孩子身高增长10 厘米，体重增加 8 千克，且更加健康、活泼、耐寒、耐疲劳，学习质量也上升了（于陆琳，1999）。目前中国国民的身体素质水平不高：5 岁以下儿童体重不足检出率为 10% ~ 20%，生长迟缓检出率平均为 35%，个别贫困地区高达50% 以上，即全国有 2160 万儿童体重不足和 4200 万儿童生长迟缓。此外，老年人、妇女中骨质疏松等缺钙疾病普遍存在（萧家捷，1999）。中国政府已认识到国民体质强壮对民族强盛的重要性，2000 年由国务院办公厅制定了《中国食物与营养发展纲要》，其中乳品产业被指明为重点发展产业，足见发展乳品产业以增强国民体质是迫切的问题，也是关系民族强盛的大问题。但现在中国居民的乳品消费量很低，以液态奶为例，2000 年中国人均消费量只有世界主要液态奶消费国人均消费量的 1.1%，只有日本和泰国人均消费量的 2.6% 和 10%；2000 年全国人均酒的消费量为 8.4 千克，而人均液态奶消费量仅 1.0 千克，相差 7 倍。因此分析中国乳品消费现存主要问题及未来发展趋势，对制定相关政策与对策以增加国民的乳品消费量具有重要的现实意义。

1.2.2 本研究有助于农业新阶段下优化农业结构和增加农民收入

中国农业进入新阶段，结构调整必须以市场需求为导向，以高效率利用有限农业资源的方式满足人民更高质量的生活需要以缓解中国农业的资源约束，还要有利于剩余劳动力的转移和农民收入的增加。乳品产业中的原奶生产活动在中国的发展完全符合以下要求。①目前中国肉、蛋、水产品、水果、蔬菜的人均占有量均达到世界人均水平，只有乳品人均占量仅相当于世界平均水平的 1/15，不足发展中国家人均水平的 1/5（李易方，2001），随着经济的发展、人民收入的增加和营养知识的普及，中国乳品市场的潜力是巨大的，而且将有一个较长时期的增长过程。②动物喂养试验证明，奶是饲料转化率最高的畜产品，奶牛能将饲料中 20% 的能量、23% ~30% 的蛋白质转化到奶中。每千克饲料所获得的动物蛋白，牛奶为 140 克，远高于其他动物产品。同时从节约粮食的角度看，生产 1 千克牛奶只需 0.4 千克或 0.5 千克精料（谷物只占 60%），而生产 1 千克可食猪肉需多达 4 千克精料，生产 1 千克肉鸡也需要 2.3 ~2.6 千克精料（谷物占 80% 以上）（杨稼，2000）。因此乳品产业最节约精料，将大量人类不能直接食用的青粗料转为动物蛋白，完全符合高产、优质、高效的生产要求，可以缓解中国饲料粮不足的约束问题。③发展原奶生产有助于农村剩余劳动力的就业和增加农民收入。农民养 1 头奶牛，在正常情况下 1 年有 2000 ~3000 元的纯利（杨稼，2000），饲料业、乳制品加工业、屠宰、皮革等加工业的发展也可以转移部分农村剩余劳动力，还可以增加地方的利税。由于原奶生产的这些特点符合中国农业结构调整的方向，所以原奶生产作为乳品产业的主要活动已表现出了强劲的发展势头。但原奶生产在发展的过程中也表现出突出的问题，如生产技术水平低、生产方式粗放、经营规模小、奶农组织性弱、收入不稳定等，只有对这些问题进行分析研究才能采取正确对策加以解决，从而促进整个乳品产业发展。

1.2.3 本研究有助于优化中国乳品产业纵向链关系，以提高产业国际竞争力

中国乳品市场的巨大潜力对国际乳品企业巨头产生了强大吸引力，世界前

25 位乳业巨头有 13 家已进入中国，它们具有雄厚的资本、强大的品牌、高质量的产品及巨大的规模优势（如雀巢公司乳品营业额为光明乳业营业额的 40 多倍），随着乳品关税降低，这些国际乳品企业将给中国企业带来较大冲击。而中国乳品产业还是一个新兴产业，大多数乳品企业是小规模经营，劳动生产率低，成本高，原料、乳品质量参差不齐，产品结构单一，远远没有达到乳品企业规模经济的要求，更谈不上向大规模定制方向发展。为迎接国际乳业巨头的挑战，中国乳品产业必须尽快发展，形成从牧草种植、良种繁育及卫生防疫、奶牛饲养、验奶收奶到乳品加工的大规模运作协调机制。这种具有中国特色的协调机制将是国外乳品企业无法在中国大规模运作的进入壁垒，它将为中国乳品企业实现大规模生产、管理与销售创造条件，争取时间，从而最终成长为具有较强竞争力的企业。但中国乳品产业现有纵向链关系还存在不合理的方面，不利于乳品产业发展，也不利于形成乳品企业的竞争优势，因此必须对其形成的历史、现状、成因及乳品企业间的竞争关系进行分析研究，才可能提出正确对策建议以建立符合自身特点的纵向链关系，为乳品企业成长创造条件。

1.2.4 本研究有助于优化中国乳品产业组织，以提高资源利用效率

及时发现中国乳品产业组织中存在的问题，探讨其对乳品产业绩效的影响机制，是目前中国乳品产业面临的重要课题。研究这个问题，有利于中国乳品产业在优化产业组织的基础上培养竞争力，从而摆脱单纯依靠比较优势而生存与发展的局面；有利促进乳品企业市场竞争行为以提高稀缺奶业资源的利用效率；有利于规范乳品企业、奶农和中间收奶者市场行为，保证乳品质量安全，增进国民福利。

综上所述，无论是从民族强盛的角度，还是从优化农业结构、增加农民收入和提高乳品企业应对 WTO 框架下国际竞争能力的角度，都需要中国乳品产业发展。因此研究其萌芽、成长、扩张、成熟的发展过程中存在的问题，以便把握好乳品产业演变的时机，有效地促进中国乳品产业成长为现代农业的主导产业，具有十分重要的现实意义。

本书拟从以下几个方面研究中国乳品产业发展中的问题。

1）中国乳品产业的原奶生产、乳品加工环节的现状与主要问题。

2）中国乳品消费的特点与变化趋势。

3）中国乳品产业的纵向链关系及对乳品产业发展的影响。

4）中国乳品市场结构与企业行为及对乳品产业发展的影响。

5）国际乳品贸易自由化下中国乳品产业发展前景分析。

6）中国乳品产业发展的政策建议。

以上 6 点是目前中国乳品产业发展的主要问题，本书将就这些问题进行研究，同时还将进行相关的理论探讨，力图使研究成果既应用于中国农业新阶段下乳品产业的发展实际，又为解决其他农产品加工业发展中的问题提供理论参考与借鉴。因此，本书研究具有重要的理论价值和现实意义。

1.3　产业分类与乳品产业

为了便于对产业活动进行管理和研究，人们从不同的角度对产业进行了分类。显然，产业的分类是服务于管理和研究的，是对产业活动进行管理和研究的基础。费希尔的三次产业分类法是与人类经济活动的发展阶段相对应的，主要服务于对经济发展与产业结构变化之间关系研究的需要和对国民经济进行统计的需要；马克思的两大部类分类方法是马克思研究资本主义社会再生产过程的理论基础，他通过对两大部类产品消耗和补偿关系的研究，得出了社会进行简单再生产和扩大再生产的条件，并揭示了剩余价值产生的秘密；标准产业分类法是在三次产业分类的基础上，对一国产业乃至整个国民经济问题进行的全面、精确地划分，服务于各国政府制定经济政策和对国民经济进行宏观管理的需要；生产要素集约程度分类法，是根据不同产业在生产过程中对要素的需求种类和需求依赖度的不同来划分的，主要服务于对经济发展阶段和不同生产要素在生产过程中作用之间关系的研究。

以上几种分类法是目前各国运用最多的分类方法，尤其是三次产业分类法和标准产业分类法几乎被所有的国家采用：统计部门以此为基础建立国民经济统计指标体系；政府以此为基础进行经济管理机构的设置和经济政策法规的制定；学者以此为基础研究经济发展与结构优化等问题。这种分类方法和思想在整体上是与各国经济活动相一致的，使人类对错综复杂的经济现象有一个清晰的轮廓，极大地方便了人类对经济活动的监测、管理和研究。但是它也有分类方法和思想的一个通病：容易忽视产业与产业之间的联系而囿于自身管理和研究的产业或部门范围内，在制定政策法规和管理经济活动时，导致国民经济各产业之间不协调，甚至对立；在分析研究问题时，从自身产业角度出发而各执一词，得不到一个共同的结论和建议。这个通病，在产业之间的联系不太密切的发展阶段，其副作用不大；但在产业之间的联系十分密切的情况下，却极大地增加了管理成本，降低管理效率，甚至还会阻碍这些产业的进一步发展。尤其是在科学技术的进步而使经济结构优化升级的转轨时期，一些产业之间变得越来越相互依赖，而原来的管理与研究思想和方法还没有及时跟上这种实践活动的变化时，阻碍作用表现得特别突出。这些变化后的产业最需要新的分类思想和方法，以转变相关管理人员和研究人员的思想，加强彼此间的协调，从而促进越来越密切联系的各产业健康快速发展。

中国的农业产业化就是在农业进入新阶段，结构优化升级的转轨时期，需要从初级农产品生产、原料采购与加工到其包装与销售等纵向环节紧密衔接才能进一步发展时而出现的新的农业经营方式。为了对这种具有强大生命力的经济活动进行有效的管理和研究，"产业化"这一概念得到了政府管理者的普遍接受，也成了研究人员的专业术语。随着农业产业化在全国范围内的深入发展，又出现了以产品名作限制成分的产业化概念，如板栗产业化、蔬菜产业化、玉米深加工产业化等。显然，这里"产业"的概念与主流的产业概念不是同一个内涵。它是对中国农业新阶段下出现的新情况的描述与界定，也是为新阶段下的农业经济管理与研究服务的，指的是为提供某一最终消费品，而从农业的初级产品生产与储藏、采购与加工、研究与开发到最终销售这一纵向链上所有活动的一个集合。这个新的产业概念和分类方法，克服了主流分类方法以平行的视角为主、没有关注或较少关注各个产业之间的纵向联系的缺点，体现农业新阶段生产经营活动的规律，适应了农业经济管理者和研究人员的管理和研究需要，因此具有科学性和实际意义。

本研究就是基于以上这个新的产业概念和分类方法而把拟研究的对象界定为"乳品产业"，指在人民日益增长的乳制品需求拉动下，从牧草种植、饲料加工、奶牛养殖、原奶收购、乳品加工到终端销售各个活动紧密衔接而构成的一系列经济活动的集合。它也是根据中国乳业经济发展的客观现实，从基本概念上做出的界定，是由乳业经济管理与研究需要决定的。乳品产业发展则指产业的萌芽、成长、扩张、成熟的进化过程，既包括各个主要活动的逐渐专业化与增长过程，又包括各主要活动相互衔接所构成的整体的均衡发展与协调发展过程。基于目前中国乳品产业正处于成长阶段而现有的研究相对滞后，本书将对中国乳品产业发展问题进行研究。

1.4　研究思路与方法

1.4.1　研究思路

本研究的基本思路是：在讨论产业分类方法与概念的基础上，提出一种新的分类方法，并以此新的方法对"中国乳品产业"进行界定，以明确所研究的对象；在确认乳品产业链纵向组织关系与乳品加工企业间的竞争是影响乳品产业发展的关键因素后，对产业纵向链关系理论及与企业间的竞争有关的产业组织理论进行系统深入的阐述，将其作为指导整个研究工作的理论基础；随后，分别对乳品产业纵向链上的各主要活动（原奶生产、乳品加工、乳品消费）的历史、现状、问题及发展趋势进行研究，寻找各主要活动的发展轨迹与存在的问题；同时对乳品产业纵向链上的各主要活动之间关系——纵向组织关系的发展演变及其与产业发展之间关系进行研究，以揭示乳品产业纵向组织关系对乳品产业发展的影响；然后，分别从乳品加工企业的竞争与国际乳品市场自由化的角度，探讨两因素对中国乳品产业发展的影响；最后，在以上研究的基础上，寻求解决中国乳品产业发展中的主要问题以促进中国乳品产业健康发展的对策（图1-1）。

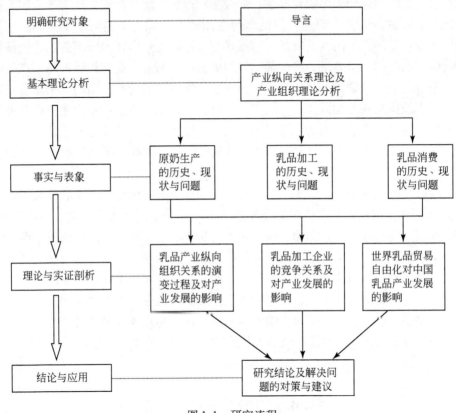

图 1-1　研究流程

1.4.2　研究方法

本书主要运用了以下几种研究方法。

（1）经济计量分析方法

采用双对数需求函数模型对中国乳品需求弹性进行测算，并在此基础上，运用需求弹性法对未来5年中国乳品需求量进行了预测；采用二次曲线时间趋势模型对未来5年中国原奶产量进行预测；采用绝对集中度指标对中国乳品市场结构进行了测算。

（2）典型案例分析方法

在对乳品产业纵向链关系的演变过程和组织形式归纳总结的基础上，采用典型案例分析方法对每种组织形式进行个案研究；在分析乳品企业间竞争与产业发展之间关系时，以中国十大乳品企业间的竞争为典型案例进行了深入剖析。

（3）关联度分析方法

利用灰色系统理论的关联度方法对中国乳品产业集中度与产业绩效之间关系进行多维度的时间序列动态分析。

（4）博弈论分析方法

利用博弈论 Bertrand 模型和 Cournot 博弈模型揭示乳品企业间“价格战”与“数量战”的内在根据；利用斯坦尔伯格模型分析了乳品企业间进入阻挠行为。

1.5 研究内容与结构

本书由 13 章组成。第 1 章是导论，介绍研究的目的与意义，以及研究思路与方法。首先在对不同的产业分类方法进行比较分析的基础上，提出新的分类方法，并对研究对象进行界定；同时阐述本研究的意义；最后对研究的思路与方法进行了说明。

第 2 章是系统文献综述。以大量的文献分析为基础，在国际范围内对产业组织理论的发展情况进行全面综述，认为 SCP（structure conduct and performance）范式在吸收了新的方法与手段后，无论在规范研究还是实证检验方面，仍具有广阔的、无以替代的应用空间。在国内则重点以农产品加工业为对象，系统综述了农产品加工产业组织理论研究与实证动态，认为大多数国内学者没有对中国农产品加工业的结构、行为与绩效之间的关系假设进行实证检验，而是直接接受西方发达国家的产业组织理论假设，将其应用于分析中国目前发展最迅速的几个特定的农产品加工业（饮料业、饲料业和食品加工业等），并以发达国家的市场结构分类标准和绩效评价标准为参照系来探讨中国特定产业组织运行状况，这些对中国特定农产品加工业的结构、行为与绩效的经验研究积累了丰富资料，具有重要的学术价值，为本研究进行系统的理论与实证研究奠定了良好的基础。

第 3 章对本研究所采用的理论进行了系统深入的阐述。首先对影响产业链上各活动之间关系的因素进行全面分析，并揭示各种纵向组织关系形成的一般原理；随后对企业间竞争与产业发展关系的理论进行分析，说明合理的产业组织结构对产业发展的重要性；最后将所采用理论的一般背景与本研究的具体背景进行对比，说明如何有效地灵活运用理论来进行分析研究工作。

第 4、第 5、第 6 章主要对乳品产业的两个主要活动——原奶生产、乳品加工和乳品消费进行独立的研究，以揭示每个活动的历史、现状及存在的问题与发展趋势，为后文从整个产业的角度分析发展作铺垫。

第 7 章是乳品产业纵向组织关系分析。系统分析了乳品企业在纵向组织关系的各种选择中的理性行为，认为原奶生产的分散性及收购环节的专用性资产限制了原奶生产者讨价还价能力和后向一体化能力，而土地制度则限制了乳品产业前向一体化行为；揭示了中国乳品产业纵向组织关系的历史演变过程，认为乳品产业的纵向分工是随着市场容量的扩展而逐渐深化的；比较分析了现在中国乳品产业组织的各种纵向关系，发现乳品市场的竞争、乳品产业协调特性、原奶生产自然性、农户经营理念与能力、辅助活动的资产专用性等影响因素综合解释了中国乳品产业交错式纵向组织关系的内在根据。

第 8 章是乳品市场结构研究。在对市场结构的定义、测算与分类的理论探讨基础上，明确界定了乳品和乳品产业（市场），根据外部环境特点对乳品企业进行了分类；利用绝对集中度指标对主要细分乳品市场结构和整体乳品市场结构进行测算与分析，数据表明中国乳品产业处于垄断竞争状态，少数全国性大企业与数量众多的地方性小企业并存，但是随着外资的进入，乳品产业集中度有进一步提高的趋势；详细探讨了乳品企业规模、乳品市场容量、乳品差异化、乳品市场进入壁垒、乳品需求价格弹性与需求增长率等因素对中国乳品市场结构的影响，认为企业平均规模偏小、市场需求量增长较快、产品差异化程度小、进入壁垒低等因素综合决定了中国乳品市场结构的状态。这一部分为后面分析乳品市场结构和乳品企业行为与市场绩效的关系奠定基础。

第 9 章是乳品企业行为分析。在描述乳品企业间"价格战"与"数量战"的基础上，利用博弈论 Bertrand 模型和 Cournot 博弈模型揭示乳品企业间"价格战"与"数量战"的内在根据，认为进入壁垒低和市场需求前景两个因素好导致大量资源进入乳品产业，现有企业为了利用规模经济获得竞争优势，展开了奶源大战和市场份额大战，最终导致一轮又一轮的价格大战；以 2007 年 6 月 21 日乳品企业共同签署的《乳品企业自律南京宣言》为典型合谋事件，系统分析了乳品企业合谋行为，认为合谋是为了避免价格竞争和利润率的下降，但是合谋主体之间的投机行为及利益的不一致性导致合谋具有明显的不稳定性；以公共品效应、公共地效应和不确定性理论对乳制品企业研发竞争行为及其引发的问题进行了分析，认为新乳品研发的公共品效应导致整个行业产品开发投资不足，而生产设施投资的公共地效应导致整个行业产能过剩；从广告行为的质量效应和市场协调作用的角度分析了乳品企业广告行为，认为乳品企业通过广告投资既可以提高消费者认知度，又可以利用广告的规模经济性；利用斯坦尔伯格模型分析了乳品企业间进入阻挠行为，认为奶源圈地行为的重要目的是封阻进入和回避被封阻；最后在分析乳品企业差异化行为特征的基础上，探讨了差异化行为对产业发展的影响，认为各地城市型小企业利用保质期短的产品销售渠道对全国性大企业进行反封阻行为。

第 10 章是乳品市场绩效分析。在明确界定市场绩效和对比介绍各种绩效测度方法的基础上，系统分析和测算了乳品产业的资源利用效率与规模结构效率，数据表明乳品产业的这两个效率不好；深入了分析产权结构对乳品市场绩效的影响，显示出股份制乳品企业和三资乳品企业的百元创利税额较其他企业要高；采用柯布－道格拉斯生产函数模型和索洛增长速度方程式测算了科技进步对乳品产业绩效的影响，发现 1994～2007 年劳动力对经济增长的贡献率为 39.17%，固定资本对经济增长的贡献率为 39.44%，科技进步对经济增长的贡献率为 21.39%，表明中国乳品业生产是在增加要素投入量的基础上同时依靠科技进步促进产业快速增长的。

第 11 章是中国乳品产业组织关系研究。在乳品企业虚拟动态的古诺博弈分析的基础上，进行乳品产业集中度与利润率关系的数理分析，并进一步提出了二者关系假设；在分别对乳品产业集中度和乳品产业盈利能力进行时间序列整理的基础上，利用灰色系统理论的关联度分析方法对乳品产业集中度——利润关系进行了实证研究，发现乳品产业集中度与乳品市场利润率之间成正相关关系；揭示了乳品企业间"价格战"和数量竞争行为如何引发周期性"倒奶"事件和"三聚氰胺"事件的内在关系，认为"看不见的手"的"经济人"决策机制、中国的土地制度、原奶质量监管漏洞及上下游生产技术特性差异综合解释了"三聚氰胺"事件与周期性"倒奶"事件的根本原因；分析了乳品企业的阻挠行为、研发行为和差异化行为对乳品市场绩效的影响，认为目前中国乳品产业研发投资不足和差异化不显著，主要进行概念炒作以吸引消费者的购买。

第 12 章分析世界乳品产业的生产、消费与贸易的现状与发展趋势；并在世界乳品贸易自由化背景下结合中国实际，分析中国乳品产业的发展前景。

第 13 章为本文研究结论，并提出中国乳品产业发展的对策建议。本研究结论表明"看不见的手"需要"自由"制度和严格的法制制度安排，需要科学观念的引导；乳品企业间无序的竞争不利于中国乳品产业的发展；中国乳品加工企业对中国乳品产业的发展有着至关重要的作用；中国乳品产业协调发展的最薄弱环节是原奶生产与乳品加工之间的纵向组织关系；中国乳品产业进一步发展受制于生产技术与研发能力。针对乳品产业的问题提出了促进乳品产业发展的建议：不同规模的企业应合理定位，开拓国际市场，限制新的乳品企业产生，鼓励产业整合行为，采用税收政策促进产品结构调整，优化乳品产业纵向组织关系，建立风险保障机制和积累机制以保护奶农的经济利益，改革乳品产业管理体制、加强宏观管理。

1.6 本研究的特色和可能的创新点

第一，本研究不仅对主要细分乳品市场结构和整体乳品市场结构进行测算，而且系统深入地探讨了乳品企业规模、乳品市场容量、乳品差异化、乳品市场进入壁垒、乳品需求价格弹性与需求增长率等因素对中国乳品市场结构的影响，这在国内同类农产品加工产业结构的研究中是较为全面的。

第二，在分析乳品企业间的价格竞争、市场扩张、合谋、进入阻挠和差异化行为时，采用博弈论的分析方法揭示其内在根据及其对产业发展的影响，不仅能较合理地解释乳品企业的市场行为，而且能较准确地推断企业行为的变化及其影响（尤其是可以揭示乳品企业间市场行为与周期性"倒奶"事件和"三聚氰胺"事件的内在关系）。

第三，在对中国乳品产业纵向组织关系演变的历史追踪和现有各种纵向组织关系的对比分析的基础上，发现乳品市场的竞争特性、乳品产业协调特性、家庭联产承包责任制、原奶生产的自然属性、农户经营理念与能力、辅助活动的资产专用性等是决定中国乳品产业纵向组织关系的主要因素，这一结论相对其他同类研究具有新意。

第四，利用灰色系统理论的关联度分析方法对乳品产业集中度——利润关系进行了实证研究。

1.7 本研究存在的主要不足

第一，由于市场结构同时受到企业规模和市场容量的影响，在研究市场结构时应该同时计算绝对集中度和相对集中度，但本研究受制于数据的可获得性，没有计算相对集中度，这对实证研究的深入展开有一定的约束。

第二，利用博弈论方法虽然可以合理解释并推测乳品企业的市场行为及其影响，但对推理性解释的实证研究有待进一步深入展开。

第三，对市场绩效的研究侧重于乳品产业资源利用效率高低、乳品质量对消费者福利的影响和企业的销售利润率的高低，没有进一步考察消费者剩余，这是不全面的。

第 2 章
国内外研究概况

以大量的文献分析为基础，在国际范围内对产业组织理论的发展情况进行全面综述，认为 SCP 范式在吸收了新的方法与手段后，无论在规范研究还是实证检验方面，仍具有广阔的、无以替代的应用空间。因此，本书以乳品产业的主要环节、纵向链关系及结构、行为与绩效为研究对象，探讨中国特色市场经济体制下的产业组织运行规律，是具有重要理论意义的；在国内则重点以农产品加工业为对象，系统综述了农产品加工产业组织理论研究与实证动态，认为大多数国内学者没有对中国农产品加工业的结构、行为与绩效之间的关系假设进行实证检验，而是直接接受西方发达国家的产业组织理论假设，将其应用于分析中国目前发展最迅速的几个特定的农产品加工业（饮料业、饲料业和食品加工业等），并以发达国家的市场结构分类标准和绩效评价标准为参照系来探讨中国特定产业组织运行状况，这些对中国特定农产品加工业的结构、行为与绩效的经验研究积累了丰富资料，具有重要的学术价值，为本研究进行系统的理论与实证研究奠定了良好的基础。

2.1 产业组织与产业链理论研究

2.1.1 产业组织理论

产业组织理论主要是研究同一产业内企业间的竞争与垄断问题，为政府维护基本的市场竞争秩序和经济效益提供实证依据和理论指导。因此，产业组织理论在现代产业经济理论体系中占据重要地位。

2.1.1.1 产业组织理论的渊源

产业组织理论的思想渊源，可以追溯到亚当·斯密（2001）在《国富论》中对劳动分工理论与市场竞争机制的论述，但一般认为 Marshall 才是产业组织理论的创始人。阿弗里德·马歇尔（2005）在《经济学原理》一书中，提出了第四种生产要素——组织（其他三种生产要素为：劳动、资本和土地），并第一次把产业内部的结构定义为产业组织。同时，Marshall 在分析规模经济产生的原因时，发现了规模经济与竞争活力之间的两难选择问题，即规模生产能力为企业带来经济效益，使企业的产品成本不断下降，从而使其市场占有率不断增加，最后导致垄断出现，从而使市场竞争机制的资源配置功能难以发挥作用，经济丧失活力，从而扼杀自由竞争。因此，如何处理规模经济与竞争活力之间的矛盾以取得较高的经济效益就成为经济学中的一个重大课题。事实上，这一矛盾也成了现代产业组织理论探讨的核心问题。由于 Marshall 最早提出产业组织概念，并揭示规模经济与竞争活力的矛盾，因此许多学者公认他为产业组织理论的创始人，其《经济学原理》一书也成为现代组织理论的起源。

2.1.1.2　产业组织理论的形成

20 世纪初，随着生产日趋集中，企业规模不断扩大，垄断、寡头垄断的市场支配已经是发达资本主义国家中的普遍现象，卡特尔、托拉斯等垄断组织和形式也有了相当的发展。以完全竞争市场为基本前提的新古典经济学理论难以解释现实市场中生产和价格决定等问题，于是引发了有关"马歇尔冲突"的一场理论论争。英国和美国的经济学家围绕竞争和垄断的关系，对产业组织的实际状况进行了大量的调查分析和理论研究。

Chamberlin（1933）和 Robinson（1933）几乎同时提出了垄断竞争理论，用来解释市场结构的变化，并分析其对整个经济运作效率的影响，填补了完全竞争和完全垄断两极之间的空白。他们对垄断市场结构下的企业行为进行了具体分析，认为垄断结构的存在会导致企业行为发生变异，并因此产生对整个经济运行效率的负面影响，如价格上升、产出不足、消费者剩余减少及创新动力不足等一系列问题。此外，Chamberlin 还对市场结构的具体形态进行分类，他将市场结构分为完全竞争、垄断竞争、寡头垄断和完全垄断 4 种形态，分别研究了价格机制在各种市场结构中发挥作用的具体形式，从而突破了传统经济学的非垄断即竞争的研究框架。

Clark（1940）发表《有效竞争的概念》一文，对产业组织理论的发展和体系建设产生了重大影响。但 Clark 在理论上没能解决有效竞争的评估标准和实现条件问题。

Mason 于 20 世纪 30 年代在哈佛大学建立了一个有关产业组织的研究小组，在继承 Chamberlin 等研究成果的基础上，Mason 提出了产业组织的理论体系和研究方向，他所指导的该领域最早博士研究生 Bain（1959）后来成为这一领域的权威。当时 Chamberlin 也在哈佛大学，他们一起被称为"哈佛学派"。他们以新古典学派的价格理论为基础，在承袭了前人一系列理论研究成果的同时，以实证研究为主要手段，对美国不同产业的市场结构、企业行为和市场运作绩效进行了实证分析，出版了第一批有关产业集中度的资料。在此基础上，Bain（1959）抽象出现代产业组织理论的三个基本范畴：市场结构、企业行为和市场绩效，并分析了三者之间的作用关系，强调了市场结构对市场绩效的重要作用，认为企业行为的变化对产业组织理论的展开并不重要，各种可能的市场绩效都可以从一组独立的结构变量中推导出来。由此他提出了著名的"市场结构—市场行为—市场绩效"即 SCP 分析框架。

"哈佛学派"研究的基本结论是，高度集中度的市场结构会产生垄断性的市场行为，进而导致不良的市场绩效，特别是资源配置的非效率。因此有效的产业组织政策首先应该着眼于形成和维护竞争的市场结构。哈佛学派的这种主张，对战后以美国为首的西方发达市场经济国家反垄断政策的开展和强化都曾产生过重大的影响。

Bain 建立的"结构-行为-绩效"分析范式奠定了现代产业组织理论的基础，这种在 SCP 分析范式下进行的产业组织问题研究具有明显的经验主义的性质，其所揭示的经济关系在很大程度上是一种相关关系，但其内在的因果关系却不清楚。而且，从这一时期的产业组织研究的大量成果和文献来看，以回归分析为基本方法是其显著的特点。这表明了该分析范式主要支持经验主义的研究，如资料分析和案例研究，而不足以进行更深刻的经济学理论分析。

2.1.1.3 产业组织理论的发展

从 20 世纪 60 年代后期开始，美国芝加哥大学的 Stigler、Dersetz、Posner、McGee、Brozen 等著名学者，激烈批评被奉为正统的结构主义产业组织理论，并逐渐形成了一个被称之为"芝加哥学派"的新的产业组织理论研究中心。他们不像结构主义学派那样只重视集中是否阻碍了竞争，而是注重分析集中及定价的结果是否提高了效率。

20 世纪 70 年代以来，可竞争理论、交易费用理论和博弈论等新理论被引入产业组织理论研究之中，其分析的理论基础、分析手段和研究重点等均产生了实质性的突破，使产业组织理论发生了革命性的变化，变化后的产业组织理论被称为"新产业组织理论"，它具有以下三个主要特征：①从重视市场结构的研究转向重视市场行为的研究，即由"结构主义"转向"行为主义"；②突破了传统产业组织理论单向的、静态的研究框架，建立了双向的、动态的研究框架；③博弈论的引入大大丰富了对市场行为的分析，定量分析在理论研究中占有重要地位。

Stigler（1968）特别注重判断市场集中及企业定价的结果是否提高了市场效率，而不是像 Bain 那样重视市场结构是否阻碍了企业竞争。他对"结构-行为-绩效"关系进行了理论分析和对理论（假说）进行经验证明，坚持认为市场机制自发作用是有效的，即信奉市场价格的调节作用，认为产业组织理论是价格理论的逻辑扩展。

Baumol（1982）提出可竞争市场理论，对 SCP 框架提出了质疑，认为特定的市场结构并不一定会导致特定的市场绩效。因为在可竞争市场上，新企业和产业内原有企业都面对着相同的成本函数，企业退出市场时也不存在沉淀成本，即不存在竞争者进入和退出的障碍。这样，即使某一产业内只有一家垄断企业，处于完全垄断市场结构的状态，竞争者进入市场的潜在威胁也会迫使现有企业降低成本，制定可维持性价格，即不存在垄断利润。也就是说，市场的可竞争性会自动维护良好的市场绩效。这就产生了对垄断性市场结构会引起垄断性市场行为并产生垄断利润这一理论假定的怀疑。

Williamson（1999）、Tirole（1997）等新产业组织理论学者认为市场结构是由企业规模大小决定的，而企业规模的大小取决于交易费用的高低，交易费用的高低则取决于交易活动所具有的复杂程度和不确定性，而这一切又都源于交易者的行为属性。因此，要想了解产业结构产生和变化的原因，就必须深入到经济活动参与者的行为属性中去进行研究。这样，新产业组织理论的研究重点就从结构环节转向了行为环节。由于行为属性具有很强的不确定性，研究方法上很难再沿用传统的实证手段，因此新产业组织理论采用了以推理演绎为主的研究方法。例如，为了预测和说明寡头厂商的各种策略行为对均衡结果产生的影响，他们采用博弈论方法将各种可能的对策模型化，并通过逻辑推理的方法对寡头厂商的决策行为做出各种预见性推测。在此基础上，他们得出了"非合作博弈均衡"的重要结论。

推理演绎法虽然比实证分析法更具理论逻辑性，但其最大的不足是缺乏实证数据的有力支持。例如，博弈论的许多推论都以严格的假定为前提条件，其结论也无法得到证实或证伪。正因为如此，该方法在当代同样受到了来自理论界的许多批评和质疑。20 世纪 80 ~ 90 年代以来，随着计算机和网络技术的进一步发展，各种统计数据的可得性大大增加，传统的实证分析得以将截面分析和时间序列分析、行业数据与企业数据结合起来，从而较好地反映出产业结构的动态变化情况。这在一定程度上弥补了实证研究单纯从个别行业、个别年份的统计数据来分析产业结构的不足，使分析更具有说服力。与此同时，新产业组织理论也开始寻求一种更具实证支持的理论研究方法。例如，在寡头定价问题上，已不再只是笼统抽象地讨论行业定价的博弈问题，而是更多地深入到具体行业的定价行为中去进行实证观察，并通过大量案例研究和分析来验证先前的各种推断（Bresnahan et al.，1987）。这些情况表明，过去那种将实证归纳研究方法与推理演绎研究方法截然分开的局面正在趋向于融合（卡布尔，2000）。

综上所述，产业组织理论以结构、行为和绩效（SCP）范式为核心的主要思想被后来的学者继承下来，并不断地完善与发展；新产业组织理论在应用性、经验性分析方面仍无法替代 SCP 范式。SCP 范式所注重的市场结构及有关产业基本性质对企业行为的影响也并没有以其分析方法本身的缺陷而被否定。SCP 范式对于推动产业组织理论经验性研究的作用仍然占据主导地位。SCP 范式在吸收了新的方法与手段后，无论在规范研究还是实证检验方面，仍具有广阔的、无以替代的应用空间。

2.1.1.4 国内对产业组织理论的引进、发展和应用

国内对产业组织理论的研究已经历了一个引进国外产业组织理论的阶段，目前正处于发展阶段，国内许多学者正在结合我国实际探索建立适合我国国情的产业组织理论。

易家祥（1980）翻译的美国学者威廉·G. 谢佩德的《市场势力与经济福利导论》一书，是我国最早引进的一部产业组织理论著作。随后卢东斌（1988）和潘振民（1989）分别把日本学者植草益的《产业组织论》和美国经济学家斯蒂格勒的《产业组织和政府管制》介绍到国内来。以后被引进来的著作逐渐增多。

陈小洪和金忠义（1990）编著了《企业市场关系分析——产业组织理论及其应用》，这是国内学者编著的第一本系统介绍产业组织理论的专著。王慧炯（1991）和马建堂（1993）先后主编了《产业组织及有效竞争》和《结构与行为：中国产业组织研究》，两著作结合我国实际，探讨了我国产业组织问题。夏大慰（1994）主编了我国第一部产业组织理论教材《产业组织学》。此后，王俊豪（1995）、毛林根（1996）、于立、王询（1996）、石磊、寇宗来（2003）又纷纷编著了有关产业组织理论的专著。另外，从 20 世纪 80 年代以来，国内经济理论界还发表了许多有关产业组织理论的论文，丰富了我国产业组织理论，推动了其在国内的发展。

20 世纪 90 年代中后期才有少数学者对国有企业比重较高的产业进行应用性研究，而对市场化改革较早较彻底的农产品加工产业基本上无人问津，直到最近几年因农产品加工业迅速发展且产业绩效问题凸现时，才有少数研究人员利用该理论探讨部分农产品加工业的产业组织运行规律，但系统研究在文献检索中尚未发现。

王秀清（2000）对中国食品工业的增长、结构与绩效进行了研究，认为食品工业市场结构与绩效之间存在明显的对应关系：具有垄断竞争型市场结构的烟草加工业，其工业增加值率、资产贡献率、成本利润率、劳动生产率等指标都远远高于其他行业；具有一定规模效应、产品差异较大的饮料制造业，其绩效水平虽然比不上烟草行业，但是高于食品加工业和食品制造业；食品加工业在整个食品工业当中绩效最差。此外，2003 年王秀清和郝冬梅专门对中国烟草加工业的市

场结构与绩效进行研究，同时对其市场力量与配置效率损失也进行了估测。

卢凤君等（2003）对高档猪肉的加工企业与养猪场的行为进行了系统的研究。依据博弈理论和方法，分析了优质猪肉供应链中养猪场和公司行为选择的机理，导出了双方行为选择的混合战略纳什均衡点，认为降低风险偏好、监督成本和违约超常收益，增加违约惩罚、违约潜在损失、违约信用损失、供应链内外收益差和合作期限，是优化养猪场行为选择的有效途径；在分析高档猪肉供应链中公司与养猪场行为选择机理的基础上，利用监督博弈模型导出了双方行为选择的临界条件，认为由于高档猪肉供应链中公司与养猪场之间存在委托代理关系，信息不对称和追求利润最大化的动机，使养猪场的败德行为和公司的监督行为不可避免。

罗必良和王玉蓉（1999）、罗必良（2004）引入"产权结构 - 行为能力 - 经济绩效"的分析框架，建立了一个"产权结构 - 计量能力 - 环境特性 - 经济绩效"分析模型；通过案例分析，科学地解释了两类现象：一是相同的农业经济组织形式采用不同的制度安排，其隐含的激励与约束机制却不同，从而影响作为理性参与者的行为努力，进而导致经济组织的不同绩效；二是同样的制度安排，因置于不同的环境背景，使得其内含的考核能力不同，从而也决定着不同的组织绩效。在此基础上推论出：一个经济组织的产权结构与之匹配的交易环境的相容程度，是决定其效率高低的关键。这是国内较早利用制度经济学理论对农业经济组织的制度结构、行为与绩效关系进行研究的成果。

李崇光和何玉成（2003，2005）、谭向勇等（2005）、陈利昌（2004）、林礼耀和胡浩（2005）等学者都对中国乳业产业结构、行为与绩效进行了研究，认为中国乳品市场处于垄断竞争状态，乳品企业为了获得竞争优势和争夺市场份额，在奶源基地、价格、产品质量、研究与开发上展开了激烈的竞争，为了构筑进入壁垒和战略优势，在企业边界的扩张上展开了纵向兼并和横向兼并活动，这些行为在促进乳品产业发展的同时，也给乳品产业发展带来一些问题。

周应恒和杜飞轮（2004）对我国茶饮料业的产业结构、行为和绩效进行了分析，认为茶产业的生产壁垒并不高、但销售方面的卖方垄断程度较高、消费者的品牌忠诚度较高的，茶饮料产业处于极高的寡占市场结构状态；茶饮料企业间竞争行为不是以价格战为主，而是以广告宣传作为最主要的促销手段，同时企业间强强联手的行为，可能引发更多厂商的合作行为，甚至是企业兼并，这对茶饮料行业的市场结构将产生一定的影响；茶饮料产业的绩效处于整体利润水平仍较高、技术进步较快的状态。另外，这两位学者于2005年从市场集中度、进入和退出壁垒、规模经济和产品差别化等方面，对我国软饮料行业市场结构状况也进行了分析。

陈会英等（2004）对中国农产品加工产业组织创新与政策选择进行了研究，

通过对农产品加工业发展状况调查研究和个案分析，概括了农产品加工业的产业组织特征，剖析了农产品加工业发展中存在的囚徒困境、过度竞争、逆向选择等问题的成因，并提出了确定优先支持发展及限制发展的产业政策、增加专用性资产投资以强化农产品加工企业与农民契约双方之间的相互依赖、完善合同管理以提高合同履约率等建议。

胡浩和付江涛（2006）对中国果蔬汁饮料制造业的市场结构、企业行为及经济绩效进行了分析。认为我国果蔬汁饮料制造业行业集中度较低，属于垄断竞争型的市场结构，市场上尚未形成具有支配性力量的企业，企业间的竞争行为倾向于品牌的构建，同时行业经济绩效呈现增长态势。

胡浩和刘丽江（2006）对中国饲料加工业的市场结构、企业行为及经济绩效进行了分析，认为我国饲料加工业市场集中度仍然较低、饲料加工业进入壁垒较小，市场竞争激烈；产品差别化主要是由于畜禽种类或生长期的不同而形成的饲料品种的差异和为了扩大销售而在品牌、质量、形状、包装等方面进行的差异化；饲料加工企业往往选择变化产品质量和注重对自身品牌的宣传，而不是改变价格以应对市场的变化。

郑少锋等（2006）分析了我国中药材加工产业市场结构，认为中药材加工产业的快速增长使市场集中度有下降的趋势，市场结构在近期呈现出低垄断高竞争态势，企业之间存在着激烈的竞争；另一方面由于中药产品差别的存在，部分企业又可以凭借产品差别特点形成一定程度的垄断。

综上所述可以发现，大多数国内学者没有对中国农产品加工业的结构、行为与绩效之间的关系假设进行实证检验，而是直接接受西方发达国家的产业组织理论假设，将其应用于分析中国目前发展最迅速的几个特定的农产品加工业（乳业、饮料业、饲料业和食品加工业等），并以发达国家的市场结构分类标准和绩效评价标准为参照系来探讨中国特定产业组织运行状况，寻求优化中国特定农产品加工业的产业组织政策。这些为中国特定农产品加工业的结构、行为与绩效的经验研究积累了丰富资料，具有重要的学术价值，为本书进行系统的理论与实证研究奠定了良好的基础。

2.1.2 产业纵向链理论

产业纵向链关系是指产业中上下游具有投入－产出联系的企业之间所形成的相互衔接关系。这种关系包括从最松散的公平市场交易关系到最紧密的一体化关系的一系列模式。解释产业中上下游主体之间如何建立合理的纵向链关系的理论，可概括为产业纵向链理论，它包括交易成本理论、委托－代理分析、战略管理理论及产业组织理论中的众多相关内容。Stigler、Alchian 和 Dersetz、Williamson 等知名学者都对产业链理论做了研究，但迄今为止仍没有形成一个可以解释各种纵向链关系的一般理论。

　　Stigler（1951）根据亚当·斯密关于分工受市场（发育）程度限制的命题，提出对纵向一体化的解释。按照 Stigler 的解释，分工的扩大意味着纵向生产链条中的阶段数目增多，承担这种社会分工的企业分别占据了不同的阶段。有一个似乎很明显的事实是，那些"万事不求人"、实行"完全"纵向一体化的企业，由于做不到以平均最低成本生产同样数量的最终产品，就要承受生产无效率的后果。市场规模的扩大，使企业能够比较容易地避免这种无效率，办法是把纵向生产的不同阶段分成几个独立的行业，每个行业都有专业分工的企业，每个企业的人员、规模都根据行业所处的主要生产阶段的规模经济标准而定。同时 Stigler 认为分工既可以在企业内部进行，也可以在企业之间进行，并通过比较这两种方式的成本和收益的大小来决定上下游企业之间应采取何种纵向链关系，他得出的结论是：市场规模与纵向一体化之间为负相关关系。

　　Alchian 和 Dersetz（1972）从解决企业组织内的投机取巧行为问题出发，讨论了上下游活动之间的关系。他们指出投机取巧可以看作是对就业协议所采取的一种机会主义行为，它是团队组织的一个缺点。企业作为团队组织的一种重要形式，其扩展范围受到规模越大投机问题越难以解决的限制。因此，一家规模既定的企业要成为能够生存并发展的组织形式，生产率的增长必须超过投机成本的增长。也就是说纵向扩张所带来的生产率增长大于投机成本的增长，则上下游企业之间会采取一体化的关系模式；反之，则上下游企业之间会采取彼此独立的公平市场交换关系。

　　Klein（1982）从解决合同签订后的机会主义行为问题出发，研究上下游活动的组织关系。他们认为机会主义是依靠市场协议来组织生产活动所造成的一种成本。如果某些环境容易产生机会主义行为，则上下游活动往往实行一体化关系。

　　Williamson（1971）着重从市场失效因素入手，结合谈判环境特征和企业的结构优势，分析了纵向一体化形成的原因。他认为上下游活动之间实行一体化关系有利于防范道德风险；有助于避免因缺少低成本的衡量标准所引起的高额归因费用；有利于恢复有效率的要素组合，从而降低总成本。

　　Grossman 和 Hart（1986）从资产所有权的重要性角度比较纵向一体化和市场交换关系。他们认为上下游主体间的关系模式（非一体化、前向一体化和后向一体化）影响两主体在操作决策谈判上的力量，操作决策谈判上的力量又会影响两主体之间准租的分配方式，而分配方式又影响两主体在不可核实的关系专用性资产上的投资积极性，这种积极性又影响所采用模式的总利润。因此，资产所有权应归属于投资对模式的总利润影响最大的主体。

D. Besanko 等（1997）从技术效率与代理效率的权衡的角度较详细地论述了规模经济与范围经济、产品市场的规模增长及资产专用性等因素对上下游活动关系的影响。他们认为如果独立企业能够更好地利用规模和范围经济，则它往往选择非一体化关系；如果企业的产品市场占有率较高，则它可以像大规模生产的外部厂商一样获取规模经济，因此，它往往选择一体化关系；如果资产专用性足够显著，纵向一体化的赢利能力要高于公平市场交换，即使输入品的生产存在明显的规模经济或者厂商的产品市场规模较小时也是如此。

以上产业链理论是从市场规模、资产专用性和无欺诈的有效运营等角度讨论纵向关系的选择问题。事实上，还存在以降低风险、调节价格、垄断化及相继垄断等为基础的各种纵向链理论。总体看来，目前有关的产业链理论很多而且复杂，各自都只能说明某些特定的、有限的问题，一个系统地、可以解释各种纵向关系的一般产业链理论体系尚没有形成。

2.2　中国乳品产业发展研究

中国乳品产业的发展日益受到学术界和政府部门的关注，有关人员所进行的研究也日渐增加，内容多限于对原奶生产、乳品加工、乳品消费、乳品国际贸易等各个主要活动进行独立研究，而对整个乳品产业进行系统性研究得则相对较少。

2.2.1　对中国原奶生产问题的研究

近几年对中国原奶生产环节的研究较多，其中既有从经济管理角度进行的研究，也有从生产技术角度进行的研究。主题涉及原奶生产的产量、质量、经营方式、组织形式及 WTO 背景下的机遇与挑战等各个方面。在众多研究中，以原农业部畜牧局局长李易方、中国奶牛协会秘书长方有生及《中国奶牛》编辑部的许宗良等的研究最具权威性。对于中国原奶生产的现状与发展问题，方有生于1999 年作了深入系统的研究，并撰文《我国奶牛业现状及发展趋势》发表于《中国奶牛》期刊。研究对中国原奶生产的现状从存栏情况、饲养品种、饲养方式及产奶水平、繁育工作等方面作了系统分析，认为中国原奶生产在畜牧业中处于落后水平，需要加快发展；同时在分析影响中国原奶生产的各个因素基础上，对原奶生产的历史作了阶段划分，认为中国原奶生产正处于转变过程中。李易方则针对 WTO 框架下中国原奶生产的发展对策作了深入的研究，在 2000 年上海"中国奶业与入世研讨会"上作了题为《中国奶牛业面临的挑战与奶源基地建设》的报告，认为在国际乳业大市场中，我国民族奶牛饲养业处于十分不利的地位，主张通过"五个同步，稳中求快"和"四方联动，有机结合"的措施尽快提升中国奶牛业的国际竞争力。许宗良（2001）针对中国牛源不足问题提出了"提高繁殖力、控制淘汰、减少死亡；从国外、境外购买奶牛胚胎；进行黄牛改良"等措施以缓解牛源约束问题。曲金铎（1999）则对奶牛饲养管理经营形式、农村奶业发展变化等问题作了深入研究。认为目前奶牛业有 4 种主要的组织形式，各有不同的产生条件及优缺点。中国社会科学院刘振邦（2000）研究员、上海市奶业协会秘书长陈新（2002）和北京西郊奶牛公司总畜牧师王运亨（2000）等则对奶牛业与草业的关系作了深入的研究。刘振邦研究员于 2000 年 11 月撰文《种牧草养奶牛：现代农业的主导产业》，从一个国家农业产业结构的发展变化角度揭示了草业与奶牛业之间的关系，认为二者的接合将成为现代农业的主导产业。陈新于 1999 年从中国奶业发展态势、农业结构的战略调整、奶业与草业关系、苜蓿应用的显著效果、苜蓿产业的现状与问题等全面的视角分析了奶业与草业关系，并提出二者之间协调发展的对策与建议，研究成果发表于《中国乳业》1999 年第 6 期。

另外，在众多有关原奶生产的技术问题研究中，以中国农业大学动物科技学院张沅教授、原中国奶协繁殖专业委员会的于德洪、北京市奶牛研究所的萧定汉及中国农业科学院畜牧研究所的王加启等为代表，对奶牛的育种、人工授精技术、奶牛疫病防治和奶牛饲料营养科技等重大问题作了深入研究，为其他相关研究所广泛引用与借鉴。

2.2.2　对中国乳品加工问题的研究

近几年，有四类研究人员对中国乳品加工问题进行研究。

第一类是行业协会的研究人员，主要是中国乳制品工业协会与中国奶业协会的工作者，其中以中国乳制品工业协会理事长宋昆岗的研究最为全面。他对中国乳品工业在"九五"期间的发展情况作了系统研究，包括乳制品产量的变化、乳品加工技术与设备的引进更新、产品结构的调整、乳品企业间的兼并重组、乳品行业的对外合作与交流、中国乳品加工业同发达国家的差距比较等方面。研究认为乳品加工业的劳动生产率低、成本高、质量参差不齐、产品结构单一等是中国乳品加工业目前的主要问题，建议通过提高产品质量、降低成本、调整结构、加快发展大型企业集团、积极开拓国际市场和调整乳品加工增值税等措施来加以解决，研究成果主要集中在宋昆岗于 2000 年 9 月发表在《中国牧业通讯》上的《面对 WTO：乳制品加工业怎么办》和 2001 年载于《入世前夕话奶业》一书中的《夯实基础，练好内功，迎接乳品行业快速发展时期的到来》两篇论文之中。

第二类是咨询公司的研究人员，以上海铭泰乳业营销咨询有限公司的研究最为权威。他们对中国乳品加工行业的竞争状况、企业竞争战略、市场营销策略及销售渠道建设等问题做了大量研究，认为中国乳品行业目前正处于"完全竞争状态"，且企业间竞争已逐渐从产品层次向资本市场竞争转变；同时认为在乳品市场竞争中，不同规模的企业已开始定位于不同的市场，行业内竞争向有序化方向转变。

第三类是各大乳品企业的管理与研究人员，如上海光明乳业有限公司总裁王佳芬、伊利集团原总裁郑俊怀、三鹿集团公司董事长田文华等，他们往往从企业经营管理的角度去分析中国乳品加工行业的现状及存在的问题，其分析研究成果大多在一年一度的乳业年会上以书面报告的形式发表出来，具有极强的时效性与针对性。

第四类是相关院校和研究机构的研究人员，其中中国人民大学农经系的姚莉等（2002）对中国乳品加工工业做了许多实际的调查研究，对乳品加工企业在整个乳品产业发展中的作用及其原因作了深入研究，认为产品自然属性、转时期政府能力与企业能力的消长等因素决定了乳品加工企业对奶农的重要带动作用，产品的安全性、乳制品生产加工销售的规模效应及中国农民的弱质性等因素决定了乳品加工大企业在整个乳品产业发展中的中心地位，建议乳业发展战略与政策应以提高大企业的竞争力为直接目标，以实现中国乳业的超常发展、中国农民的更大收益和消费者的更大福利为最终目标。此外，中国农业大学食品学院的南庆贤教授、东北农业大学畜产品加工研究所骆承庠教授和张和平、中国食品发酵工业研究所的萧家捷教授、内蒙古轻工乳品研究所的金世琳所长等乳品加工科技研究人员对中国乳品加工的科技问题进行了研究，许多重要成果都被收录在《中国奶业50年》一书之中，为其他研究人员所广泛引用与借鉴。李传威（2004）对乳品加工业可持续发展与对策进行了研究，其中对乳品加工业的技术进步进行了测算。王威（2007）对中国乳品产业竞争模式进行了系统的理论与实证。

2.2.3 对中国乳品消费问题的研究

长期以来，由于消费习惯与偏好的限制，中国居民乳品消费水平较低，学术界对其所做的研究工作也较少，大多集中于对原奶生产与乳品加工问题的研究。近几年，随着政府对乳品消费可以提高国民身体素质、带动农业结构调整等作用的认识加强，同时随着乳品加工企业开拓市场需要的增强，相关的和专门的研究也渐渐增多。

张存根和张乐昌（1994）在《肉蛋奶生产、流通、消费》一书中分析了当时肉蛋奶的生产、流通及消费状况，其中对乳品消费状况只作了简单分析；赵锋明（1999）调查了北京市乳品消费现状，对其发展趋势进行了预测；王济民等

（2000）在《城乡居民畜产品消费结构与消费行为》一文中对中国居民乳品消费进行了研究，认为在所有畜产品中乳品消费偏好最低；冯仰廉（2002）对中国居民的收入水平对乳品消费的影响作了统计分析，结果表明乳品消费支出与人均可支配收入之间呈极显著的曲线相关；周俊玲（2001a）全面分析了影响中国居民乳品消费的因素，同时对乳品消费的收入与价格弹性进行了测算；哈尔滨工业大学对部分城市进行了调查，主要对居民的乳品消费行为与偏好进行了研究；北京创研市场信息研究所、北京歌华文化发展集团等单位对北京、上海、广州、重庆、武汉、西安六大城市乳品消费市场进行了调查，结果表明消费习惯和偏好、价格、收入水平、乳品的质量等因素对中国居民的乳品消费起着十分重要的作用。

2.2.4　对整个乳品产业问题的研究

由于中国乳品产业发展比较落后，迄今为止学术界对中国整个乳品产业的研究主要集中于对中国乳品产业发展战略研究，内容虽然包括原奶生产、乳品加工、乳品消费及进出口贸易等所有主要活动，但尚未发现学者对各活动之间相互关系及其对整个乳品产业发展的影响进行研究。

1989年中国高级专家组在欧共体技术援助人员的协助下，完成了第一份最全面的中国乳品产业发展战略报告。1989年3月，荷兰奶业集团派出6位专家，中方组织了17位专家共同开始这项战略研究工作，先后考察了14个城市，收集了大量的历史资料，写出了35篇专题报告，并分赴黑龙江、内蒙古哲里木盟、河北中部、苏北、山东烟台和威海、河南中部黄河滩区、浙江金华和温州、广西、广东、四川、湖北、湖南等地进行实地考察，取得了大量的第一手资料，经过艰苦的分析研究，完成了《中国奶业发展战略研究》的调查报告。该报告客观地分析了1989年及以前中国奶业发展的历史和现状、当时奶业发展的有利条件和限制因素，提出了中国奶业发展的指导思想、发展目标与结构设想。为保证发展战略目标的实现，报告提出6方面的政策建议：①把奶业作为重点支持和发展的产业，认真落实国务院颁布的产业政策要点和"菜篮子工程"实施方案；②采取有利于稳定奶业生产发展的价格政策及相应的措施；③要把职业培训工作放在重要位置；④增加资金投入；⑤在自力更生的基础上，继续争取外援和国际技术合作；⑥建立奶业协调管理委员会，加强行业管理。此外，这批专家们还就中国的奶牛生产、奶山羊生产、水牛奶业、牦牛奶业、奶品消费、加工、奶业机械制造、奶业价格体系、世界粮食计划署和欧共体援助中国奶类项目建设等撰写了专题研究报告及对11个省、市奶业发展战略研究的考察报告，对今后的研究具有十分重要的参考价值。

1999 年中国农业部农村经济研究中心的一批中青年研究人员受欧盟中国奶类援助项目的委托，对中国奶业中长期发展战略进行研究，是继《中国奶业发展战略研究》之后的另一项重大的关于未来 10～15 年中国奶业发展战略研究的成果。该研究认为：未来 10～15 年中国奶业将会较快发展；奶制品加工能力和产品质量会有较大角度提高，品种结构会有所改善；奶业营销组织结构将做出进一步调整，将更加符合市场经济运行要求与生产经营的特殊性；奶业发展中的国际合作领域会更宽，更有作为。在上述前景分析的基础上，提出政府要积极引导奶类消费、鼓励企业积极开拓市场、加强对乳品行业的行业指导和技术改造、优化奶业的生产组织形式、加强对原料奶生产的扶持和科技投入、加强国际合作与交流、加强奶业宏观管理等中长期发展的具体对策。

2000 年中国农业科学院国际农产品贸易研究中心程国强博士主持研究了"执行 WTO 规则对中国乳业经济的影响"的重大课题，得出中国加入 WTO 将使国内乳品生产者福利下降，消费者福利增加，乳品消费总量、人均消费量及净进口增加等结论。

2007 年谭向勇等对中国奶业的消费与需求、生产与供给、加工、市场营销和国际贸易进行了系统分析。

2008 年倪学志将原奶生产、乳品加工和消费三个环节当作一个整体，从理论与实践上研究了中国乳品产业协调发展问题。

国外对中国乳品产业进行系统研究的文献较少，1998 年荷兰 Rabo Bank 香港分行的 Anning Wei 等对中国乳品产业进行了一次较全面的调查，内容涉及供给、需求、进出口贸易等重要活动，完成的报告"中国乳业经济：需求、供给与贸易机会"具有重要的参考价值。报告认为：受消费观念和收入水平的影响，中国人均牛奶消费量较低，但今后 3～5 年的增长幅度将达7%；阻碍中国原奶生产的主要问题是生产过于分散和生产成本过高；中国加入 WTO 后，乳品成本会降低，有利于提高乳品竞争力，部分乳品的进口会有较大的增长。

Frederick W Crook（1998）发表了"中国乳业经济：生产、销售、消费和对外贸易"报告，认为改革开放以前中国乳品生产量较少，居民乳品消费量也较少；改革开放后政府通过一系列政策刺激了乳品的生产，生产能力迅速提高，但由于人口压力大，土地面积有限，中国将主要依靠进口来满足市场需求。

上述研究成果都是对当时中国乳品产业发展情况的客观反映，具有重要的理论价值与现实意义，为本书从一个新的角度去研究中国乳品产业发展问题提供了重要的参考。

第3章
乳品产业发展研究的理论基础

研究乳品产业发展，既涉及乳品产业纵向链关系的协调问题，又涉及乳品加工行业的市场结构与企业间的竞争问题，还要考虑它们对产业发展的影响。新制度经济学中有关产业上下游主体之间关系的理论与产业经济学中的产业组织理论分别以产业链纵向关系和行业内企业间竞争与市场结构为研究对象。因此，研究中国乳品产业发展必须借鉴这些相关理论。

3.1 产业链理论

任何产品或服务的生产都涉及相当多的活动。从获取原材料开始到最终产品的分配和销售及各个环节间的关系，被称为某一产业的纵向链条和纵向关系。研究产业链上的纵向关系是产业经济分析的一个核心问题。产业链纵向关系实质上是上下游厂商之间的关系，其中各厂商之间衔接活动组织方式的选择又是关系产业发展的一个重要问题，即厂商是通过公平市场交易组织交换，还是在内部组织交换。这种关系的选择是建立在对影响市场交换与内部交换之间相对效率的因素分析的基础之上的，这些影响因素包括规模经济、私有信息泄露、激励和市场交换的交易费用、资产所有权及专用性资产投资、市场不完善等。

3.1.1 技术效率/代理效率的权衡与产业的纵向链关系

产业纵向链的上下游厂商之间的关系有两种极端形式：一是公平市场交易关系（纯粹的市场交易关系）；二是完全的纵向一体化关系。这两种关系的取舍与技术效率和代理效率之间的权衡有着密切的关系。技术效率是指厂商利用一定的输出所能获得的最大产出水平。代理效率是指纵向链中商品或服务的交换组织形式能够减少协调、代理和交易费用的程度。前者往往通过建立公平的市场交易关系而向大规模专业独立生产商购买低生产成本的供应品，后者往往通过建立纵向一体化关系，用内部命令来代替市场交易而大大减少交易费用。最优的纵向链关系就是能使生产成本与交易费用总和减少的纵向组织方式。在极端情况下，公平市场交易关系最有利于降低生产成本，但完全的纵向一体化最有利于降低交易费用，因此纵向链关系的取舍就必须权衡技术效率与代理效率之间的关系。

可以用图示的方法来权衡代理效率与技术效率之间的相互作用。在图3-1中，假设商品交易量为某一固定值，纵轴代表纵向一体化的总成本与公平市场交易的总成本之间的差额。正值代表纵向一体化的总成本高于公平市场交易的总成本。横轴表示资产的专用性，用 k 代表。k 值越高表示资产专用性程度越高。

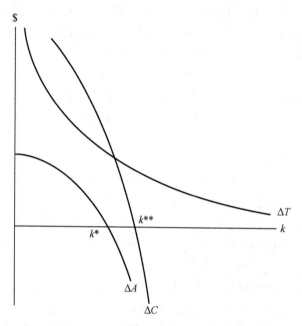

图3-1　技术效率和代理效率的权衡

ΔT 曲线表示纵向一体化产业链的最小生产成本与公平市场交易产业链的最小生产成本之间的差额。这里的"最小生产成本"，是在假定两类纵向组织链其他成本相同的情况下产生的，不包括由于控制成本的激励效率差异或是在两类纵向关系中为降低成本的工艺改造投资的效率差异而引起的生产成本增加。因此，ΔT 表示纵向一体化的内部生产和公平市场交易关系中外部独立厂商生产的技术效率差异。因为公平市场交易关系中的独立厂商集中其他购买者的需求，从而比纵向一体化关系中的企业内部生产能更好地利用规模经济和范围经济，所以对于任何水平的资产专用性，二者的差异都是正值。纵向链上下游活动之间的衔接如果存在专用性资产，则二者成本差异随着资产专用性的下降而下降，因为更高的资产专用性意味着输入品的市场需求量较小，独立厂商的销量更小。因此，资产专用性越高，独立厂商越难以获得规模经济与范围经济。

ΔA 曲线表示纵向一体化关系中的交易成本与公平市场交易关系中的独立厂

商向外部购买时交易成本之间的差额。独立厂商向市场供应商购买时，这些成本包括组织交易谈判的直接成本、签订和履行契约的成本、受到要挟以及因关系专用性资产投资不足而导致低效率时产生的成本，以及由于协调中断和私有信息泄露而引起的成本。纵向一体化的厂商在其内部交换时，这些成本包括代理和影响成本。因此，ΔA 曲线表示两类产业纵向链关系的代理效率的差异。

ΔA 曲线在资产专用性程度较低时（$k < k^*$）为正，资产专用性程度较高时为负。因为资产专用性程度低时，要挟就无法产生，相应的公平市场交易关系的交换成本较低，而纵向一体化关系中的内部部门的代理和影响成本总会存在。随着资产专用性程度升高，公平市场交换的交易费用也逐渐升高；在临界点 k^* 处，两种纵向链关系的交换成本正好相等；当超过临界点 k^* 后，交换成本增加就使得纵向一体化关系比公平市场交换关系的代理效率更高。

ΔC 表示纵向一体化关系的生产和交易总成本与公平市场交换的生产和交易总成本之差。因此，ΔC 曲线由 ΔA 和 ΔT 在纵轴上的加总来表示。如果 $\Delta C > 0$，则表示公平市场交换的纵向链关系的总成本要低于纵向一体化关系的总成本，即公平市场交换关系要优于纵向一体化的关系。如果 $\Delta C < 0$，则公平市场交换的纵向链关系的总成本要高于纵向一体化关系的总成本，即纵向一体化的关系要优于公平市场交换关系。如图 3-1 所示，当资产专用性低于某一个水平时（$k < k^*$），公平市场交换关系优于纵向一体化关系；当资产专用性高于 k^* 时，纵向一体化关系优于公平市场交换关系。

随着资产专用性程度的增加，生产的规模经济与范围经济越来越不显著，纵向一体化关系则会比公平市场交易关系更具有效率。ΔT 曲线反映公平市场交换关系中的独立生产商通过集中其他厂商的需求量从而达到规模经济的能力。资产专用性程度越高，规模经济越低，则 ΔT 曲线高度越低，也就表示公平市场交换关系优于纵向一体化关系的程度越低。在资产专用性极高处，规模经济会消失，ΔT 曲线与横轴重合，此时纵向一体化关系和公平市场交换关系的选择完全取决于两种关系的代理效率的高低，即 ΔA 曲线的位置。

图 3-2 显示了随着上下游企业之间交易规模的增加，有两个效应使公平市场交换组织关系和纵向一体化组织关系之间优劣势发生变化：第一，更高的产出量使纵向一体化厂商也能够利用规模经济优势，这就降低了纵向一体化关系内部组织生产的成本过高劣势，即曲线向下方移动。这样，交易规模的增加使得交换成本较低的模式变得更有优势。于是，ΔA 曲线在 k^* 点处顺时针方向"扭转"。ΔT 曲线与 ΔA 曲线的移动的总体效应是使 ΔC 曲线与横轴的交点左移，从 k^{**} 到 k^{***}（实线为转移后的曲线；虚线为原曲线）。这就使纵向一体化关系的优势相对增加。也就是说，随着交易规模增加，在各种固定的资产专用性水平下，纵向一体化可能是更优的产业纵向链关系模式。

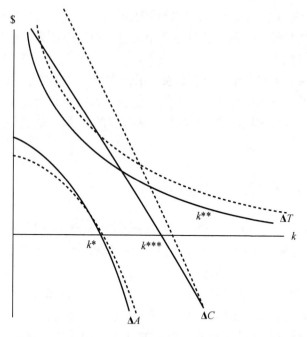

图 3-2　规模增加对权衡代理效率和技术效率的影响

　　以上分析可以得出两种产业纵向链关系模式之间相对优劣势与输入品生产的资产专用性水平及厂商产品市场规模之间关系的三个结论。

　　（1）规模经济和范围经济

　　如果公平市场交换关系中的独立厂商能够更好地利用规模和范围经济，则它选择公平市场交换关系就更加有利可图。规模和范围经济的一个主要来源是"不可分割的"、前期的"沉没"成本，如机器设备的投资或发展生产专有技术。因此，如果输入品的生产需要较高的前期"沉没"成本，同时外部市场对输入品的需求很大，那么公平市场交换关系要优于纵向一体化关系，应该依靠独立厂商来生产输入品。特别是对于需要密集性资本的投入的产品、生产过程具有明显学习曲线效应的产品，以及依赖于专有技术降低生产成本的产品，更应该利用独立厂商生产输入品。

　　（2）产品市场的规模大小

　　当厂商所经营的产品市场规模扩大时，采用纵向一体化关系的优势可以增加。因为厂商所经营的产品市场规模扩大时，厂商的产量同时增加，它对输入品的需求量也会增加，输入品的内部生产也就可以像公平市场交换关系中的独立厂商一样获得规模经济和范围经济。这表明产品市场占有率较高的厂商比占有率低的厂商更可能采取纵向一体化的关系模式。同时还表明如果厂商拥有使用相同零部件的多种产品线，则厂商可以从纵向一体化产品零件生产中利用范围经济，从而也就能够达到较大的市场规模，获得范围经济。相反，厂商在纵向一体化"时尚性"或"拾遗补缺性"的零部件生产中无法获得规模经济与范围经济。

（3）资产专用性

如果投入品的生产需要投资于关系专用性资产，则资产专用性程度越高，纵向一体化关系越利于节省交易费用，使其获利能力明显高于公平市场交换关系，即使投入品的生产存在显著的规模经济或者厂商的产品市场规模不大时也满足这一基本规律。

3.1.2 资产所有权与产业纵向链关系

Grossman 和 Hart（1986）从资产所有权和产业纵向链关系之间的联系出发，分析纵向关系模式应如何选择。他们的理论主要研究产业纵向链中的两个上下游主体，假设上游主体为单位1，下游主体为单位2，认为它们之间有三种纵向关系模式。

1）非一体化。两个主体为彼此之间为独立关系的厂商，每个主体都拥有对自己资产的控制权，每个主体独立进行自己的操作决策。

2）前向一体化。主体1拥有主体2的资产（即主体1通过购买主体2的资产控制权，前向一体化控制主体2的部分资产所有权），于是主体1拥有上下游两个环节的操作决策权。

3）后向一体化。主体2拥有主体1的资产（即主体2通过购买主体1的资产控制权，后向一体化控制主体1的部分资产所有权），于是主体2拥有上下游两个环节的操作决策权。

同时 Grossman 和 Hart 区分了两类决策：不可签约的决策和可以签约的决策。不可签约的决策是投资于关系专用性资产上的一组不可测算的事前投资。可以签约的决策是投资于关系专用性资产上的一组可以测算投资的操作决策。两主体就这些决策进行谈判，一旦谈判破裂，对操作决策的控制权就完全属于对决策相关资产拥有剩余索取权的主体。

Grossman 和 Hart 认为纵向关系模式影响各主体在操作决策谈判上的地位，这种地位影响了纵向关系模式所带来的准租分配关系；这种分配关系反过来又会影响各主体在不可测算的关系专用性资产上的投资积极性；这种投资情况又决定了该纵向关系模式所产生的总利润的高低。图3-3 阐述了这种因果关系。反观因果关系，可以发现各种纵向关系模式的成本和收入取决于总利润对各主体的关系专用性资产投资的激励强度。由于纵向关系中某主体的控制能力越强，获得的利润越多，它作出不可测算投资的积极性也就越强，因此，为了使纵向关系所带来的总利润最大，所有权应当归属于投资对纵向两个环节总体的总利润影响最大的主体。例如，如果主体1在专用性资产上的投资比主体2的投资能够对双方总利润产生更大的影响，则前向一体化是更优的——纵向 1 应该控制纵向 2。如果双方的投资对于纵向两个环节总体的总利润影响没有差异，那么完全市场交易关系是最优的选择。

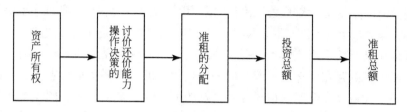

图 3-3　Grossman 和 Hart（1986）的资产所有权理论

　　强调资产所有权对纵向关系模式的影响有助于划分纵向关系的类型，从而更好地认识一些实际经营活动介于从纵向一体化到完全市场交易关系的模糊安排。在强调资产所有权对纵向关系模式有较大影响的基础上，他们进一步明确了专用资产的形式（专用性物质资产与专用性人力资产）对纵向关系模式也有着不同的影响。因为专用性物质资产的所有权可以转移，但是通常不可以转移专用性人力资产的所有权，所以，纵向一体化水平不只受资产专用性水平的影响，还受它的形式的影响。

3.1.3　市场竞争与纵向一体化动机

　　除了技术效率/代理效率与资产所有权外，市场结构的特征和厂商利用市场的程度也对产业链纵向关系有较大的影响，特别是厂商在基于以下动机时，往往选择纵向一体化的关系模式。

3.1.3.1　利用纵向一体化消除不完全竞争的影响

　　如果纵向链条上的一个或多个环节处于不完全竞争状态，纵向一体化的组织安排往往更有优势。可以用一个例子来阐述该观点。假设某地一家小型奶粉生产企业通过一家大型经销商销售它的奶粉，该地区奶粉市场的分销渠道为该大型经销商所垄断，该大型经销商在奶粉市场上拥有强大的力量。假设行业价（奶粉生产企业和经销商以该价格出售给零售商——商超、小百货店等）为每罐 50 元，分销的边际成本为每罐 10 元。如果经销市场是完全竞争的，奶粉经销市场中竞争的经销商所接受的批发价（奶粉生产企业以该价格销售给经销商）最高为 40 元，即行业价与分销边际成本的差额。但是，由于经销商具有市场垄断力量，它可以进一步压低批发价，如 25 元。因此，该垄断厂商利用垄断的力量，使垄断下的批发价低于完全竞争批发价 15 元。

　　如果奶粉生产企业能够以 10 元的边际成本销售自己生产的奶粉，则更好的选择是自己销售奶粉，可以避免 15 元的价格损失。但是只有当奶粉生产企业有能力建设自己的分销渠道时，自我经销才有可能性；并且只有当奶粉生产企业自己组建的分销渠道的边际分销成本低于 15 元时，自我经销才是有利可图的。如果分销渠道的规模经济性较高，大规模经销才可以利用规模经济而获利，则该小型奶粉生产企业就无法通过单一品牌获取该规模经济，自我经销仍然是无利可图的。

即使小型奶粉生产企业不具备自我经销的能力或自我经销无利可图，经销商市场垄断力量的存在仍然是引起纵向一体化的动机。特别是奶粉生产企业和经销商具有兼并和避免完全竞争市场导致价格的下降的双重动机时。图 3-4 解释了该内在根据。在图中，MC 代表奶粉生产企业生产奶粉的边际成本。在经济学中，边际成本是产量每增加一个单位时总成本的改变量。在这里，边际成本曲线显示每月产量低于 10 000 罐时，生产成本的边际成本为每罐 20 元，每月产量在 10 000 至 20 000 罐时边际成本为 30 元，每月产量超过 20 000 罐时为 60 元。根据边际均衡原理（边际成本等于边际收益），在批发价格为每罐 25 元时，奶粉生产企业的最优产量（批发价与边际成本曲线相交处的产量）是每月 10 000 罐。在该产销量下，奶粉生产企业的每月利润为（25 - 20）× 10 000 = 50 000 元，经销商的每月利润为（50 - 10 - 25）× 10 000 = 150 000 元。如果经销商和奶粉生产企业实现纵向一体化，根据边际均衡原理，最优产量就出现在行业价减去边际分销成本的差额（50 - 10 = 40 元）与边际成本曲线的交点（边际成本为 40 元）。由图 3-4 可知，纵向一体化情况下，每月产量变为 20 000 罐。在该产量下，总生产成本为 20 × 10 000 + 30 × 10 000 = 500 000 元，每月利润为 40 × 20 000 - 500 000 = 300 000 元，是兼并前双方利润总和的两倍。

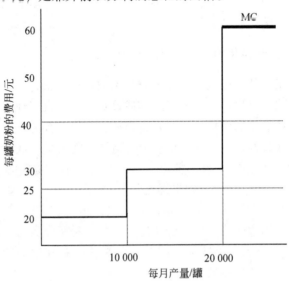

图 3-4　独立的和纵向一体化的奶粉厂的产量

当经销商的市场垄断力量存在时，独立的奶粉生产企业最大化利润时每月产量为 10 000 罐，而不是 20 000 罐，奶粉生产企业的损失要高于经销商凭借垄断力量得到的收益，所以上下游的公平市场交换关系的利润总额比纵向一体化的共同利润要低。这种由于垄断力量的存在而导致的非效率有时被称为"双倍边际化"。即由于不存在纵向一体化，每家厂商分别根据边际均衡原理，将各自的边际收益等于边际成本来确定产销量。这样使得上下游厂商无法内部化各自的生产和定价决策的相互影响。通过纵向一体化，奶粉生产企业和经销商可以将经销商的市场垄断力量内部化而消除其对奶粉生产的不利影响，并且实现最大化纵向链条利润的产量。纵向一体化而导致共同利润增加的幅度在很大程度上决定了一体化能否发生。由于共同利润增加，必然存在一个收购价格的"议价范围"，如果经销商收购奶粉生产企业的价格在此范围内，经销商和奶粉生产企业的所有者可以获益更大。

当然，纵向一体化并不是最大化纵向链条利润的唯一方法。也可以在经销商和奶粉生产企业之间达成一份协议，经销商同意每罐 40 元购买奶粉厂的产出，但是奶粉生产企业每年必须向其交纳一笔可观的费用。在这种安排下，奶粉厂就可以每月生产 20 000 罐，而不是 10 000 罐。缴纳费用可以等于经销商在 25 元的批发价时所获得的最低利润。这表明了如果上下游主体之间采纳了纵向一体化，从某种意义上说它不仅是因为竞争的不完全性，也会是因为契约的不完备性。换句话说，除了简单批发定价，制约因素将使得其他任何形式的纵向契约都成为不可行。

3.1.3.2 利用纵向一体化实现价格歧视

纵向一体化也可以用于实现价格歧视。可以用一个例子来阐述该观点，如有一座大城市郊区奶牛公司，它垄断了城市周边的原奶生产，而原奶是保鲜奶生产商和酸奶生产商的原料。酸奶生产商可以用进口优质奶粉替代它，但保鲜奶生产商却不可以。所以，保鲜奶生产商对该公司的原奶需求价格弹性要低于酸奶生产商的。因此该奶牛公司可以通过向保鲜奶生产商收取高于向酸奶生产商收取的价格，从而最大化利润。但是，这种安排在下面情况下是不可行的：酸奶生产商购买大量的该公司的原奶，然后以低于奶牛公司的价格销售给保鲜奶生产商，这就破坏了价格歧视。如果这样的话，奶牛公司就只得以相同价格出售原奶给所有的客户，因而也就损失了价格歧视可以获得的利润。

但是，假设奶牛公司前向一体化酸奶生产商。通过降低酸奶的最终价格，它可以扩大供应酸奶的原奶生产，达到与最优价格歧视计划下相同的销售量；它还可以提高供给保鲜奶生产商的原奶价格，达到利润最大化的歧视价格。实际上，通过纵向一体化进入价格弹性更高的生产活动阶段，垄断就可以获得等同于最优价格歧视下所达到的结果。该组织形式的结果被称为"纵向价格压榨"。压榨的出现是由于降低酸奶的最终价格和提高原奶的价格，纵向一体化的酸奶生产商使得独立的酸奶生产商处于不利地位。可以推理出该组织形式相反的做法（奶牛公司前向一体化保鲜奶生产商，进入更加缺乏弹性的生产活动段）是不可行的。为了达到最优价格歧视的结果，垄断者必须降低供给酸奶生产商的价格，同时又由于提高保鲜奶的最终价格而减少应用于保鲜奶生产的原奶产量。这样做对于生产效率提高有很大的负面影响。还会吸引其他厂商进入保鲜奶市场，只要它们可以以低价向该奶牛公司购买到原奶（假设该奶牛公司不能拒绝销售给新进入者）或向那些超量采购的酸奶生产商购买。

3.1.3.3 利用纵向一体化封阻市场进入或回避封阻

乳品加工企业进行一体化可以达到封阻竞争者进入市场或发展壮大自己的目的。现有的乳品加工企业可以通过后向一体化原奶生产活动以控制有限的优质奶源基地。

即使现有乳品加工企业无法完全控制优质奶源，纵向一体化仍可以封阻进入。如果只剩下较少的原奶生产基地，新进入者的进入或现有竞争者的扩张必然会引起原奶价格大幅度上升。当然，如果乳品加工企业预测到封阻的可能性，它会寻求抢占优良奶源基地以稳定自己的原奶供应。

封阻和担心被封阻也可以解释前向一体化销售环节。如果存在进入批发和零售市场的壁垒，乳品加工企业可以前向一体化批发和零售环节，以封阻竞争对手和新进入者进入市场，或者防止已经前向一体化的企业封阻。

3.1.3.4 利用纵向一体化获取信息

Arrow（1975）认为为了获取外部信息企业也可能采用纵向一体化手段，通过分析乳品加工企业一体化原奶生产来揭示其内在依据。为了有效地作出产能和生产决策，乳品加工企业需要能够预测原奶的价格。某特定地区的原奶价格部分既取决于不可预测的因素，如饲料饲草生产的波动情况；也取决于当地原奶生产状况，如奶牛的疫病防治。拥有奶源基地的企业会封锁许多这方面的信息，并且很难通过竞争市场获取这些信息。如果以上制约因素存在，乳品加工企业获取信息的一个有效方法是后向一体化原奶生产活动，这样就可以为产能和生产决策提供准确的信息。

3.1.4 产业纵向链关系的其他形式

公平的市场交易关系与完全的纵向一体化关系是产业纵向链关系的两种基本

形式，现实经济活动中还存在介于这两者之间的其他纵向关系模式。

3.1.4.1 公平的市场交易与纵向一体化并存：渐变一体化

渐变一体化就是纵向一体化和公平的市场交易的混合模式。乳品加工企业可以自己后向一体化进入原奶生产环节生产一部分原奶，剩余部分则向独立牧场采购。同样，它也可以通过自己的销售部门出售一部分乳品，其余的乳品则依靠独立的乳品销售代理商销售。

渐变一体化有许多优点。第一，在资本投入不高的情况下，它可以增加乳品加工企业输入品和输出品的渠道。第二，乳品加工企业可以利用一体化渠道的成本和赢利能力的信息，协助与外部提供商或经销商的签约谈判。乳品加工企业还可以利用扩大使用市场而减少内部生产的威胁，压迫内部生产单位或销售部门努力提升绩效。第三，乳品加工企业可以组建自己的乳品销售渠道，以免受独立的乳品销售商代表的要挟。

大型跨国乳品企业提供了渐变一体化的典型案例。世界最大的乳品企业雀巢公司，在中国积极参与原奶生产基地建设。因为它们的乳品加工能力是自有原奶产量的数倍，所以它们在公平市场上也进行大量采购，这促进它们的自有牧场必须保持与独立原奶生产牧场或个体奶农相当的生产效率。

但是，渐变一体化在获得生产和采购的优点的同时，它可能具备二者的缺点。由于输入品的生产或输出品的销售是由内部单位和外部企业共同承担的，所以内部单位和外部企业可能都无法有效达到足够产销量以实现规模经济。此外，内部单位与外部企业共同分配生产量还可能会引起协调问题，这是因为两个生产单位必须在产品规格和交货时间上达成共识。而且，这也可能降低厂商的监督效能。例如，在内部渠道进效率较低的情况下，厂商也许错误地将此低效作为标准，并以此衡量外部供应商。

3.1.4.2 战略联盟和合资企业

战略联盟指两个或多个企业在某项目上合作，或者共享信息或生产性资源，在不牺牲独立性的情况下共同组织复杂商业交易，联盟可能是横向的，也可能是纵向的，还可能既不属于同一产业，也不在同一纵向链条中。

合资企业是战略联盟的一个特殊形式，它是由两家或多家企业共同设立并共同所有的一家新的独立企业。新企业的经营和操作人员可能来自于一家或多家母公司，也可能是从市场上独立招聘的。

产业中的上下游主体之间可以采用联盟和合资的形式来建立纵向关系，它也是介于公平市场交易与完全纵向一体化之间的一种纵向关系模式。像在公平市场交易中一样，联盟的当事人依旧是独立的商业组织。但是战略联盟比公平交易涉及更多的协调、合作和信息共享。

因此，采用战略联盟或合资企业这种纵向关系模式的好处是：它可以同时获得独立厂商所达到的规模和范围经济及一般与纵向一体化厂商相关的设计属性之间的协调效果。另外，合作伙伴还可以通过给予合资企业单独的一套财务记录和市场独立性，使其在面对市场约束时能产生较强的激励作用。

一般在满足下述三个条件时，合资企业或战略联盟就是可行的。①产品的开发、生产和营销要求多个职能领域的专业能力。②任何一家厂商单独开发所有必要的能力将是需要投入巨额费用的。这巨额投入可能是由于不可分性（即使在小的经营范围内开发这些能力也要显著的信息获取和培训的前期投资），以及存在经验曲线（已获得的能力越多，开发更多能力的成本则越小）。③成功的开发、生产和营销需要在几个不同专长领域之间实现密切的合作。

3.1.4.3 合作关系：日本的分包网络和企业集团

日本上下游厂商之间既不是完全的纵向一体化关系，也不是通过公平契约来组织纵向链条的，而是依靠纵向链条中上、下游厂商之间的较强信誉与合作精神而形成长期的、半正式关系的复杂联合体。在日本有两种紧密相关的纵向关系模式：分包商网络和企业集团。

（1）分包商网络

日本制造商往往采用独立分包商网络来组织纵向关系，并依靠较强的信誉与合作精神而保持紧密的长期关系。因此日本厂商之间的纵向关系可以在较高水平的制造商和分包商之间建立长期合作关系，并且分包商愿意承担一系列更复杂的责任。Nishiguchi（1994）研究了电子产业中日本和英国的分包商之间的差异。在英国，电子制造商通常依靠详细的有关价格和绩效的契约来让分包商从事特定的、具体定义的工作。分包商较少为满足特定买者的需要作出贡献，并且彼此间很难持续超过少数几个明确的交易，其规模通常也比相应的日本分包商的大。相反，日本的电子制造商和它的供应商之间的纵向关系通常可以维持较长时间，有时甚至是几十年，且分包商一般愿意从事需要更多专用性资产的任务。例如，分包商不仅从事零部件的制造工作，还可能承担设计和样品测试任务。另外，分包商视自己的任务不仅仅是完成客户的订单要求，还应该更好地与买者的生产作业协调一致。例如，为下游采购商的产品投资组建专用性较强的装配线，为了更有效地满足客户的规格要求而开发专用机器，或者为了改善生产过程而主动与客户紧密配合。Nishiguchi 的研究表明，与英国的纵向关系相比，在日本的电子制造商和分销商之间的关系中专用性资产投资更多。

（2）企业集团

企业集团包含了纵向链条中的大多数主要部分，从银行、生产设施到分销渠道，并由一家核心银行协调成员之间的关系。成员之间互相持股，并且互相进入各自的董事会。例如，三菱和三井企业集团的核心银行派遣近200名代表参与其他成员的董事会，并且有效地选择了大约20%成员厂商的CEO。

企业集团的每位成员都把集团内的厂商当作未来交易伙伴的首选目标。因此，每个成员都十分关心其他成员的业务、库存需要、营销实践等。如果某个成员的产品需求突然增长，企业集团内的供应商可以在不提高供应价格的情况下主动增加生产。如果一家企业集团成员要求产品转型，其输入品供应商会主动参与到设计讨论中。这些彼此间的合作精神与相互信任极大地促进了上下游厂商之间协调，同时减少了要挟的机会，包括一家厂商用优势获得短期收益的可能性，使得整个企业集团拥有较强的市场竞争力。

3.1.4.4 隐含契约和长期关系

隐含契约是交易双方之间未明确表达出来的共同认识。企业集团成员之间的共识是隐含契约的一个典型例子。由于隐含契约没有明确的书面协议，因此法律对其无任何约束力，所以隐含契约的当事人必须依靠其他机制才可以使得共识受到约束。最常见而且有力的机制是如果某个交易方为私利而违背隐含契约，它就可能失去未来的交易活动。通过考察纵向链条中两家从事日常例行交易的上下游厂商可以说明损失未来生意的危险是如何约束双方行为的。长期关系使得上下游厂商可以通过相互协调的计划和共同监控产品质量而实现相互的活动的高效协调，从而降低双方的交易费用。所以，两家厂商都可以保持较高的利润水平。假设上游厂商向下游厂商出售产品，每年可以获利 1 000 000 元；下游厂商通过投入输入品转化成最终产品并销售给它的客户，每年也可获利 1 000 000 元。每家厂商都还有其他可供选择的交易伙伴，但是如果更换贸易伙伴，每家厂商每年只可获利 900 000 元。每家厂商可能采取机会主义行为而通过减少计划和监控工作（充分的计划和监控工作必须花费成本的）损害另一方而增加自己的利润。假设上游厂商违背它对下游厂商的承诺（从而节省成本），它可以将年利润增加为 1 200 000 元。但是，如果它确实这么做了，下游厂商就会发现它违背了承诺，并且将会终止未来的交易关系。于是，每家厂商就必须选择与其他贸易伙伴发展业务关系。如果上游厂商永远地遵守隐含契约，它的收益会是每年利润的现值。它由于遵守隐含契约从而维持与下游厂商的交易关系，每年它比与其他厂商的交易多获利 100 000 元，如果该厂商的贴现率为5%，那么永远地遵守隐含契约的净现值就是 2 000 000 万。这大大超出了违背契约而获得的 200 000 元短期（如1年）利润增长。并且，只有当贴现率为50%以上时，违背隐含契约才是有利可图的！这么高的转换障碍使得隐含契约得以维持。

3.2　产业组织中的相关理论

3.2.1　与市场结构有关的理论

3.2.1.1　市场结构的含义

所谓结构，在系统论中是指构成某一系统的各要素之间的内在关系。在产业组织理论中，市场结构是指同一市场中的企业间市场关系的特征和形式。主要有卖方（企业）之间的关系、买方（企业或消费者）之间的关系、买卖双方的关系、市场内现有的买方和卖方与正在进入或可能进入该市场的买方、卖方之间的关系。

从本质上说，市场结构是反映企业间市场竞争和垄断关系的概念。这一概念是在 Chamberlin、Robinson 首先提出垄断竞争理论后形成的，这两个学者根据不同产业的市场垄断与竞争程度划分为 4 种不同类型的市场结构。Bain、植草益等著名学者在对本国产业市场不同的生产集中度作实证分析研究的过程中，将不同垄断和竞争程度的市场结构进一步具体化为实用性更强的不同等级的竞争型和寡占型市场结构，从此市场结构概念得到普遍运用。

3.2.1.2　市场结构的基本类型

（1）完全竞争的市场结构

完全竞争也称为"纯粹竞争"，也就是说市场上不存在任何垄断因素。这种市场结构的特点是产业集中度很低、产品同质性很高、不存在任何进入与退出的壁垒和完备信息。

（2）完全垄断的市场结构

与完全竞争相对的另一个极端的市场结构是完全垄断，即只有一个买者或卖者的市场。垄断有卖方垄断和买方垄断，但是在经济学中通常只分析卖方垄断，并且总是假设买方是价格接受者，毫无市场力量，这样做可以把注意力全部集中到垄断方的行为上。但是在单一买方对单一卖方的双边垄断的情况下，双方均会施展策略，可以用博弈论分析其中的行为。完全垄断的市场结构的特点是产业的绝对集中度为 100%、没有替代产品和进入壁垒非常高。

（3）寡头垄断的市场结构

寡头垄断市场是指少数大企业控制着产业市场大部分产品的供给，它们具有较高的市场份额。这是一种介于完全竞争和完全垄断之间、以垄断因素为主同时又具有竞争因素的市场结构。它的主要特点是产业集中度高、产品基本同质或差别较大、进入和退出壁垒较高。

（4）垄断竞争的市场结构

垄断竞争是一种比较接近现实经济状况的市场结构，它介于完全竞争和完全垄断之间，且偏向完全竞争。它的主要特点是产业集中度较低、产品有差别、进入和退出壁垒较低。

3.2.1.3 市场结构的度量

市场结构往往用集中度加以衡量与分类，而集中度可以采用不同的指标来加以计算，例如，可以选用销售额作为衡量销售者集中度的指标，也可以采用产量作为衡量生产者集中度的指标。同时集中度的计算方法也有多种，例如，可以通过市场的绝对集中度方法来衡量大企业在产业中所占的份额，也可以通过相对集中度方法来衡量各类企业在产业中所占份额的均等度。市场集中度的衡量常常会因所选择的方法和指标不同而有所差异，因此，在实际研究中应根据行业的特点合理选取计算指标和方法。

（1）确定市场的范围

在理论上，一般根据需求的交叉弹性来定义市场或产业的边界。但在实际操作中，由于受数据获取来源的限制使得弹性计算十分困难，所以在确定市场或产业范围时，多数学者采取政府统计中的分类方法。联合国建议的标准产业分类与实际的市场范围比较接近，并且考虑了统计上的需要和方便，因此是一种为多数学者使用的分类方法。此外，在界定市场的边界时，还需考虑市场的地理边界，即市场是全国的，还是区域性的，同时还要考虑进出口对市场容量的影响。

（2）衡量指标的选取

理论上计算市场集中度时，可以使用销售额、资本量、就业量、附加值及产量等指标中的任何一个，但是对于同一行业而言，选择不同的指标所计算出来的市场集中度是不同的，因此，在实际研究中应该合理选择适当的统计数据作为衡量市场集中度的指标。

（3）衡量方法的选择

不同的计算方法也会导致市场集中度衡量结果的不一致。经常使用的方法包括绝对集中度衡量法和相对集中度衡量法。绝对集中度用来衡量和计算确定数额的大企业在整个行业中所占的份额，通常用行业中4家或8家最大企业所占的市场份额来表示。相对集中度用以说明特定市场中企业份额的均等情况，通常用络伦茨曲线表示。

绝对集中度的常用计算方法包括最大4家企业的集中率的计算（concentration rate 4，CR_4）和最大8家企业集中率的计算（concentration rate 8，CR_8）。其中，CR_4为行业中前4家最大企业的总规模除以行业总规模，CR_8为行业中前8家最大企业的总规模除以行业总规模。

另外，赫芬达尔指数（Herfindahi index，简称 HI）法也是计算行业集中度的常用方法。赫芬达尔指数法综合考虑了企业数量和企业规模的不均等性两方面的因素，其计算公式为

$$HI = \sum_{i=1}^{N} \left(\frac{x_i}{T} \right)^2$$

式中：N 是厂商数目；x_i 是第 i 家厂商的绝对规模；T 是市场总规模；x_i/T 是第 i 家企业的市场份额。如果行业由一家企业独占，则该指标为 1（如果以百分比表示，就是 10 000）；如果行业中的厂商具有相同的规模，则该指数为 $1/N$。HI 值受到企业数目和企业规模的差异度的影响，企业数目 N 增加时 HI 下降；在企业数目一定时，HI 随企业之间差别的扩大而增加。通过对 x_i/T 市场份额赋予 x_i/T 的权重，使得 HI 中大企业的 x_i/T 对 HI 有较大的影响，而小企业的 HI 不太重要，因此在市场中若小企业的有关数据难以取得，则可以不予考虑。

3.2.2　与市场行为有关的理论

市场行为是企业在市场经济中所采用的一系列竞争与合作行为。产业组织理论认为不同市场结构特征导致行业内的企业采取不同的市场行为方式，不同的企业行为对市场竞争度和资源利用效率带来不同的影响。

3.2.2.1　价格行为

（1）成本加成定价行为

企业为了自身利润就需要根据价格和赢利水平来判断对方的成本状况，预测竞争对手们的行为，然后采用"成本加成定价法"或"目标利润定价法"进行价格选择。这种方法是企业最常用的价格行为。所谓成本加成定价是指企业在定价时，以平均成本为基础，再加上一个适当的利润差额来制定价格的定价方法。

根据 $MR = P\left(1 - \dfrac{1}{\eta}\right)$ 这一基本公式，如果 $MC = MR$ 时达到最大利润，则有：

$$MC = P\left(1 - \frac{1}{\eta}\right)$$

将等式两边同时除以 $\left(1 - \dfrac{1}{\eta}\right)$，就得到：

$$P = MC\left(\frac{1}{1 - 1/\eta}\right)$$

将上式变换为 $P = MC\left(\dfrac{1}{\eta/\eta - 1/\eta}\right) = MC \dfrac{1}{[(\eta - 1)/\eta]}$

整理后得到：$P = MC\left(\dfrac{\eta}{\eta - 1}\right)$

由于在规模报酬不变的条件下，长期平均成本等于长期边际成本，所以上式可写为：

$$价格 = \text{AVC}\left(\frac{\eta}{\eta-1}\right)$$

根据该公式，只要知道了弹性 η 就可将其代入上式中，计算出此时的价格水平。相应的，只要知道了产品的价格和平均成本，就可以计算出该产品的需求价格弹性。

（2）策略性定价行为

策略性定价是行业内现有厂商针对潜在进入者的进入行为实施的定价策略。往往是在受到进入威胁的情况下，现有厂商声称要将产品价格降到某一低于成本的水平，目的是吓退或阻止竞争对手进入市场。其中最典型的策略是"限制性定价"和"掠夺性定价"两种形式。

限制性定价是指原有企业为了阻止潜在进入者进入到该行业中来，策略性地将价格和产量限定在某一特定水平，以致使市场需求的剩余量缩小到不足以让新进入者的收入弥补支出的地步。Bain 等提出早期的限制进入定价模型，认为这类模型的假设前提是：潜在进入者相信现有厂商不改变产量的承诺，因此如果它进入市场就将使行业的供给量增加，从而导致价格下降以至于进入后无利可图。在这样的假设前提下，现有企业只要调整产出量和价格水平，就足以威胁新厂商进入市场的行为。

掠夺性定价是指厂商将价格定得非常低，又低于成本从而将潜在进入者挤出市场或是吓退竞争对手，等到对手退出市场后，再将价格调整到可赢利的水平，因此厂商是通过承担短期损失来攫取长期利润的。掠夺性定价的威胁在企业间常常是一种博弈过程。实施掠夺性定价的厂商要想获得长期利润，必须能成功地将竞争对手挤出市场。因此，它采取的策略必须使对手相信它能够把价格降到成本以下，而且有能力将低价格维持直到对手撤出该行业为止。这一威胁策略能否成功，既取决于该厂商相对于竞争对手的忍受低价的能力，又取决于竞争对手判断如果要冒险进入该行业防御厂商实施掠夺性定价的概率高低。如果实施掠夺性定价的企业能力不够强或进入企业认为对手实施该策略的概率较低，那么防御企业是不能成功地将它们挤出行业之外的，这时竞争对手可能会在它降价时采取不进入的行为，而当它将价格提升时，又进入该行业。据此可以推测，对于实力相差不大的厂商来实施掠夺性定价，实施企业是难以达到目的的。因为必须在低价下满足大部分需求，所以在实施掠夺性价格期间，实施掠夺价格者将比对手损失更多；而它的防御者却可以将产量减少到最低程度以尽量降低损失，结果导致掠夺性定价策略往往失败。

3.2.2.2 广告行为

企业的广告行为与产品或服务的类型有关。产品或服务有两个基本类型：一类是有确定的外在形式，在购买之前质量等主要性质就可通过视觉或触觉得以鉴定的产品或服务，如服装、家具等，这类商品叫做"前验商品"。这类产品或服务的性质决定了企业的销售广告中包含的虚假信息成分一般较少；另一类产品或服务是在购买之前很难通过视觉或触觉识别其质量，如新上市的食品、软件设计和心理治疗等，消费者通常不能通过其外形、说明或外包装的差异来识别质量之优劣，而只有在使用之后才能体验出其真实质量，这类产品或服务被称为"后验商品"。企业在这一类产品或服务的销售广告中经常使用虚假或夸大的信息来诱导和欺骗购买者。产品或服务的这种性质决定企业在不同类型的产品或服务广告投资行为上也有差异。其中，"后验商品"的广告投资支出与产品或服务的质量成正相关关系，因为只有高质量的产品或服务才可以达到顾客满意，增加顾客忠诚度，促使顾客不断重复购买，只有顾客不断重复购买，企业的广告支出才能回收或回报率才能提高，企业才有动机去做更多的广告；而对于劣质产品或服务而言，人们购买并使用一次后，就会知道它的真实质量，明白了广告的欺骗性，就会在以后出现的广告中产生对它的憎恶，甚至相互传递信息，从而这种产品或服务的销售情况恶化，厂商就无法收回广告投资，也就没有动机再做广告。

另外企业的广告支出有一个最优值。因为广告支出的边际收益也是遵循边际报酬递减规律的，当某种产品或服务的广告信息已经传达到了目标市场中的人群时，如果再连续增加广告支出，在某一投资临界点上就会出现报酬率递减的现象。使企业利润最大化的广告支出量是在广告支出的边际收益等于边际成本时决定的，即单位广告支出的改变量与带来的收益的改变量相等时，这时决定的广告支出是最优的支出量，企业必须根据此原则来确定广告支出，具体关系式如下：

$$\Delta A = \Delta q \ (P - \text{MC}_{生产})$$

式中，ΔA 为单位广告支出改变量的边际成本；（$P - \text{MC}_{生产}$）为单位广告的边际利润；Δq 为单位广告带来的销售量的改变量。

上式两边同时除以销售额，再经过一系列的数学变换，可以得出，使企业利润极大化的最优广告支出水平满足以下条件

$$\text{MR} = \frac{P}{P - \text{MC}} = |\eta|$$

含义是用于广告的最后一元支出增量所带来的边际收益刚好等于需求价格弹性时，这时的广告支出可以使企业的利润最大化，这一广告支出就是最优广告水平。根据这一法则可以进一步推理出：对于需求价格弹性低的产品或服务，广告支出不应太多；对于需求价格弹性高的产品或服务，应该进行大量广告投资。

3.2.2.3 串谋行为

串谋是同一行业的企业为实现整个行业利润最大化和提高他们各自股东的净价值而进行的合作。串谋之所以会使企业获得最大利润，是因为该行业的企业间

达成一致意见而降低了行业竞争，防止了价格因竞争而下降，从而实现整个行业的利润最大化。但是任何一种形式的企业间串谋都是不稳定的，因为串谋行业内的企业都存在投机性舞弊的动因，即由于博弈双方互不信任，他们都不敢保证对方会守信，因此如果自己守信而对方欺骗的话，自己将受到损失。当双方都按照此思路考虑合谋时，双方最终都将会选择欺骗，合谋就不存在了。当然这并不意味所有的谋串都不会成功，在有强有力的约束情况下串谋也可以维持较长时期。

3.2.2.4 兼并行为

兼并行为主要有三种形式：横向兼并、纵向兼并和混合兼并。横向兼并是指处于同一行业的企业间的兼并收购活动；纵向兼并是指在原材料供应和采购、产品生产及销售等各种纵向经营环节上存在密切上下游关系的企业之间的兼并收购行为，也叫纵向一体化行为；混合兼并则是指同时存在上述两种形式的兼并收购活动。无论是横向兼并、纵向兼并还是混合兼并，都是寡头垄断厂商为了获得市场势力所采取的一项战略行为，通过兼并活动，厂商不仅能够增强实力，扩大规模和增加市场份额以获得市场势力，而且可以通过纵向兼并或一体化行为来规避或利用政府的某些管制政策，如回避垄断法的制裁。

横向兼并的动机主要有两个：第一，为了增强市场势力，通过横向兼并可以提高自己的市场份额，从而改变市场结构，减少行业内部的竞争强度，获取垄断利润；第二，利用政府的政策进行避税，例如，通过兼并一家亏损企业，赢利企业就可以将利润转移到亏损部分，从而大大减少应纳税额，间接增加利润收入。

混合兼并（多样化兼并），一个企业通过从事多样化兼并进入许多行业，不是局限在某种独立产品或服务的生产上专业化，而是生产一系列不同的产品和服务。多样化经营的动机有四点：①利用商誉的辐射效应带动其他产品，扩大销售市场。利用多样化经营，企业可以利用原有的商标和信誉来推动一些还没有建立起信誉的新产品销售规模，发挥已有商标和信誉的辐射效应；②通过兼并互补性或替代性商品的生产企业，可以提高整个企业总利润。例如，A 和 B 是替代性产品，当 A 产品市场的价格变化时，必然会使 B 产品市场的需求发生变化，企业不仅可以根据互补品的价格弹性差异和市场价格波动的方向来相应调整生产，而且还可以通过不同互补品价格的调整来实现利润最大化目标；③利用范围经济降低成本。利用多样化产品生产中的共用设配可以将固定成本在更多的产品之间分摊，实现范围经济，从而降低所有产品的平均总成本；④分散投资风险。实行多样化经营的企业的收益率的变异系数低于单一经营的企业，因此其倒闭几率小于单一产品的生产企业。

企业纵向一体化的发展不但可以实现规模经济而节约生产成本，而且可以通过纵向一体化节约交易费用，尤其是避免外部交易的各种不确定性。具体来说纵向一体化有五大动因：①纵向一体化可以节省交易成本。如通过纵向一体化元件的生产，企业可以掌握生产的成本信息。当企业发现由自己生产某种所需配件比通过市场向他人购买更为节约交易费用时，它将会选择自己进行生产而不是依赖其他企业的供给。②纵向一体化可使企业原材料的供应得到连续性的保障。企业为了确保及时交货，必须保证重要投入品的稳定供应，但是外部厂商在货物紧张时期的机会主义行为却成为一个威胁，因此为了避免受到胁迫，保证及时供给，企业往往会实行纵向一体化。③纵向一体化可以实现产品质量强有力的监控。实行纵向一体化可以利用行政命令削弱企业内部各部分人员的机会主义行为倾向，保证企业产品的质量和信誉。例如，肯德基连锁店就是通过内部统一的质量标准、定价命令来控制它所有的产品的质量和价格，并因此在全球建立起良好的声誉。④纵向一体化可规避或利用政府管制。企业可以通过纵向一体化来回避政府的价格、税收等管制措施。⑤纵向一体化可实现垄断增加利润。企业通过纵向一体化可以从两个方面攫取垄断利润，一是通过向前或向后纵向一体化加强垄断力量而获利，二是通过纵向一体化防止产品的转卖，从而有效地实现价格歧视以获利。

此外，市场需求变动也是影响一体化的重要原因。当某种产品处于生命周期的开始阶段时，外部的市场需求很小，产业中的每一家企业都是小规模经营，这是每一个企业无法在各个环节上利用专业化的好处，因为一方面会使固定成本增加，导致平均固定成本上升，而且各个环节的企业间因为交易活动而产生大量的交易费用。因此在产品或产业生命周期的初级阶段，企业一般实行纵向一体化的组织形式；随着市场需求的扩大和行业的扩张，产业或产品进入成熟阶段，每一个环节的需求量都因最终产品需求量的扩张而扩大，企业在各个环节的专业化将会使单位固定成本和交易费用都趋于下降，这时企业生产每一样配件是没有效率的，而实行专门的分工则可以大大提高劳动生产率，增加利润收入。于是在这一产业或产品成熟阶段，企业多采用专业化分工协作方式组织生产，彼此间是市场交易关系。随着产业的进一步成长，新产品被开发出来，产品又处于生命周期的初始阶段，对老产品的需求又将萎缩，于是原有产业各环节的生产和需求量都会明显减少，企业再次调整组织形式，实行新一轮的纵向一体化。

3.2.2.5　纵向约束

纵向约束和纵向一体化都是企业扩大边界的方式，只是在纵向约束中，企业间是通过签订合同协议来约束彼此的行为，但是在产权上没有实行一体化。例如，生产企业利用市场势力约束销售商的销售数量、销售价格及销售方式等，从而达到纵向协调和控制的目的。当然企业是理性的，只有在企业监督销售的成本可能会超过使用独立经销商的成本时，才会用纵向约束来替代垂直纵向一体化，从而使用独立的经销商来销售它的产品，而不是自己组织部门出售产品。上游制造企业和下游销售企业之间的协议关系实质就是一种委托—代理关系，作为代理人的下游销售企业为了免费获取制造商的信誉，选择接受上游制造企业的约束性协议，例如，利用上游制造企业的良好名声和质量信誉而节省广告费用，便能够扩大下游销售企业销售市场，因此下游销售企业会接受一定约束力的契约。

一般而言，上游制造企业的产品通过下游销售企业进行销售经常会产生一些问题：①可能会因为上游制造企业和下游销售企业在各自的环节上根据边际均衡原则，而导致销售价格提高；②上游制造企业和下游销售企业在生产、销售过程中可能会存在偷懒、搭便车等机会主义行为，彼此都没有尽力做好它们各自的分内之事，从而对整个行业的发展带来不利的影响；③下游销售企业也可能从自己利益出发采取不正当竞争行为，从而引发外部性。要解决上述各种问题，必须设计合理的纵向约束。企业间经常采用的纵向约束方法主要有如下几种。

1）限制双重垄断定价，消除双倍边际化现象。双重垄断会使产品价格提高，损害消费者福利，也会使上游制造企业和下游销售企业的整体利润减少。

2）消除下游销售企业间的搭便车行为。下游销售企业在销售产品过程中会实施广告、展示、培训销售人员及采购代理人员等活动，这些活动都会增加企业成本。部分企业很可能产生搭便车心理，自己不进行或少进行这类市场开拓的投资行为，希望其他下游销售企业尽可能多投入，自己享受市场打开后的好处。如果每一个下游销售企业都如此决策，那么产品的市场销路是很难打开的。为了限制下游销售企业的搭便车行为，鼓励下游销售企业的销售积极性，上游制造企业可以采用多种方法来约束下游销售企业行为。第一种方法是为每一个下游销售企业划定一个独立销售区域，即在一个区域内批准一家下游销售企业销售产品，使它能够享受自己所有营销努力的全部好处，这是消除下游销售企业搭便车问题的最常用方法；第二种约束方法是限制下游销售企业数量，从而有效地维持价格竞争秩序；第三种方法是与下游销售企业签订最低零售价格协议来保持价格的稳定性，从而约束价格竞争而将下游销售企业间的竞争限制在其他方面；第四种方法是由上游制造企业统一进行广告活动。

3）减少上游制造企业间搭便车行为。当两家上游制造企业与同一家下游销售企业建立交易关系时，如果其中一家上游制造企业开展了一系列的广告活动来吸引消费者购买产品时，另一家上游制造企业也会从中受益。因此，上游制造企业间也会产生搭便车问题。解决这一问题最常见的方法就是实行专卖制度，一家下游销售企业只能专门销售一家上游制造企业的产品。

3.2.3　与市场绩效有关的理论

市场绩效是指在一定的市场结构中，由一定的企业行为所形成的价格、产量、成本、利润、产品质量和品种及技术进步等一系列最终经济成果。因此，市场绩效反映了在特定的市场结构和市场行为条件下市场运行的效果。

市场绩效的测算主要采用收益率、价格成本加成即勒纳指数（Lerner index）及托宾 q 值（Tobin's q）三个基本指标。

（1）收益率

收益率是指单位货币投资所获得的利润，是经济利润的一种度量指标。由于经济利润等于收益减去机会成本，因此，从长期角度看经济利润高低是度量市场力量的一个直观指标。但是即使厂商有足够的市场势力，也未必能赚取利润，因此经济利润指标不能够精确地反映市场势力，因此一般采用投资回报率又称收益率来替代经济利润。投资回报率包括资产回报率（rate of return on assets）与所有者权益回报率（rate of return on shareholder's equity）。收益率的计算公式如下

收益率=（收入－劳动力成本－原材料成本－折旧率×资本价格×资本量）÷资本价格×资本量

精确计算收益率存在一些困难，主要有八个方面的问题：①由于实际中大多数数据使用会计定义而非经济定义，因此资本成本的正确估计往往被忽略；②折旧的衡量通常具有较大的主观性；③在广告及研发的估价上存在不精确的问题；④名义收益率与真实收益率因为通货膨胀率的存在而出现较大差异；⑤计算出来的收益率可能不恰当地包括了因垄断而产生的利润；⑥计算的是税前收益率而非税后收益率，因此忽略税收影响；⑦没有对收益率进行恰当的风险调整；⑧一些收益率没有恰当地考虑负债。

（2）勒纳指数（Lerner Index）

因为上述有关收益率的计算存在问题，经济学家们提出了用价格－成本加成的指标测算厂商或市场业绩。价格－成本加成又称勒纳指数，就是会计学中的增量毛利率（rate of incremental margin），即勒纳指数=（价格－边际成本）/价格，或者

$$L = \frac{p - \mathrm{MC}}{p}$$

它衡量的是边际产品的市场价格偏离边际成本的百分率。

在实际中边际成本是难以计算的（除非假设边际成本不变），所以在实际测算时，通常采用价格－平均可变成本加成代替价格－成本加成来计算勒纳指数。价格－平均可变成本加成实质上是贡献毛利率（rate of contribution margin），即

$$L \approx \frac{p - \mathrm{AVC}}{p}$$

由于往往忽略资本、广告以及研发时的成本，因此用实际计算出来的价格－平均变动成本加成来反应绩效也可能存在严重偏差。

（3）托宾 *q* 值

托宾 *q* 值也是用来度量经济利润的指标，托宾 *q* 值等于公司的市场价值（market value）与其资产重置成本（replacement cost of assets）之比（Tobin，1969）。公司的市场价值等于其所有流通股的市场总价值与负债之差。托宾 q 值大于 1 意味着获得超额经济利润。托宾 q 值越大，说明公司的经济利润越大。

托宾 q 值避免了估计收益率或边际成本的困难，为使托宾 q 值具有意义，需要精确估计厂商的市场价值与重置成本。

3.2.4 判断企业规模经济的"生存技术"

Stigler（1968）提出一种新的估计不同规模企业的相对效率的生存技术，这一方法的基本思想是：如果在一特定产业中存在着规模经济或规模不经济，并且这一产业具有合理的竞争性，那么可以断定在最低成本规模区域中的企业将随着时间推移而提高其市场份额。生存技术的方法是很直接的。把一个产业中的企业依据规模等级进行分类，在一段时间内计算每一规模等级在产业总产出中所占的份额。如果这一份额下降，表明相应的规模等级是缺乏效率的，而份额增加则说明与其相应的规模是有效的。

3.3 乳品产业与相关理论

本书所研究的乳品产业，指的是从牧草种植、饲料加工、奶牛养殖、原奶收购、乳品加工到终端销售各个环节紧密衔接而构成的一系列经济活动的集合。研究乳品产业发展，既涉及乳品产业纵向链关系的协调问题，又涉及乳品加工行业的市场结构与企业竞争问题，还要考虑产业链纵向关系与乳品加工行业的市场结构与产业组织状况之间的相互关系。产业经济学中的纵向链关系理论与产业组织理论分别以产业链的纵向关系和行业内企业竞争与市场结构为研究对象。因此，研究中国乳品产业发展必须借鉴产业经济学中的相关理论，但也不能直接套用现成的方法和工具，具体原因如下。

（1）研究对象及背景不同

产业组织理论是将产业链上某一环节所处行业内的厂商、市场及行业竞争等横向关系作为研究对象，而本论文所研究的中国乳品产业是以乳品加工业为带动作用的纵向产业组织；垂直一体化理论虽然是以产业纵向链关系为研究对象，但其是在资本主义市场经济进入高度发展阶段、在上下游厂商之间资源可以自由流动的背景下形成的，而中国现阶段的与家庭联产承包责任制相联系的生产方式与上下游之间的资源自由流动情况是不相同的。

（2）研究目的不同

垂直一体化的主题是在"生产与购买"之间进行决策以实现上游或下游厂商的最大利润目标；产业组织理论的主题则是如何防止大企业引发的行业垄断，是为政府制定反垄断政策和直接管制政策服务的。本论文研究乳品产业发展目的是研究如何使乳品产业各环节协调发展起来，从而提高乳品加工企业的竞争力，带动农民致富，实现农业结构优化调整目标。

（3）研究对象所处的生产力发展阶段不同

产业经济学主要是在发达国家（美、日）建立起来的，这是发达国家市场经济演进的现实需要。而我国市场经济还处于欠发达的初级阶段，其一体化和产业组织研究尚缺乏系统的成功经验和充足的证据与成熟的结论，更未形成完整的体系。

正是由于以上原因，在应用产业经济学的相关理论来研究中国乳品产业发展时，不能完全套用西方的有关理论，而应结合中国的实际情况进行借鉴。

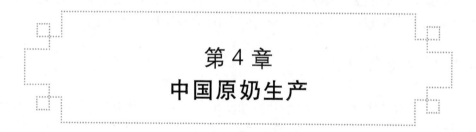

第4章
中国原奶生产

4.1 中国原奶生产的历史

中国人民养牛挤奶的历史有数千年之久,但主要为牧区少数兄弟民族从事的自给自足的生产活动,而作为商品性的原奶生产不过百余年的历史。解放以前中国乳品供应基本上依靠"洋奶",国内虽有养牛者出售原奶,但数量极其有限,并集中在北京和上海市郊。新中国成立60年以来,随着国民经济的发展、科技的不断引进和推广,原奶生产获得很快发展,呈现出三个各具特色的发展时期。

4.1.1 缓慢发展时期[①]

这一阶段奶畜饲养业相对薄弱,成长比较缓慢。1949年建国时,总人口5亿的中国,仅有12万头奶牛,年产原奶21万吨。经过29年的发展,到1978年奶牛年末存栏头数达到48万头,原料奶总产量达到97万吨,年平均增长速度分别为4.90%和5.30%。具体见图4-1。这种缓慢发展的原因是原奶生产的底子薄,

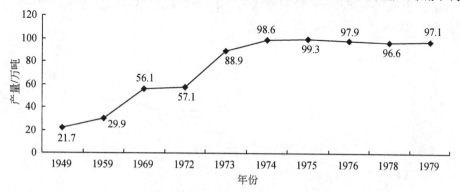

图4-1 1949～1978年中国原奶产量

资料来源:《入世前夕话奶业》中国农业出版社,2001年

---

① 关于原奶生产的历史阶段划分参见庹国柱(1999)的《新中国奶业50年回顾与前瞻》。

生产资源特别是资本和技术极度匮乏，加之体制上的缺陷，致使国有和集体奶牛企业均缺乏效率和投资积极性。政府长期实行低价奶和"剪刀差"政策，使奶牛企业无法积累发展所必要的资本，而政府的直接投资又相当有限。

4.1.2　高速扩张时期

　　1979 年经济体制改革，政府开始允许私人养奶畜，奶业领域的单一公有制被打破。奶业投资主体多元化，要素投入全方位和急剧高速扩张，产出总量高速增长。14 年间，奶牛年末存档头数和原料奶总产量平均增长速度分别达到14.4% 和 13.4%，乳制品产量也以每年 16.9% 的速度递增。变动趋势见图 4-2。1992 年末，奶牛存档总头数达 313.9 万头，原料奶总产量达 503 万吨，相对于城乡居民的消费水平和对奶及奶制品的有效需求，原奶供应基本上完成了由卖方市场向买方市场的转变过程。这一历史性跨越，得益于实行"国有、集体、个体一齐上"的发展方针和奶牛饲养科技方面卓有成效的研究与推广工作，还包括世界粮食计划署和欧共体所提供的两个奶类援助项目的贡献。第一个是联合国世界粮食计划署（WFP）援助的六大城市及其郊区的奶类发展项目（1984～1990 年），WFP 援助物资价值约 2.5 亿元人民币，极大地促进了项目地区农村奶牛、奶山羊的发展和奶产量的增加；提高了项目地区牛群质量，积极鼓励个体和集体发展奶牛业，促进了农业结构的调整，创造了就业机会并增加了农民的收入；对奶的收集、分发和服务系统进行改进与完善；保证供应合格的牛奶，并为奶农提供优质服务。第二个是欧洲经济共同体（EEC）援助的 20 个城市奶类发展项目（1988～1992），EEC 援助物资价值约 4.0 亿元人民币，项目重点帮助郊区集体和个体农民发展奶牛饲养业，项目结束时，20 个城市奶牛存档数达 38.9 万头，总产奶量比 1986 年增加 60%。

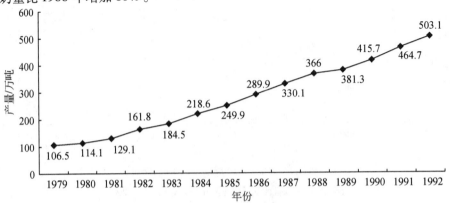

图 4-2　1979～1992 年中国原奶产量

资料来源：根据《入世前夕话奶业》整理而得

4.1.3 周期波动中的快速发展时期

从 1993 年起，以奶粉出现滞销积压和原料奶在多年持续高速增长之后首次负增长（−1.0%）为表征，原奶生产进入了一个新的发展时期——周期波动时期。1993 年，奶牛年存栏头数虽有所增加，但原料奶总产量只有 498 万吨，比前一年减少 5 万吨，随后从 1993 年的 498 万吨又增加到 1996 年的 629.4 万吨，到 1997 年又减少 28.3 万吨，降为 601.1 万吨，到 2001 年虽然总产量增长到 1025.5 万吨，但局部地区却出现了原奶过剩引起的"倒奶事件"，又引起原奶生产的局部地区小幅下滑。这种 3~4 年的周期性波动是由乳品产业链各环节协调机制不健全、乳品加工企业市场运作能力不强和各主要产区小规模重复建设等引起的。虽然每隔 3~4 年有一次小幅波动，但近 9 年间，原奶生产的增长速度仍保持在 10% 左右。变动趋势见图 4-3。

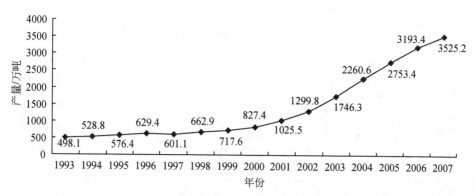

图 4-3　1993~2007 年中国原奶产量

资料来源：根据《入世前夕话奶业》与《中国奶业年鉴》（2008）整理而得

4.2　中国原奶生产的现状

4.2.1　中国原奶生产的区域分布

从地理区域看，中国原奶生产主要集中于华北、东北、西北三个区域的黑龙江、河北、内蒙古、新疆、山东、陕西、山西 7 个省（自治区）。从表 4-1 可以看出，以上北方 7 省（自治区）奶牛存栏量占全国存栏总量的比重已由 1996 年的 75% 进一步上升为 79%。同时我们可以从表中看出，以上北方 7 省（自治区）牛奶产量占全国总产量的比重连续 4 年为 60% 以上。

因此从地理分布的角度看，原奶生产的典型特征是以北方为主，虽然 2000 年以后稍有转变，南方各省奶牛饲养量开始上升，但由于饲养条件和成本限制，奶牛（尤其是荷斯坦奶牛）分布区域将仍以北方为主的特点不会有大的改变，其原因有三。一是南方各省由于气候炎热、多雨，奶牛发病率高，成母牛产奶量一般仅为 3000 多千克，远低于北方各省，如北京 6800 多千克，上海 7000 多千克；二是南方饲养奶牛所需精饲料和优质牧草主要从北方购入，饲养成本过高，从而导致南方饲养黑白花奶牛的鲜奶成本过高，如福建厦门的收奶价格达 3.65 元/千克，远高于同期北京 1.98 元的价格；三是由于加工业生产技术的进步，超高温灭菌奶的出现，实现了奶的长期保鲜和远距离运输，以北方为基地的牛奶加工企业完全可以实现在全国范围内全年均衡销售，奶牛生产向南转移的必要性自然也日益减少。此外，在各原奶主产区，原奶的增长点又以农区为主。因为农区以舍饲养奶畜为主，具有较高的生产管理水平和技术水平，奶农的组织化程度相对高一些，在地理位置上离消费地近，运输成本小，因此农区生产者获得利润较大，扩大再生产的积极性也很高。而中国的牧区饲养多以放牧为主，况且目前牧区载畜率已经过高，增加原料奶生产的能力已受到限制（赵玉田等，2001）。

表 4-1　1998～2007 年北方 7 省（自治区）牛奶产量占当年全国总产量份额

单位:%

项　目	1998	1999	2000	2001	2002	2003	2004	2005	2006	2007
黑龙江	21	20	20	18	18	17	17	16	14	14
河　北	8	10	10	10	11	11	12	12	13	14
内蒙古	10	9	9	10	13	18	22	25	27	26
新　疆	9	9	9	8	7	6	6	5	6	6
山　东	4	5	5	6	7	7	7	7	7	6
陕　西	4	4	4	4	4	4	4	4	4	4
山　西	5	4	4	4	3	3	3	4	5	6
合　计	62	62	62	60	63	66	71	73	76	76

资料来源：根据《中国奶业年鉴》（2008）整理而得

4.2.2　中国原奶生产的奶畜结构与总体水平

4.2.2.1　奶畜结构

（1）良种及改良奶牛发展方向

中国良种公牛站从 20 世纪 70 年代开始建设，到 2006 年底中国良种公牛站达到 49 家，共有中国荷斯坦采精公牛 1319 头，可以年生产优质冻精 2574 万剂。

但是总体上看，中国良种比重较低，平均产奶量只有3000多千克，仅为美国的40%。

根据发达国家发展经验，奶牛的饲养品种应该多样化。不同奶牛品种的遗传特性不同，产奶量和原料奶品质就不相同。在发达国家荷斯坦奶牛的比重最高，达到95%，但是也有部分品种具有独特的品质优势而仍然为发达国家所饲养。如娟姗牛，乳脂率在4%以上，乳蛋白在3.5%以上，具有独特的牛奶风味，而且其非常耐热，体型小，成为我国高档奶酪和奶粉生产区的未来选择品种。同时因其体型小，较适合中国西部地区饲养。又如西门塔尔牛也具有独特的牛奶风味，适合中国西部地区选作乳肉兼用的饲养品种。但是总体上看中国未来的奶牛品种仍然选择荷斯坦奶牛进行发展壮大。

（2）其他奶畜结构

其他奶畜数量大，分布广，除了奶牛以外，中国奶山羊、黄牛、牦牛和骆驼也有相当大的饲养量。据FAO统计，2003~2007年，中国奶山羊的饲养量分别为18 320.7万只、19 550.9万只、19 876.1万只、13 768万只，2007年达到14 336.5万只，主要分布在陕西、山东、河南、河北4省。

另外，中国中南地区和西南地区部分省市还饲养了大量的水牛，2006年存档数为1504.7万头、2007年为1490.3万头。

中国饲养的黄牛1990年为7850.3万头、1993年为9656.5万头、2006年为7891.6万头，2007年全国黄牛存档7885.6万头，成母牛存档在100万头以上的有河南、山东、安徽、云南、广西、四川、甘肃、内蒙古、新疆等省（自治区）。

4.2.2.2 中国原奶生产的总体水平

2007年，中国原奶总产量为3633.4万吨，比上年增长了10%，其中牛奶的总产量为3525.2万吨，占原奶总量的97%，比上年增长了10%。如果按存栏量计算，中国奶牛的单产水平为2892.1千克/头。

4.2.3 中国原奶生产的主体特征

根据所有制的不同，中国原奶生产主体可以分为国营、集体和分散农户三类。它们在原奶生产上表现出以下几个相互不同的特征。

（1）农户饲养规模迅速膨胀，国有和集体生产地位逐渐弱化

改革开放以前，中国奶牛基本上是国营奶牛场养殖和生产，1978年后集体奶牛饲养量迅速上升，1990年以后，个体饲养规模迅速膨胀。奶牛饲养私有化趋势在各主产省市都非常明显。以北京为例，1989年42家国营、集体、个体牛场奶牛存档分别为33 172头、21 788头、6064头，到1998年奶牛存档分别为

29 338头、14 152头和17 054头，其中国有和集体牛场分别减少了3834头和7636头，降低11.6%和35%，但个体养殖户养殖奶牛头数增加了10 990头，增加了181%，平均增长速度为12.18%（赵玉田，2001）。在天津市这种趋势也十分明显。1980年全市奶牛存栏7834头，其中国营奶牛7564头，占全市奶牛总数的96.6%；农村集体奶牛270头，占3.4%；个体奶牛只有2头。到2000年6月底，全市奶牛存栏36 805头，其中国营奶牛11 877头，占全市奶牛存栏的32.3%；农村集体和个体奶牛24 928头，占67.7%；其中个体奶牛由2头增加到24 468头，占全市奶牛存栏的66.5%，是三种所有制形式中增长幅度最大、发展速度最快的。农村集体奶牛在急剧萎缩，个体奶牛由分散的、小规模的兼养型向集中的、适度规模经营的基地化、专业化生产方向迈进，并表现出强大的生命力，已成为天津奶业的主体（曲金铎，2001）。

（2）三个主体的饲养水平与自身规模正相关，彼此间差距明显

国营和集体牛场规模大，多采用集中舍养、机械挤奶，饲料结构合理，劳动生产率高，原奶质量好，单产高，但生产成本相对较高，经济效益也相对较低；农户则多采取半舍养半放牧形式，劳动生产率低，单产低，但因成本低而相对经济效益较好。城市郊区国营和集体农场的单产水平高出主产区专业户水平40%，高出城市郊区农户水平27%，但平均利润却低于农户的20.1%。具体差别情况见表4-2。

表4-2　1999年全国不同经营类型奶牛养殖平均单产、平均生产成本及经济效益

经营类型	平均单产/(千克/头)	平均生产成本/(元/头)	平均纯利润/(元/头)
城市郊区农场	6 182.00	10 188.64	1 895.09
城市郊区农户	4 850.00	5 598.79	2 659.43
主产省专业户	4 421.00	5 590.52	2 387.15
平　均	5 326.00	7 125.98	2 394.33

资料来源：程漱兰等，2002；姚莉等，2002

4.2.4　中国原奶生产的规模特征

4.2.4.1　全国奶农经营平均规模

《中国奶业年鉴》的统计资料显示，2007年全国各地区奶农户数最多的地方是河北和新疆，两者都有45万养殖农户；其次是陕西，有17万养殖农户；其他的依次为山西、河南、四川和吉林。各地区的农户饲养奶牛的规模有较大的差距，规模最大的是安徽，户均饲养奶牛93头；其次是广东，户均达51头；其他依次为天津户均46头，湖北户均16头，湖南户均14头。从上述奶农户数和户

均奶牛饲养数的数据对比中可以看出，北方和西部奶牛带的奶牛饲养农户较多，但平均规模较小；南方非奶牛带的饲养户数较少，但是户均饲养规模较大。其背后原因可能是北方奶牛带饲养奶牛的资源禀赋较好，具有比较优势，因此小规模饲养奶牛仍然有利可图，南方非奶牛带不具备资源优势，所以只有扩大规模才能通过规模经济得以获利。

4.2.4.2 全国规模化奶牛场的情况

《中国奶业年鉴》的统计资料显示，2007年全国各地区规模奶牛场（小区）数目最多的四川，有22 685个规模化饲养场，其次是吉林，数目达到1000个，其他依次为陕西935个、河南826个、河北767个、山西680个。从数据可以看出，在奶牛饲养资源充足的地方，才可以容纳数目较多的规模化奶牛饲养场，在乳业资源相对不足的南方没有条件允许数目众多的规模化奶牛饲养场生存。

4.2.5 中国原奶生产的成本特征

4.2.5.1 奶牛成本的构成

奶牛成本由生产成本和土地成本组成，其中生产成本是决定原奶成本高低的主要因素。以2007年全国散养平均奶牛成本构成为例，每头奶牛的成本为8973.18元，其中生产成本为8939.45元，占整个成本的99.6%，土地成本仅为0.4%。在生产成本中物质费用与服务费用为7858.8元，占生产成本的87.9%；人工成本为1080.6元，占生产成本的12.1%。同时在物质费用中，饲料成本（包括精饲料、青粗料和饲料加工费）占总成本的59.34%。因此，奶牛成本或原奶成本的变化主要取决于饲料价格的波动。如有学者研究发现，1991～1999年精饲料由0.50元/千克上涨到0.67元/千克（剔除通货膨胀因素），年均上涨3.7%，使得国营集体单位每千克牛奶生产成本从0.8元上升到1.07元，上涨约34%；专业户每千克牛奶的生产成本由0.65元上升到0.75元，上涨15%（以1991年为基期剔除通货膨胀因素）。总体看，8年间牛奶生产成本上升的幅度并不大，而专业户奶牛生产成本上升幅度明显低于国营集体（周俊玲，2001b）。

4.2.5.2 不同经营方式的奶牛成本不同

2007年各地区散养奶牛的平均成本为8973.1元/头，其中生产成本占99.6%（包括物质与服务费用占87.6%，人工成本占12.0%），土地成本占0.4%；各地区小规模奶牛成本为8975.1元/头，其中生产成本占99.6%（包括物质与服务费用占88.8%，人工成本占10.7%），土地成本占0.4%；各地区中规模奶牛成本为11 772.0元/头，其中生产成本占99.6%（包括物质与服务费用占88.5%，人工成本占11.1%），土地成本占0.4%；各地区大规模奶牛成本为13 187.4元/头，其中生产成本占99.8%（包括物质与服务费用占91.3%，人工成本占8.5%），土地成本占0.2%。具体比较情况见表4-3。从中可以看出随着饲养规模的扩大每头奶牛的成本是增加，这可能是由于大规模饲养方式所浪费的物质较多引起的。

表4-3　2007年全国各地区不同规模牛奶生产成本核算比较

项　目	总成本/ （元/头）	生产成本/%	物资与服务费用/%	人工成本/%	土地成本/%	成本利润率/%
散养奶牛饲养	8 973.1	99.6	87.6	12.0	0.4	27.65
小规模奶牛饲养	8 975.1	99.6	88.8	10.7	0.4	31.77
中规模奶牛饲养	11 772.0	99.6	88.5	11.1	0.4	13.94
大规模奶牛饲养	13 187.4	99.8	91.3	8.5	0.2	16.84

资料来源：根据《中国奶业年鉴》（2008）整理而得

此外，国营与集体养饲奶牛的原奶成本要高于农户生产原奶的成本。以2001年为例，国营集体原奶成本为11 785.12元/头，而农户只有6633.64元/头。造成这种差距的主要因素是物质费用的不同，农户养牛每头牛年物质费用为5691.09元，而国营集体为9358.86元，高出农户的64.4%。究其原因，农户养牛主要是在农区或牧区，其大部饲草饲料尤其是田间作物秸秆或牧草大多为副产品，其机会成本为零，同时养牛大多为空闲时间，劳动力报酬也不计入成本，管理费用也可忽略，因此农户养牛的原奶成本低。而国营和集体养殖的各种要素都必须从市场上购买，即使在单产高于农户经营的情况下，原奶成本仍比农户要高。这也是近年来农户养殖迅速发展，国营和集体养殖比例逐渐下降的原因。具体情况见表4-4。

表4-4　2001年全国部分地区国有农场与农村专业户牛奶生产成本核算比较

项　目	国有农场		农村专业户	
	成本/（元/头）	比例/%	成本/（元/头）	比例/%
物质费用	9358.86	79.41	5691.09	85.79
用工作价	667.68	5.67	679.12	10.24
期间费用	1755.86	14.90	247.17	3.73
税　金	2.72	0.02	16.26	0.25
含税成本	11 785.12	100.00	6633.64	100.00

资料来源：根据《中国奶业年鉴》（2008）整理而得

4.2.5.3 不同地区原奶生产成本不同

不论是奶牛专业户还是国营集体奶牛场，其牛奶生产成本因地区不同而差异较大。总的来说，饲草饲料资源丰富的地区的牛奶生产成本较低，而饲草饲料少的地区或大中城市郊区的牛奶生产成本则相对较高。例如，内蒙古、黑龙江、陕西、河北、山东等地的牛奶生产成本在全国都是比较低的，而广东、广西、江苏、贵州、湖北、浙江等地的牛奶生产成本则比较高。以中规模奶牛的成本为例，其生产成本最低的地区是黑龙江，其次是新疆、山西、内蒙古、宁夏等地，2007 年其牛奶生产成本分别为 8117.8 元/头、8643.1 元/头、9065.8 元/头、9445.0 元/头、9451.3 元/头，比上海的20 663.4 元/头、重庆的12 322.4元/头低得多。其生产成本低主要是由于饲草饲料资源丰富和价格较低，另外，内蒙古及黑龙江等地是以专业户饲养奶牛为主，而国营集体奶牛场比较少，所以其总体生产成本可以很低。而广东、广西、江苏、湖北等地不仅饲草饲料资源较少，而且是以国营集体奶牛场饲养奶牛为主，所以其生产成本比内蒙古、黑龙江、陕西、河北等地高很多。由于这种生产成本的差异，中国各地原料奶的收购价格也呈现出与此相对应的差异（表4-5）。

表 4-5　2003 ~ 2007 年全国奶牛主产省个体养殖户原料奶出售价格

单位：元/千克

年　份 地　区	2003	2004	2005	2006	2007
天　津	1.90	1.80	2.00	2.00	2.50
福　建	1.98		2.26	2.53	2.27
河　北	1.93	1.80	1.80	2.10	
河　南	1.90	2.10	1.56	2.18	2.80
黑龙江		1.60	1.60	1.65	1.82
湖　南	2.00	5.07	2.20	2.40	2.40
吉　林		1.60	1.60	1.50	2.80
辽　宁	1.90	1.65	1.60	1.80	2.30
内蒙古		1.70		2.00	
山　东				1.80	
陕　西		1.6	1.20	1.60	1.80
新　疆	1.20	1.4	0.90	1.65	2.30
浙　江	2.00	2.0	2.00	2.30	
平　均	1.85	2.03	1.70	1.96	2.33

资料来源：根据《中国奶业年鉴》（2008）整理而得

4.2.6　中国原奶收购价格波动情况

在高速增长的液体奶消费需求拉动下，中国原料奶的收购价格总体趋势是继续走高，如表4-5所示，2007年全国奶牛主产省个体养殖户原料奶平均出售价格是2.33元/千克，2003年基本稳定在1.85元/千克，上涨了24%。另外各地原料奶的收购价格差异非常大，主要表现为"南高北低"，南方地区的平均收购价格为2.80元/千克，比上年同期上涨1.6%，北方地区的平均收购价格为2.20元/千克，比上年同期上涨3.43%。

4.3 中国原奶生产存在的问题

4.3.1 中国原奶生产技术水平落后，导致原奶单产低、质量差

近20多年，以中国荷斯坦奶牛育种成功和冷冻精液人工技术的普遍推广应用为标志，奶牛业在育种、繁殖、饲养管理、防止疾病等各种服务领域的生产技术有了较大提高，将奶牛单产和牛奶质量提升到一个较高的水平。目前北京、上海、天津等城市舍饲奶牛场平均每头年产奶水平达7000千克左右，高产牛群达到8000千克。大型奶牛场大多已使用世界先进的挤奶和冷藏设备。但这种较高水平的生产技术仅限于大中城市的郊区大型奶牛场，而广大农牧区的生产技术水平仍较低，使得中国原奶生产的单产在2007年时仅为2892千克，而2000年时世界奶牛平均单产则已达2100千克，当年发达国家单产为6000~7000千克，生产水平最高的以色列平均单产在10 104.3千克以上，具体比较见图4-4。同时，中国奶牛所产奶的乳脂率平均在3.4%~3.5%，略低于世界水平的3.7%~3.8%，鲜奶中细菌数含量高，杂质多，每到夏初秋末，低酸度酒精阳性乳大量出现。

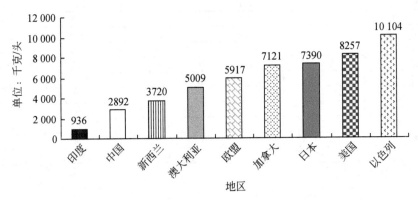

图4-4 2007中国奶牛单产与2000年各国奶牛单产比较
资料来源：根据《中国奶业年鉴》（2008）整理而得

全国总体生产技术水平落后主要表现在以下几个方面。

（1）奶牛品种结构不合理

以 2007 年为例，1218.9 万头乳牛中，真正属于优良品种的中国荷斯坦奶牛较少，大部分为为改良奶牛。

（2）奶牛饲料结构不合理

奶牛是草食动物，在其饲料日粮中，青绿饲料、青储饲料及其他粗饲料占有相当的比重，约占干物质总量的 60%～70%。为确保奶牛的采食量和消化机能的正常，其日粮中应有足够的容积及干物质。一般要求干草和青储料应不少于日粮干物质的 60%，其中青绿多汁饲料和好的青储料因其适口性强、消化率高，而成为奶牛必不可少的粗饲料之一。但中国奶牛的饲养管理水平低，加之优质饲料饲草的缺乏，使得奶牛饲料结构不合理：饲料单一，既做不到按合理比例搭配精、青、粗饲料，更做不到按照奶牛生长及发育和产奶需要合理搭配混合日粮。由于青储饲料数量不足，质量不高，造成奶牛乳腺炎、子宫病、肢蹄病司空见惯，以及空怀率、死亡率偏高等，直接影响了奶牛的产奶量和原料奶的质量。

（3）手工挤奶，原料奶卫生质量差

目前约有 80% 以上的个体散养户是通过手工挤奶，然后将原料奶销售给乳品加工企业，以这种方式收集的原料奶卫生程度低，而且在收集的原料奶中掺假现象难以杜绝。即使在一些原料奶主产区为奶牛散养户提供了机械挤奶设备，但仍然存在管理水平低、设备不能及时保洁等问题，在一定程度上也降低了原料奶的质量。

4.3.2　中国原奶生产的规模小、生产方式粗放

据中国奶牛协会的统计，2007 年全国 25 个省（自治区、直辖市）共有奶牛饲养场（户）3 949 755 个，其中存栏 1～4 头的 2 159 701 个，占总饲养单位数的54.6%；存栏 5～19 头的 444 895 个，占总数的 11.3%；存栏 20～99 头的 56 254个，占总数的 1.4%；存栏 100～199 头的 4421 个，占总数的 0.1%；存栏 200～499 头的 696 967 个，占总数的 17.6%；存栏 500 头以上的 587 517 个，占总数的14.9%。就全国总体来看，饲养奶牛 200 头以上的奶牛场有 1 284 484 个，占总饲养单位数的 32.5%；200 头以下的奶牛饲养单位有 2 665 271 个，占总饲养单位数的 67.5%；全国所有原料奶生产者的平均奶牛饲养规模为 3.09 头。这与欧盟养牛户的平均饲养规模 22 头（其中英、荷、德、法等国的平均饲养规模为 50～70头）、美国的 70 头、新西兰的 150 头、澳大利亚的 170 头相比，中国奶牛的平均饲养规模很小。另外，上述比较只是平均饲养规模的比较，中国奶牛饲养规模的普遍偏小还表现在中国的小规模饲养农户占总饲养场（户）的比例太大，如存栏 1～4 头的场户数比例达到 54.6%。而欧美及大洋洲奶业发达国家是规模大的

奶牛饲养场（户）占总数的绝大多数，如美国主要产奶区威斯康星州、加利福利亚洲、俄亥俄州的奶牛饲养规模普遍在千头以上。

另外，中国原奶生产除了大城市郊区的大型国营和集体奶牛场采用集约化生产方式外，广大农牧区的原奶生产则以粗放方式为主。绝大部分散养农户饲养的奶牛白天在草原、草地、田间地角、路边或小山坡放养，晚上补饲一些精饲料，在饲草丰盛的季节甚至不再补饲。这种粗放的饲养方式几乎不考虑营养价值以及与其他饲料的相容性和合理搭配问题。此外，在公共草场和路旁的饲草品质差，比目前国际上广泛利用的改良牧草和豆科品种牧草差很多，同样的饲喂量却达不到同样的饲喂效果。同时，不稳定的饲喂水平也影响了奶牛的健康。散养农户基本上都采用手工挤奶，并且大多数均是采用自家的冷水池储奶。

4.3.3　奶业生产的基础设施落后和社会化服务体系不完善

相对于养猪和养鸡业，奶牛养殖是一项技术密集型和资金密集型的行业，需要从优质牧草的种植、加工，青储的制作，饲料储备、配制，配种，产犊，饲养管理、挤奶，牛奶加工和销售等方面获得技术和资金支持。为奶农提供产前、产中和产后的技术服务，利用养殖小区将分散的个体奶农集中起来，统一服务，统一防疫，统一饲料配方，挤奶厅统一挤奶，统一牛奶的销售应是我国奶牛养殖业健康发展的必由之路。但长期以来国家对奶业发展的投入不足，导致中国奶业发展所需的基础设施建设很落后：牛奶冷藏设施不足、牛奶质量检测系统落后、防疫繁殖设施不足等。另外，中国奶业的社会化服务体系的建设不完善，很多地方的奶农根本得不到与饲养管理有关的技术培训和指导，奶农只能依靠传统的饲养管理经验来养牛，导致奶牛的管理水平难以提高，奶农必须亲自交售鲜奶、亲自去购买饲料，得不到任何生产信息服务。

4.3.4　奶农的组织性弱、养殖收益不稳定

目前中国奶农的组织性弱，在市场交易中处于受"要挟"的境地，利益得不到保证，收益不稳定。虽然近几年有大型乳品加工企业（如伊利、光明等）通过各种形式把奶农组织起来形成一定规模的奶牛养殖小区，解决了奶牛品种差、原料奶的收集等问题，但由于在这些组织关系中，关键性专用资产都为大型乳品企业所有，奶农仍然处于受"要挟"的境地。在乳品市场不景气时，为保证企业的利润，仍有许多龙头企业人为地压低原料奶的收购价格，将市场风险向奶农身上转移。另外，也有一些地方的农民自发组织成立自己的奶牛合作社，负责提供品种、共同防疫、组织销售原奶等服务。但总体来说，目前中国可以纳入

各种组织形式的奶牛养殖农户比例并不高，还有半数以上的养殖农户处于完全依靠自身力量进行独立生产和销售原料奶的阶段，其养殖收益因原料奶极易腐烂变质而表现出更大的不稳定性。

4.4 中国原奶生产发展的影响因素与产量预测

4.4.1 中国原奶生产发展的影响因素

4.4.1.1 奶畜资源条件

奶畜资源是决定原奶生产发展的重要因素。中国饲养奶畜的种类较多，各地区根据当地独特的自然条件发展适宜的奶畜。中国的奶畜主要包括良种及改良种奶牛、黄牛、水牛、牦牛和奶山羊。

从原奶的构成看，2007 年全国原奶总产为 3633.4 万吨，其中牛奶产量 3525.2 万吨，原奶产量的 97% 是牛奶。2007 年全国有奶牛及改良种牛 10 594.8 万头，水牛和黄牛的头数超过 9375.9 多万头，但其主要利用方向是役、肉，多年来虽然也进行了乳用改良，但由于多种原因，成效不大。所以，奶牛及改良种奶牛的发展速度决定了中国原奶生产的发展速度。

4.4.1.2 奶牛的单产潜力

在各种奶畜中，单产量最高的是良种及改良种奶牛。而在良种及改良种奶牛的各种品种中，中国荷斯坦牛的性状最佳，它的平均单产可以达到 5000 千克以上，乳脂率为 3.6%。1999 年中国荷斯坦牛成年母牛总数占全国各类奶牛成年母牛总数的 2/3，产奶量占全国牛奶总产量的 5/6。黄牛的单产能力为 500 千克，水牛单产为 500~1000 千克，乳脂率 9%，干物质 19%。正是由于各种奶畜单产水平、奶质差异大，而中国奶牛优良品种的比例不高，所以全国奶牛的平均单产只有 1958 千克，远低于美国 8257 千克、日本 7390 千克、加拿大 7121 千克的单产水平（图 4-5）。

这意味着中国目前在奶畜饲养量保持不变的情况下，依靠提高科技进步，改良和提高奶牛品种，就可以增加中国原奶总产量。

4.4.1.3 国家乳品产业政策

截止 2007 年底，中国人口为 13.22 亿，原奶总产量为 3633.4 万吨，人均占有量 27.5 千克/年，仅及国际平均水平的 1/4 左右。牛奶是中国居民目前最缺乏的一种食物。提高居民饮奶水平，符合中国资源与人口状况。中国政府已将发展畜牧业，尤其是奶牛业列入"十一五"国家重点发展产业。

目前，中国农业出现了低水平的结构性过剩，乳制品需求强劲，市场前景广阔。学生奶计划的实施将拉动畜牧业的发展，推动农村经济发展，增加农民收入。事实上奶牛养殖业已成为当今中国农村经济的一个新的增长点，奶农每养殖一头奶牛平均每年可获利 2000 元以上。

现在，全国各地都把发展乳品产业提到新的战略高度，把发展原奶生产作为农村和农业经济的新增长点，这种宏观的调整为未来原奶生产发展提供了良好的政策环境。

4.4.2 未来 5 年中国原奶产量预测

中国原奶生产的发展主要是以奶畜数量扩张为主（单产水平处于低水平徘徊状态），整个发展的轨迹是以递增的速度增长，曲线呈现出上升的下凹趋势，因此采用二次函数形式对其发展轨迹进行拟合。经过反复检验与修正，选择如下形式的二次曲线模型对其产量进行预测：

$$y = a + bt^2 + \mu$$

式中，y 为原奶产量；t 为时间；μ 为随机扰动项。分析数据来源于《中国农村统计年鉴》，选取 1994～2007 年的原奶产量为样本，运用 TSP 计量软件进行参数估计，结果如下：

$$y = 1320.6 + 12.8t^2$$
$$(23.44)\ (14.79)$$

式中，括号内的数字为参数的 t 检验值，均大于 $t_{0.01}(12) = 2.68$，表明参数估计值在统计上是十分显著的。模型的拟合度 $R^2 - 0.95$，$F = 218.8 > F_{0.01}(1, 12) = 9.33$，表明模型很好地拟合了原奶产量的增长趋势。利用此时间趋势模型对未来 5 年中国原奶产量进行预测，结果见表 4-6。

表 4-6 未来 5 年中国原奶产量的预测结果　　　　单位：万吨

年　份	2010	2011	2012	2013	2014
产　量	4730.8	5143.8	5580.4	6040.6	6524.4

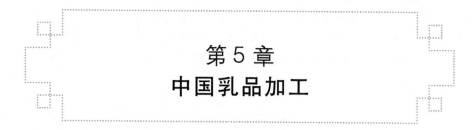

第5章
中国乳品加工

5.1 中国乳品加工的历史

乳及乳制品在中国具有悠久的历史，据史料记载，2000 多年前就有"奶子酒"的生产。后魏贾思勰著的《齐民要术》里已收集有乳酪、干酪、马酪等的制造方法。至于以牧业为主要生产活动的少数民族，对乳和乳制品的利用历史更为悠久。但在漫长的封建社会，中国乳制品工业几乎没有发展。新中国成立前国内虽然已出现新法生产奶粉、炼乳等的小乳品加工厂，但由于受发达国家的倾销，极少数的民族乳品加工企业也处于奄奄一息状态。因此，中国乳品加工业的真正兴起是在新中国成立以后，1949～2007 年乳制品产量增长了 7429 倍，乳品加工厂（企业）由 4 家发展到 1600 多家，生产技术水平也得到很大提高，乳品加工在整个食品加工业中的地位日益重要。新中国成立以来中国乳品加工的发展分为两个时期。

5.1.1 建国后至改革开放前：中国乳品加工业的起步时期[①]

1949 年中国只有沿海地区和滨州沿线存在规模极小的奶牛养殖和数家手工操作的乳制品加工企业，鲜奶产量仅为 21.7 万吨，奶牛 12 万头，此时中国的乳品加工为萌芽状态。新中国成立后，国家开始有计划地建立中国乳品加工行业，一直到 1978 年我国的乳品加工规模和技术仍处于较落后的状态。

5.1.1.1 干乳制品总量缓慢增长

1949 年中国干乳制品产量仅为 0.1 万吨，经过第一个五年计划时期的较快发展，产量达 1.27 万吨，比 1949 年增长了 11 倍。1958 年"大跃进"使干乳制品产量进一步增加到 1.97 万吨，比 1957 年增长了 55%。20 世纪 60 年代初期，随着农业生产滑坡，中国干乳制品产量下降到 1961 年的 6528 吨。1963 年后乳制品

---

① 关于乳品加工历史阶段划分，参见南庆贤（2000）的文献。

加工业开始在奶源集中地区进行技术改造，使加工能力大大提高，到 1965 年加工产量突破 2 万吨，达历史最高水平。1966～1975 年的动乱时期，乳品加工遭到重创，10 年间干乳制品总量平均每年仅以 5.6% 的速度增加，无法满足人民生活的需求。1949～1978 年鲜奶产量由 21.7 万吨增至 97 万吨，平均年增长率为5.3%。干乳制品产量由 0.1 万吨增至 4.7 万吨，见图 5-1。

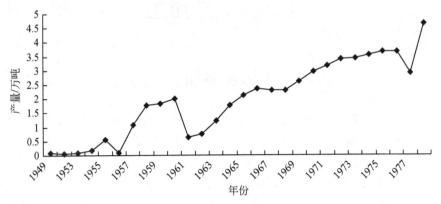

图 5-1　1949～1978 年中国干乳制品产量变化趋势

资料来源：根据《中国奶业年鉴》（2005）整理而得

5.1.1.2　加工企业与加工技术的发展

新中国成立时全国只有 4 个乳品厂，其中只有两个为中国人开办，另两个则为美商和英商分别开办。新中国成立后，在党和国家的扶持下，中国遗留下来的小乳品厂恢复生产。1950 年在海拉尔市、哈尔滨市、齐齐哈尔市、安达县等地建立乳品加工厂，使得全国干乳制品加工量达到 624 吨。第一个五年计划期间，国家在奶源集中的黑龙江、内蒙古两地组建了一批具有现代化水平的乳品加工企业，其中双城、安达两市都有加工 100 吨的大厂；在奶源分散的地方则建立了平锅生产奶粉、炼乳的小乳品厂。到 1957 年全国有大小乳品企业 70 余家，其中采用喷雾设备的 12家、滚筒设备的 14 家、平锅设备的 44 家。1959～1961 年因奶源大幅度下降，不少工厂被迫停产关闭。1962 年随着经济形势的好转，国家对乳品工业加大了投资，重点对浙江、黑龙江、内蒙古乳品加工厂进行革新、挖潜、改造，使之有了一定的发展。1976 年粉碎"四人帮"后，特别是党的十一届三中全会以来，许多省（自治区、直辖市）扩建和新建了一批乳品厂，并对老企业进行改造。

1958 年以前，中国乳品企业（工厂）只有少数几家工厂采用真空浓缩、喷雾干燥法生产，大部分工厂是平锅生产，因而产品质量低劣、溶解度低、冲调性差，而且易油水分层。20 世纪 60 年代中国对乳品工业进行了提高产品质量为中心的技术改造，基本上淘汰了平锅设备，采用了真空浓缩、喷雾干燥等较先进的乳品加工设备，使产品质量有了明显的提高，在贯彻以独立自主、自力更生为主，不断引进世界先进技术的指导思想下，中国绝大多数乳品工厂使用的是全套的国产乳品设备，这表明中国乳品设备的制造具有一定水平；同期，中国先后培养了两期乳品工业（大专）班和畜产品加工专业（本科）学生，为各厂提供了技术人员，同时还在黑龙江，内蒙古开办乳品专业学校。虽然设备与技术同建国初相比都有较大的发展，但总体水平仍处于落后状态，中国乳品加工企业（厂）均只能生产乳粉和炼乳两种乳制品，品种十分单调。

5.1.2　改革开放后：乳品加工业的持续高速增长时期

1978 年以后，改革开放及城乡居民收入水平大幅度提高，对乳制品产生了很大需求，中国乳业从此进入持续高速增长时期。

5.1.2.1　乳制品总量的快速增长

1979～2007 年全国鲜奶产量由 130.1 万吨增加到 3633.4 万吨，干乳制品产量由 5.4 万吨增加到 346.5 万吨，与 1979 年相比，28 年间分别增长了 27.9 倍和 64.2 倍，平均增长速度分别达 18.8% 和 23.6%。具体变化情况见图 5-2。20 世纪 90 年代后，由于市场规律作用，乳制品加工业几度出现波动。1996 年和 1998 年乳制品生产滑坡，其中 1996 年产量下跌了 4.2%，1998 年下跌 2.8%，2001 年下跌 10.4%。这三次下跌与中国乳制品结构不合理、不能适应市场需求有关。由于国外乳制品（主要是奶粉）的大量涌入，造成中国大批奶粉积压，一批企业因产品滞销而处于停产或半停产状态，拖欠农民奶资，造成奶牛业滑坡，1997 年良种奶牛存档减少了 5 万头。但 1999 年以后全国乳品行业出现了高速增长，2000 年鲜乳产量比 1998 年增加 107 万吨，增幅达 14.6%；干乳制品产量比 1998 年增加 28 万吨，增幅为 50.9%。全国奶业形势喜人，发展势头强劲。

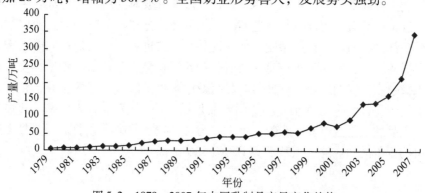

图 5-2　1979～2007 年中国乳制品产量变化趋势

资料来源：根据《中国奶业年鉴》（2008）整理而得

5.1.2.2 加工企业与加工技术的发展

改革开放后，乳品加工企业的数量迅速增加。1982年中国有500家乳品厂，设备加工能力达4000吨/日。到1985年乳品加工企业（厂）已有600余家。中国实施"菜篮子"工程以后，乳品加工厂更是雨后春笋般成长起来，1990年乳品加工厂就有756座，其中全部独立核算企业有540家，总产值为29.81亿元。进入90年代后，国内外投资者都看好乳品加工业，纷纷投资组建加工厂或组建企业。全国乳品加工厂从1990年的756座增加到1998年的1000多座。到2000年时据不完全统计，乳品厂的数目已达1500多家；同期乳业的跨国集团公司也进入中国，"八五"期间合资合作企业已达20余家。1995年三资企业有60余家，2001年三资企业有51家，世界前25位乳业巨头就有13家已进入中国。随着中国乳品市场进入"买方市场"，乳品企业间竞争变得异常激烈。各大乳品企业在生产技术与装备上都纷纷从荷兰、德国、瑞典、丹麦等地引进世界先进水平的鱼骨式挤奶器、牛奶无菌加工设备和利乐包装线，实现乳品加工技术的跨越式发展。目前中国的大型乳品企业在生产技术上已基本上同国际乳业巨头们处于同一水平，只有中小乳品加工企业的生产技术还处于较落后状态。

5.2 中国乳品加工的现状

5.2.1 中国乳品加工企业现状

5.2.1.1 加工企业的数量、规模及区域分布

中国乳品加工业早期建设的主要目的是解决乳品供给不足问题，政府对该行业的管制主要以支持与鼓励政策为主，进入改革开放时期后，对各经营主体也采取自由进出的政策，因此该行业经营的政策环境十分宽松，对经营企业的技术与产品质量都没有做出严格的限制，使得乳品行业的进入门槛很低；同时随着人民收入水平的增加，乳品需求一直保持着强劲的增长势头。自由经营的环境、较低的进入壁垒和良好的市场空间使得乳品行业中聚集了数目众多的企业，整个行业基本上处于一种完全竞争状态。全国乳品加工厂在2007年达736家，其中独立核算的乳品加工企业有600余家，但大多为规模较小的中小企业，行业集中度不高，市场竞争激烈。这一点从表5-1可以反映出来。

表 5-1   2007 年中国乳制品加工企业产量规模统计

企业类型	企业数量/家	占企业总数/%
企业总数	736	100
大型企业	12	1.6
中型企业	126	17.1
小型企业	598	81.3

资料来源：根据《中国奶业年鉴》（2008）整理而得

中国乳品加工企业的区域分布具有明显的区域特征。第一是奶源基地的乳品加工厂相对较多，如产奶大省黑龙江目前共有不同规模的乳品加工企业 78 家，内蒙古有乳品加工企业 63 家等；第二是大城市的乳品加工企业也较多，如北京市目前就有 13 余家企业；第三是以生产干乳制品为主的乳品企业基本上都分布在奶源基地，以生产液体奶为主的乳品企业则多分布在大中城市或郊区。此外，在一些有奶源或有奶类消费习惯的地方往往也建有乳品加工厂，其规模和数量因奶源数量或消费需求量的不等而有所不同。

5.2.1.2   加工企业经营效益情况

伴随着乳品市场容量的扩大，乳品企业数目急剧增加，市场竞争日益激烈，中国乳品加工企业已开始出现整合的迹象，企业经营效益因企业规模不同而呈现出明显的差异。一方面，国内一些大型乳业集团在竞争中不断扩张，控制奶源和开拓市场能力十分强大，经营效益普遍较好。1998 年全国乳制品行业的 10 大企业集团干乳制品产量已占到全国总产量的24.9%，液体奶产量占到全国总产量的49.5%，利税总额最低的也有1287 万元，最高的上海光明则达16 418万元，具体经营情况见表 5-2。另一方面，小企业则因生产规模小、技术装备落后和新产品开发能力差，无法以合理成本为市场提供优质产品而处于亏损状态，特别是日处理鲜奶能力在 50 吨以下的企业和那些以生产奶粉为主的小型乳品加工厂。因此，伴随着乳品企业数目的增加，每年都有大量的企业处于亏损状态，且亏损额较大，见表 5-3。

表 5-2   1998 年全国十大乳制品企业经营情况

企业名称	工业总产值/万元	乳制品产量/吨	液本奶产量/吨	冷饮产量/吨	税利总额/万元	原料奶收购量/万吨
上海光明	145 987	13 610	197 536	4 831	16 418	25
石家庄三鹿	121 351	35 164	4 850	1 125	13 698	131
内蒙古伊利	112 660	18 083	17 333	80 361	23 143	148
黑龙江完达山	39 810	18 193	2 117		4 282	98

企业名称	工业总产值/万元	乳制品产量/吨	液本奶产量/吨	冷饮产量/吨	税利总额/万元	原料奶收购量/万吨
北京三元	33 971	2 680	94 204		5 105	121
山西古城	31 724	15 833	1 120	3 147	4 422	81
哈尔滨金星	29 724	14 028	8 225		2 894	94
黑龙江乳业	28 204	11 604	7 227		1 287	59
山东鹏程	23 510	6 923	3 840	18 978	3 847	46
西安银桥	18 100	13 140	0	580	1 858	79
合　计	584 357	149 258	336 452	108 022	76 954	1 107

资料来源：根据《中国食品工业年鉴》（1999）整理而得

表5-3　中国乳品加工业的生产效益状况

年份 项目	2003	2004	2005	2006	2007
企业总数/个	584	636	698	717	763
其中亏损企业/个	158	197	196	176	166
总产值/亿元	521.82	663.25	891.21	1074.23	1329.01
年末总资产/亿元	450.96	533.27	644.52	719.49	962.50
年末负债/亿元	245.46	299.95	346.91	379.51	441.12
产品销售收入/亿元	498.11	625.19	861.83	1041.42	1309.71
利润总额/亿元	30.63	33.83	48.16	55.02	77.96
利润产值比/%	5.87	5.10	5.40	5.12	5.87

注：统计口径是全部国有及年销售收入500万元以上的非国有企业

资料来源：根据《中国奶业年鉴》（2008）整理而得

　　此外，企业的经营效益在不同的所有制之间也存在明显差异。以2007年为例，国有企业亏损面最宽，亏损企业占总数的34.5%；其次是其他企业，为31.3%；再次是外商和港澳台资企业和私营企业，亏损率分别为22.4%、15.6%，全行业亏损企业百分比为22.6%。国有、外商和港澳台资企业和私营企业经营效益的差异在市场竞争比较充分的乳品行业应该说是一种正常现象，反映了产权激励与生产效率之间的关系。而以现代企业制度营运的"三资"企业，其亏损的主要原因在于缺乏协调与奶源关系的经验与能力，在奶源争夺中没有建立自己稳定的奶源基地，同奶农之间多为纯粹市场交易关系，以高收购价格去采购原奶。另外据相关人员调查发现，"三资"企业往往利用中国管理上的漏洞而将其海外公司的费用打入在中国公司的账面上或给公司中外方管理人员过高的工资待遇。

5.2.1.3 加工企业之间的竞争特点

目前乳品企业间的竞争主要围绕奶源、市场份额和产品差异化而展开，呈现出以下特点。

（1）各知名大企业均从竞争战略的高度去抢夺奶源

伊利利用自己的地理优势在内蒙呼伦贝尔、黑龙江和京津塘建立了三大奶源基地；三元则控制了北京周边国有奶牛场99%的奶源，此外还在东北、内蒙古建立自己的奶源基地；光明目前宣称在原有华东20万吨奶源基地的基础上，再在北方建立20万吨奶源基地；还有一些知名企业和新进入者只有通过收购社会奶源或者弱势小厂来保证奶源了。

（2）通过兼并或购买外地企业实现市场范围的扩张

目前上海光明、南京卫岗、内蒙古伊利、内蒙古蒙牛等大企业都纷纷在北京、西安、武汉、南京、杭州、无锡、广州等地设立分公司，同时以并购、托管等方式向外地市场进一步渗透，以保证有充足的市场份额促进自身的扩张。其中上海光明公开表示要用全国的资源做全国的市场，其在外埠市场的销售额已超过50%。

（3）企业间的产品差异化竞争开始明朗

上海光明、北京三元等城市型和城郊型乳品企业以生产巴氏消毒奶、保鲜奶为主，凭借乳品的新鲜、营养而拥有自身优势；农牧区基地型企业则因远离消费市场而选择发展保质期较长的 UHT 奶和各种功能奶粉，如内蒙古伊利、蒙牛、宁夏夏进、新疆龙云等。

5.2.2 中国乳品行业的产品结构现状

目前中国乳品主要包括液态奶和乳制品两大类。液态奶又主要有巴氏消毒奶、超高温灭菌奶、酸奶等品种，乳制品主要有奶粉（全脂、脱脂、半脱脂及各种配方奶粉）、黄油、干酪和炼乳等品种，见图5-3和图5-4。随着市场需求的变化和加工技术的发展，各类乳品的内部结构、增长特性都在不断变动，见表5-4。

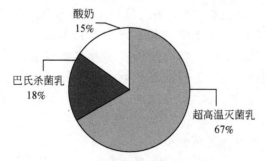

图 5-3　2004 年液态奶产品结构

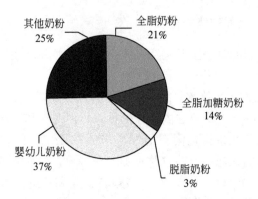

图 5-4 2004 年奶粉产品结构

资料来源：根据《中国奶业年鉴》（2008）整理而得

表 5-4 2005～2007 年中国各种乳品增长情况

年 份	液态奶/万吨	比重/%	酸奶/万吨	比重/%	巴氏奶/万吨	比重/%	UHT 奶/万吨	比重/%
2005	1 145.80	42.00	44.70	12.20	25.14	7.00	289.75	80.70
2006	1 244.00	8.60	51.26	13.60	18.63	4.90	307.11	81.50
2007	1 441.00	15.80	85.64	22.80	30.13	8.00	259.32	69.10

资料来源：根据《中国奶业年鉴》（2008）整理而得

5.2.2.1 液态奶

（1）液态奶的快速增长

在政府、各地行业协会和生产厂商各种形式的大力宣传下，乳制品的营养知识逐渐在居民中得到较好的普及；近年来各加工企业通过引进先进生产设备与工艺使得液体奶的营养成分保存完好，多种多样的功能性小品种满足了不同消费群体的需求；流通渠道的改善，使消费者可以通过送奶上门、杂货店、便利店、专卖店、超级市场等多种渠道方便地购买液态奶制品。因此，近几年来液态奶一直以一个较高速增长，而且有加快发展之趋势，2001 年比 2000 年增长了 19.72%，2002 年比 2001 年增长了 32.10%，2003 年比 2002 年增长了 18.45%，而 2007 年则比 2006 年减少了 3.11%，这种超高增长速度是各专家们所没有预料到的，以致使专家难以预测以后液态奶的发展速度。液态奶的高速增长主要是由发酵乳、巴氏消毒奶和 UHT 奶的高速增长所支撑的，其中以巴氏消毒奶的增长速度最大，其次为发酵乳，最后为 UHT 奶。

（2）液态奶的结构与地区分布

从液态奶的内部结构来看，UHT 奶比重最大，其次是酸奶，最后是巴氏消毒奶。以天津市为例，UHT 奶比重最大，一直占据 69% 以上的份额，而酸奶占据 12%~22% 的比例，巴氏消毒奶则较低，为 4.9%~8%，具体情况见表 5-5。这种以 UHT 奶的比重为大的结构是由几种因素共同作用的结果。第一，从加工工艺看，巴氏消毒奶和发酵乳的工艺最简单，只需高温瞬时消毒即可或发酵即可，因此中国的巴氏奶生产企业以中小企业为主，近年来的企业数目急增主要就是中小企业的增加，而且中小企业生存的盈利产品主要为巴氏消毒奶，这些企业的市场开拓能力有限，所以产品市场占有率较低；而 UHT 奶的加工工艺和设备要求则相对要高一些，具有明显的规模经济，只有大企业才能生存，而它们的市场经营能力较强，具有较高的市场占有率。第二，从营养价值的保质期看，虽然巴氏奶的处理对鲜奶的营养损失最小，但是其保质期较短，只适合小范围市场内销售，无法远距离销售；而 UHT 奶虽然鲜奶营养损失较大，但是其保质期长达数月，适合全国范围内销售，因此其成为中国非奶牛区，尤其大中城市的主要乳品形式。

表 5-5 2005~2007 年天津市液态奶的结构及变化

年　份	酸奶/万吨	比重/%	巴氏奶/万吨	比重/%	UHT 奶/万吨	比重/%
2005	44.70	12.20	25.14	7.00	289.75	80.70
2006	51.26	13.60	18.63	4.90	307.11	81.50
2007	85.64	22.80	30.13	8.00	259.32	69.10

资料来源：根据《中国奶业年鉴》(2008) 整理而得

随着乳品加工技术的进步，各种液态奶也逐渐细分出了若干更小的品种，巴氏消毒奶类，除了传统的巴氏奶外，又出现了各种花色奶和强化奶，如可可奶、巧克力奶、VAD 奶、钙奶等；发酵乳中酸奶的品种也更为丰富，出现了各种果味、果粒酸奶及 UHT 酸奶饮料等。

中国液态奶的地区分布主要受地区经济水平与居民收入水平的影响，同时原奶产量的分布对其也有一定的影响。中国液态奶主要的产销区要么是奶业资源丰富的地区，要么是主要消费城市，如内蒙古、河北、上海和北京为主，四地液态奶的总产销量均占全国总量的一半左右，原因就是北京和上海不仅是中国经济水平和居民收入水平最高的地方，而且两城市周围均有大规模的优质奶源基地；排名第一、第二、第三位的分别是乳业资源丰富的内蒙古、河北、山东，产量达到313.5 万吨、185.2 万吨、117.4 万吨，占全国的 21.8%、12.9%、8.1%；其他20 多个省（自治区）的液体奶产量一般在 20 万~40 万吨。以 2007 年中国液体奶总量分布为例，内蒙古、河北、上海和北京的产量总和占全国总产量的50.5%；江苏产量为 44.38 万吨，山东为 117.4 万吨，宁夏为 12.787 万吨，浙江为 20.52 万吨，占全国总产量的 13.6%；其余 24 个省区液态奶总量占全国的

35.9%，平均每省只有1.4%，可见中国液态奶产量分布具有较强的不均衡性，见图5-5。

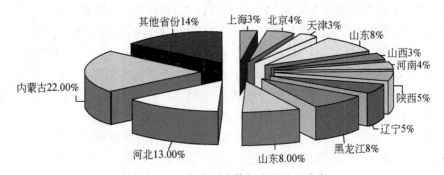

图5-5　2007年中国液体奶产量地区分布
资料来源：根据《中国食品工业年鉴》（2008）整理而得

5.2.2.2　奶粉

（1）奶粉生产的增长情况

中国原奶生产主要集中于北方农牧区，而乳品消费又主要集中于大中城市和经济发达地区，产销距离遥远，运输条件差，冷链系统不完善，使得保质期短且体积和重量均较大的液态奶的生产受到限制，同时居民大都没有消费奶油、炼乳、干酪等乳制品的习惯，而且很长一段时间里没有UHT生产技术与设备，因此从20世纪50年初至今，奶粉一直是中国最重要的一种乳制品，在中国乳制品中的比例一直稳定在60%以上，最高时达80%，且随着乳品需求的增加其生产量也一直在增加。自1990年以来，大部分年份处于较高的增长率状态，只有1990年、1992年两次因产品结构不合理和进口奶粉冲击而出现积压现象，尤其从进入21世纪的头一年开始以非常高的增长速度发展，具体增长情况见表5-6。

表5-6　中国历年奶粉生产情况

年　份	产量/吨	增长率/%
1990	241 500	16.3
1991	293 800	21.7
1992	336 545	14.5
1993	294 400	−13.5
1994	299 431	1.7
1995	313 800	4.8
1996	350 089	11.6
1997	390 800	11.6

年　份	产量/吨	增长率/%
1998	420 000	7.5
1999	500 000	19.1
2000	1 245 700	149
2001	2 133 200	71.2
2002	3 602 300	68.7
2003	5 829 000	61.8
2004	8 067 400	38.4

资料来源：根据《中国食品工业年鉴》（2006）整理而得

（2）奶粉市场的竞争状况

自1990年以来，中国奶粉市场就进入了"买方市场"，经过十多年的激烈竞争，中国奶粉市场呈现出一个明显的格局：洋品牌（包括进口和在中国境内生产的）占据大城市的高档产品市场；国内著名品牌"完达山"、"伊利"、"金星"和部分地方领导品牌如江西的"英雄"和陕西的"秦俑"等占据了大城市的中低档市场，同时开始开拓农村市场。

通过与洋品牌的竞争，民族品牌在产品的理化指标、微生物含量指标上基本已与洋品牌具备了同等竞争力，但在速溶性、冲调性、滋气味、微量元素含量及抗生素残留等方面还不具备与洋品牌竞争的实力。在市场营销与管理上，洋品牌不仅更具人情味，而且更具知识性，能给消费者较多的指导和增值服务；此外在产品的针对性上，洋品牌的市场细分做得更到位，如洋品牌的婴儿配方奶粉细分到每两个月的生长阶段，而民族品牌的配方只能划分6个月前和6个月后两个时段。

（3）奶粉品种结构的变动趋势

从长远来看，奶粉品种变动趋势是由市场消费品为主向工业原料用粉转化，因为奶粉最初出现是出于原料奶保藏手段落后的结果，这种保存方法在液体奶的长保质期技术出现后，其缺点将会突现出来：第一，从成本上看，奶粉使原料奶变为固体，经净乳、杀菌、浓缩、干燥等工艺，消费的能源太多；第二，从营养成分保证上看，经过几次热处理，原料奶中的营养物质破坏较大，如热敏性维生素损失近100%。因此随着保鲜奶、UHT奶生产技术的发展，奶粉作为消费品的功能将更多为液态奶所替代，而更多地保留其作为工业原料用奶的功能。

从短期来看，随着消费者对个性化消费和健康消费的重视，奶粉内部结构将会继续调整。全脂奶粉和全脂加糖奶粉的比重将进一步下降，其他功能性奶粉和工业奶粉的比重将逐年递增。如1997年全脂奶粉占奶粉总产的21%，加糖奶粉占43.5%，两种产品一共占64.5%；而到2004年全脂奶粉维持为21%，加糖奶粉降为14%，两种产品降为35%。随着生物技术和基因工程的发展，奶粉的内部结构也会继续调整。目前各奶粉厂商都密切关注新产品技术与配方，一旦国际上新的食品配料被国内厂商发现，就迅速被用于奶粉新产品的开发，从而导致各种功能奶粉不断涌现。如有机铬用于降糖奶粉、芦荟用于美容奶粉、功能性低聚糖用于中老年奶粉等被不断推出。近年来奶粉的小品种变得愈加丰富，有婴儿配方奶粉、儿童助长奶粉、孕产妇奶粉、老年人奶粉，还有利用高新技术设备刚开发出来的防止过敏症的婴儿奶粉、免疫奶粉和无苯丙氨酸特殊婴儿奶粉等。

5.2.2.3　冰淇淋

（1）中国冰淇淋加工现状

冰淇淋是一种冷冻乳制品，生产与销售都需要冷链设备来支撑，近年来随着我国冰柜、冰箱使用数量的增加，冰淇淋的产销量以每年20%的速度增加，但目前人均占有量只有0.9千克，远远低于世界发达国家人均40千克的水平，并且产销量主要集中于广东、上海、北京等大城市。虽然表面上看，我国冰淇淋花色品种层出不穷，但大多数品种都没有科学的配料标准，往往凭技术师傅的"感觉"，只在香精、色素、形状上做文章；从产品包装上看，我国冰淇淋包装自动化程度低，以人工包装为主，往往使产品的卫生标准不合格，而且多数采用塑料袋与塑料杯，难以适应国家的环保要求。

（2）中国冰淇淋市场概况

由于中国80%的冰淇淋生产和销售都集中在少数超大城市和经济发达的东南沿海，如北京、上海、广州每年消费量就占全国20%，因此虽然从全国看人均消费冰淇淋仅0.9千克，远远低于发达国家的40千克水平，但从现有的消费群体来看，人均消费量并不低。如北京每年生产20万吨左右冰淇淋，再加上外地流入的产品及从国外进口的部分，人均消费量已远远超过了世界人均1.3千克的数倍。在这有限的消费空间里集中了较多的生产厂商，使得冰淇淋市场集中度低，竞争激烈且十分不规范。目前国有企业及营业额在496.2万元以上的非国有企业生产的冰淇淋仅占全国总量的50%左右，还有一半的冰淇淋为地方小厂所生产。过低的集中度导致市场竞争激烈，生产价值较高的高档冰淇淋厂商被迫大幅降价而进入中档市场，使得80%的产品价格在1.98元以下，各正规生产厂商已处于成本价或微利水平。同时大厂商生产的名牌产品几乎都被若干企业假冒生产与销售，大企业专门设立的打假办也无法杜绝这些造假售假行为。

（3）中国冰淇淋市场变化趋势

随着中国居民收入水平的继续提高、农村城市化进一步发展、对冰淇淋营养价值的进一步认识、各生产与销售厂商的冷链系统的逐步完善，冰淇淋将逐渐成为中国居民的一种休闲食品，其生产与消费都会进一步发展。各种异型冰淇淋、现场制作的冰淇淋、能美容、能减肥的冰淇淋将成为消费热点。厂商间的竞争将会更多在品种、口感、风味、形状、色彩、营养、包装和营销模式上展开，直接价格竞争将会减弱。随着中国西部大开发战略的实施，各厂商会在西部市场上进行新的角逐，而且新的投资者还会继续进入冰品市场。

5.2.2.4 发酵乳

发酵乳是通过各种有益菌种对原料奶进行发酵处理制成的一种乳品。它含有牛乳所有营养成分，具有提高机体防病抗病能力和调节机体免疫系统的功能，所含的乳糖已被分解，适宜于乳糖不耐症的人群饮用，同时它的价格同其他液体奶相比差别不大，因此发酵乳在乳品家族中具有重要地位。但发酵乳属于保鲜制品，在运送、储存和销售中均需冷链设施，因此直到20世纪80年代初中国才开始商业化生产。随着中国居民收入水平提高和营养保健知识的增加，再加上冷链等消费环境改善，特别是家用冰柜、冰箱进入百姓家庭，中国发酵乳的生产与消费得以快速增长。如北京、上海、天津、武汉、南京、西安等36个大中城市2005年发酵乳总产量不到4.5万吨，2007年已超过8.6万吨，增长了95%，平均年递增42.5%；而同期消毒奶产量增长不到20%，其中2006年比2005年还下降了25.9%，UHT奶产量下降了10.5%。进入2005年后，在全国范围内发酵乳继续保持高速增长的势头，见表5-7。

表5-7　2005~2007年中国发酸乳增长情况

年 份	酸奶/万吨	增长/%	巴氏奶/万吨	增长/%	UHT奶/万吨	增长/%
2005	44.70		25.14		289.75	
2006	51.26	14.70	18.63	-25.90	307.11	6.00
2007	85.64	67.10	30.13	61.70	259.32	-16.00

资料来源：根据《中国奶业年鉴》（2008）整理而得

5.3　中国乳品加工存在的问题

5.3.1　乳品加工设备与技术问题

目前全国有乳品机械生产厂家近40家，生产300多个规格品种，除了板式热换器、双效降膜蒸发器、高温瞬时杀菌机等设备较先进外，其他加工设备大多较落后，大部分加工企业都没有对牛奶脂肪、蛋白质、乳糖、水分、非脂固体、总乳固体含量，以及维生素、重金属、添加剂和农药残留等进行检测的仪器。此外，国内乳品加工机械的三化程度低、配套性差，尤其是通用关键设备、离心机及乳品分离机与国外差距大、品种少、性能差，致使国内乳品机械市场的50%份额为进口设备所占据。

在加工技术与工艺上，奶粉加工技术与工艺相对先进、较完善，而冰淇淋与发酵乳加工技术与工艺则较落后。目前我国冰淇淋加工工艺与技术上主要存在以下问题（骆承庠，2000）。

1）老化成熟时间不足。老化工业过程在冰淇淋生产上是一个非常重要的工艺步骤，在这一过程中，蛋白质、稳定剂发生水化、脂肪结晶、脂肪球凝聚的开始等，这些物理变化都需要较长的时间，而且这些变化对产品的组织状态、口感都有着极大的影响。许多研究都表明，同一配料的产品，老化24小时其质量优于老化12小时以下。

2）凝冻过程中温度控制不严格，凝冻速度太慢易导致大冰晶产生，产品有砂状感，这一点在一些小型企业表现得更为严重。

3）一些冰淇淋膨胀率过高，甚至超过了100%，导致产品有"棉絮感"。良好的冰淇淋其膨胀率应控制在80%～100%，对一些高档冰淇淋，膨胀率还可更低一些。

4）对于硬质冰淇淋，凝冻后硬化过程制冷速度慢，温度高，这也是导致冰淇淋组织状态缺陷的一个重要原因。一些大型企业一般都有较好的速冻设备，但对于一些小型企业，凝冻后一般都是放于冷库中硬化。

5）在运输、储存过程中没有严格的温度标准，这样容易造成温度波动，造成"冷融化"，在这一过程中，冰晶容易变大，影响产品组织状态。

6）从产品的包装上看，大多企业自动化程度较低，人工包装容易造成产品卫生标准不合格；此外，多数采用塑料袋、塑料杯的包装对环保是非常不利的。

7）从研究水平上看，我国对冰淇淋真正的研究可以说是一个空白，多数技术人员只是开发出了一些冰淇淋的新品种，尚未进入研究水平，因而使整个冰淇淋生产的技术队伍对冰淇淋的实质缺乏了解，这样的局面对今后提高我国冰淇淋的质量是极其不利的。

发酵乳的加工工艺与技术主要存在以下问题。

1）在加工科技上，研究力量薄弱，产品科技含量低，尤其是对不同菌种发酵后产生的保健因子的研究很少，如乳酸菌活菌本身及其发酵次代谢产物对人体健康和食品保藏性能影响、产品组成和加工工艺对各种功能成分活性的影响等，由于缺乏必要的相关研究，产品的针对性差。

2）活菌型乳酸饮料的生产技术落后，多数产品的活性乳酸菌含量仅在3万~4万个/毫升以下，有的甚至根本检不出活菌，这与该行业标准大于10^6个/毫升相差甚远，更无法同国外知名品牌的10^7个/毫升相媲美。原因就是我国的加工技术无法满足原料发酵前杀菌、发酵剂菌种的驯化与保护及发酵的控制、无菌灌装、包装材料、储藏等严格限制条件。

5.3.2 乳品质量问题

从乳品的整体来看，几大乳品种类质量问题突出。奶粉质量的"三聚氰胺"事件使得国家相关管理机构以往的结论"大型企业的产品最好，各项指标全部合格，而中小型企业的质量问题较多"不再具有公信力。例如，2007年5月27日国家质检总局和产品质量监督局的结论是"抽查结果表明，一是连续的国家监督抽查促进了企业质量意识的提高，加强了质量管理，使婴儿配方法乳粉产品质量水平比2006年产品抽样合格率提高了24.6%；二是抽查了部分国家名牌和免检产品，全部合格，产品质量继续保持稳定；三是市场占有率较高的大中型企业产品抽样合格率为100%，产品质量较好"。可是具有讽刺意味的是以石家庄三鹿为代表的大型乳粉企业几乎都出现了三聚氰胺问题产品。

2001年3月16日《中国乳业信息》第334期报道了消费者协会对灭菌纯牛奶比较试验结果，表明中国乳品质量有了较大的提高。试验对国内部分省市市场销售的29种品牌的灭菌纯牛奶进行比较试验（晨光、风行、古城、光明、海河、红星、华西、菊乐、三元、太阳宝、香满楼、娃哈哈、完达山、维维、燕塘、伊利、子母等），委托农业部乳品质量监督检验测试中心对样品中的主要营养指标、有害物质含量及感官进行测试和评价。结果表明，国家灭菌奶质量明显提高。脂肪、蛋白质、非脂乳固体、钙等主要营养物质含量高于国家标准的推荐值。针对牛奶中铅、硝酸盐、亚硝酸盐、抗生素等有害物质的测试结果表明，全部样品的测试值均低于相关标准，甚至未检出；均未发现抗生素残留。色香味总得分前5位的依次为：伊利纯牛奶、红星100%纯牛奶、蒙牛纯牛奶、三元纯牛奶、太阳宝纯牛奶。另外，29个品牌样品的纯含量、杂质度、酸度的测试值均符合国家标准（李易方，2001a）。

在液态奶生产上，由于中小企业数量多，受生产设备及管理水平的限制，液态奶质量一直难以保证。主要包括蛋白质等营养成分不足、卫生指标超标、重量不足等。如河南省质量技术监督局2000年的一份抽查报告显示，河南液态奶的整体合格率仅为68%，其中周口地区仅有45%合格率。

发酵乳与冰淇淋的质量也存在问题。如2000年北京市技术监督局对全市发酵乳作了一次抽查，35种样本中仅有21种产品合格，合格率为60%，不合格产品的问题包括：卫生指标超标，防腐剂超标，蛋白质、脂肪含量不合格，钙含量不足，乱使用标签和名称，将乳酸饮料谎称为酸奶而误导消费者。

5.3.3 产品结构问题

目前中国的乳制品的产品结构存在两个不合理的方面。第一是奶粉和液体奶间的比例不合理。中国目前奶粉所占的比例较高，耗用的原奶是生产液态奶所用原料奶的 4~5 倍（周俊玲，2001b）。大量的原料奶用于生产奶粉，不仅损失很多营养成分，而且耗用更多的能源。因为生产 1 吨奶粉需标煤 2~3 吨、电 600~800 度、水 40~70 吨（宋昆冈，1995），而生产 1 吨 UHT 灭菌奶只需用标煤 0.035 吨、电 100 度、水 2 吨（周俊玲，2001b）。另外奶粉生产时要去水，而消费时还得再加水溶解，水资源浪费也大。因此，不论是从保持牛奶的营养与风味的角度看，还是从节约能源与水资源的角度看，奶粉比重过高的结构都是不合理的。所以在奶业发达国家，原料奶主要用于生产液体奶、奶酪和黄油等制品，而用于生产奶粉的仅占原料奶的 3%~5%，并且主要是在季节性奶源过剩时用于保证原料奶的价值。第二是产品种类与国外相比太少。发达国家的乳制品种类十分丰富，不仅大类产品齐全，每一类中还有更多小类，小类中的各种配方或花色也十分众多，如干酪就有 18 种类型 400 多个品种。其他的如乳清浓缩蛋白、乳清分离蛋白、浓缩乳蛋白、酪蛋白等产品，国内更是少见。

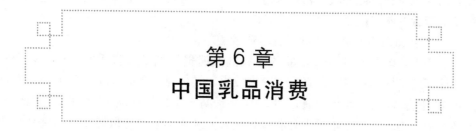

第6章
中国乳品消费

6.1 中国乳品消费的发展变化

6.1.1 中国乳品消费量的变化

（1）乳品消费总量增长较快

1990～2007年，中国居民年乳品消费总量从483.8万吨增长到1690.4万吨，28年间增长了249%。其间除了1993年、1998年和2001年出现消费量下降外，其他25年中有14年的增长速度均在7%以上，因此28年间乳品消费总量的平均增长达到10.1%，呈现出一种较快的增长势头，具体情况见图6-1。1998年以后，这种增长势头更猛，1999年的增长达10%，2000年则高达15%。部分大城市和省会城市的消费量增长更快，如北京、上海、广州的液态奶消费量增长达20%～30%。这种快速增长的原因有两个：一是自1998年以来，政府部门、乳品加工行业、营养学家、医学工作者通过各种宣传媒体，采取多种形式开展了奶及奶制品对改善人们营养健康状况、提高国民身体素质的作用和饮奶科学知识的宣传，积极引导消费，产生了明显的效果；二是乳品加工业的发展，为市场提供

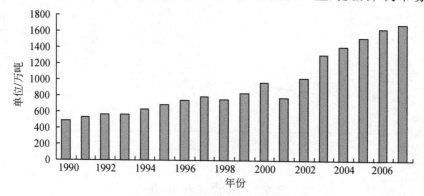

图6-1 中国乳品消费总量情况

资料来源：根据历年《中国统计年鉴》整理

了更营养、更美味、更卫生、更方便的奶制品，并针对不同的消费群体，提供了更多的花色品种。此外城市营销配送系统逐步完善使得购买十分方便，进一步刺激了消费者的购买欲望。

（2）乳品人均消费量较低，且增速较慢

由于占全国总人口70%的农村居民乳品消费量低且增长缓慢，使得以全国人口计算的平均消费量低，且增长速度较慢。具体见图6-2。1990年人均消费量只4.40千克，经过28年发展，到2007年最高水平也仅人均12.8千克，与世界乳品消费平均水平的差距仍十分明显。表6-1显示了中国与世界年人均乳品消费量的差距。根据FAO统计，世界年人均乳品消费量为100千克，其中西欧、东欧（南斯拉夫、波兰、匈牙利等）、原苏联（俄罗斯、乌克兰等）、大洋洲（澳大利亚和新西兰）和北美洲（美国、加拿大）人均消费量较高，亚洲和非洲国家消费量较低，至于中国人均消费量则仅为世界平均水平的6%～7%。如此低的人均消费量虽然与农村人口比重大有关，但根本上讲还是以下因素作用的结果：第一，以汉族人居多的中国居民历史上没有消费乳制品的习惯，乳品一直被人们视作老、弱、病、幼等群体的营养品，对于身体健康的人而言无需此品。直至现在这种消费观念与习惯仍是影响人们乳品消费的主要限制因素。据农业部农村经济研究中心对北京、内蒙古、山东、江苏、四川等地的调查表明，有60%以上的消费者不饮用乳品是由于没有饮用的习惯（王济民等，2000）。第二，由于长期不饮用乳品，大部分中国人体内缺乏乳糖酶，无法分解乳品中的乳糖而引起腹痛、腹胀、腹泻等症状，使得人们不喜欢饮用乳品。第三，由于中国广大农村居民的收入水平低，绝大多数人群还处于温饱阶段，乳品还没有成为他们改善健康状况的必需品。此外，中国乳品工业很长一段时间处于落后状态，过于单一的乳品品种和流通不畅的农村销售渠道，也是影响农村居民饮用乳品较少的一个重要原因。

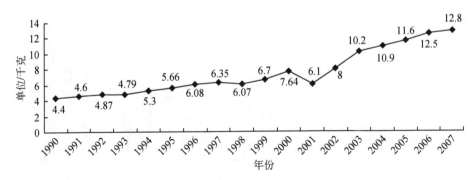

图6-2　中国乳品人均消费量

资料来源：根据历年《中国统计年鉴》整理

表6-1　世界各区域乳品年人均消费量　　　　　单位：千克

地　区	西　欧	东　欧	东　亚	南　亚	中东/北非	大洋洲	北美洲	中南美洲	其　他	世界平均产
消费量	319	315	14	67	92	381	260	108	41	100

资料来源：Yang Zhu et al.，1998

6.1.2　乳品消费群体的变化

随着人们收入水平、受教育程度的提高及营养知识的普及推广，消费观念也逐渐改变，无论是从年龄结构还是从职业结构上看，乳品消费群体都在扩大，并且不同群体间的消费差异也日益缩小。从消费群体的年龄结构上看，20世纪80年代以前乳品主要供婴儿和老人消费（3岁以下婴儿占60%，老人占20%）。据央视2008年的研究报显示，不同人群的奶粉消费比例仍然是以老人和婴儿为主，其中比例最高的是婴幼儿奶粉，中老年奶粉排第三位；自2000年开始婴幼儿奶粉的比例进一步增加，从2000年的29.16%上升到2007年的77.20%。具体数据见表6-2。

表6-2　2000～2007年不同人群奶粉市场消费比例　　　　单位：%

项　目 ＼ 年　份	2000	2003	2004	2005	2006	2007
婴幼儿奶粉	29.16	37.25	46.33	61.28	71.80	77.20
学生奶粉	2.42	1.27	1.18	0.68	0.79	0.80
女士奶粉	0.37	1.35	1.37	0.47	0.50	0.60
孕妇奶粉	0.28	0.44	0.56	3.08	2.31	2.60
中老年奶粉	11.10	13.90	13.93	8.73	8.24	6.60
其　他	56.67	45.79	36.62	25.76	16.36	12.20

资料来源：根据《中国奶业年鉴》（2008）整理而得

2000年对北京市的抽样调查表明，经常消费乳品的人群中，20岁以下的只占27%，60岁以上的只占14%，其他年龄段占59%；天津市调查的1000户消费乳品的比例为2岁以下占7%，2～10岁占18%，11～60岁占55%，60岁以上占20%；西安市的调查也表明，婴儿与老人吃奶所占比例为41%，其他年龄段占59%。因此，从年龄结构上看，消费群体的"断层"现象已经消失。另外，从职业结构上看，以前除老、幼、病、弱、孕外，乳品主要为高级知识分子和外宾所消费，现在各种文化程度和职业的群体都饮用乳品，并且除了农民及失业人口受收入限制而消费量较低外，其他职业的群体间消费量差异并不显著。表6-3为中国农科院对北京市乳品消费的职业结构抽样调查结果，表中数据可以反映这一点。

表6-3　2000年北京市乳品消费的职业结构抽样调查结果　　　　单位：元/户

职 业	机 关	教育科研	企 业	军 人	工 人	农 民	待 业
平均支出	96	87	86	80	70	30	20

资料来源：丁平，2000

6.1.3　乳品消费行为与习惯的变化

随着乳品加工技术的进步，乳品加工企业针对不同群体的需要开发了不同饮用方式的乳品，促进了居民乳品消费行为的变化。以前乳品种类以鲜奶与奶粉为主，居民们主要是订奶煮沸后饮用或用开水冲奶粉喝，消费时间大多在清晨和晚上。现在乳品加工业为广大消费者开发了各种即买即饮或直接食用的乳品，乳品的消费更加便利，时间限制已不成问题，早餐时、睡觉前、口渴时、工作休息时和外出旅游时都成了乳品消费的主要时间。据哈尔滨工业大学对哈尔滨居民的乳品消费调查显示，在受访者中，56%的人在早餐时使用乳制品，多为使用未加工奶、消毒奶和保鲜奶等乳品的学生和年轻人；19%的人晚上使用乳制品，且多数使用奶粉；33%的人随时都可能消费乳制品，且多消费那些购买便利且可即买即饮或直接食用的乳品，主要是冰淇淋、活性乳、酸奶、风味奶等产品。此外，随着人们收入水平和生活质量的提高，乳品消费观念也发生了变化。以前人们把乳品当作补品来消费，现在则把它当作促进健康的大众营养食品来看待，主要关心乳品的营养成分、口味和食用方便性。据哈尔滨工业大学的调查，在奶制品与其他蛋白质食品比较中，80%的受访者认为乳制品更有营养，另有40%的受访者认为它更有益于健康，39%的人认为更易使用，34%的人则认为乳品味道更好。北京市的调查则显示把乳品营养价值放在首要位置的消费者占受访人群的72%，把消费便利性（购买、饮用、储存）放在其次的消费者占35%；而受访的非乳品消费者中则有29%的人认为乳品味道不好。

6.2　中国乳品消费现状特征

6.2.1　中国乳品消费的区域特征

中国乳品消费在不同区域差异十分明显，这种区域特征从两种分类角度上都可以反映出来。

6.2.1.1 从城市、牧区和农区乳品消费市场的角度看，中国乳品消费主要集中于城市

由于中国城镇居民的收入一直是农民的 2 ~ 3 倍，且城镇居民的受教育程度更高，具有更多的营养知识与更强的保健意识，加上城镇居民集中居住，乳品销售网点多，便于购买，因此城镇居民的人均乳品消费量一直是农村居民人均消费的数倍，不过这一差距有所缩小。1992 年城镇居民的人均乳品消费量为 6.32 千克，为农村居民人均 1.46 千克的 4.3 倍。到 2007 年时，城镇居民的人均消费量增加为 22.17 千克，而农村居民人均只有 5.14 千克，二者之间相差近 4.3 倍。正是由于这种人均消费水平的较大悬殊，使得占中国人口 30% 的城镇居民消费了中国乳品总消费量的 70% ~ 80%，而占中国人口 70% 的农村居民却只消费了总量的 20% ~ 30%，中国乳品消费市场明显地集中于城市区域，具体情况见图6-3。

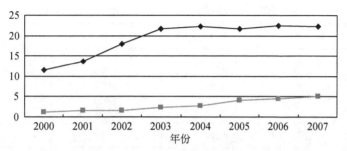

图 6-3　中国城乡居民乳品年人均消费量
资料来源：根据《中国统计年鉴》、《中国奶业年鉴》整理而得

在城市中，上海和北京是两个最主要的乳品消费市场，目前两市人均乳品消费量分别为 40.88 千克和 34.84 千克。就 2007 年液态奶消费而言，排在前 10 位的大中城市分别为银川、大连、成都、青岛、石家庄、北京、南京、兰州、南昌和西宁；2007 年酸奶的消费前十名为合肥、北京、太原、石家庄、沈阳、拉萨、青岛、上海、郑州和银川；2007 年奶粉的人均消费前十位依次为合肥、拉萨、南昌、深圳、郑州、长沙、海口、西安、长春和广州。具体人均消费量见表6-4 ~ 表6-6。

表 6-4　2007 年前 10 位大中城市居民液态奶消费情况对比

排　序	城　市	消费量/(千克/人)	消费支出/(元/人)	单价/(元/千克)
1	银　川	38.88	126.81	3.26
2	大　连	35.17	149.11	4.24
3	成　都	34.15	178.57	5.23

排　序	城　市	消费量/(千克/人)	消费支出/(元/人)	单价/(元/千克)
4	青　岛	33.40	156.24	4.68
5	石家庄	31.81	136.03	4.28
6	北　京	31.33	164.88	5.26
7	南　京	30.99	197.63	6.38
8	兰　州	30.73	113.11	3.68
9	南　昌	30.51	144.92	4.75
10	西　宁	29.48	101.11	3.43
	全　国	23.90	130.92	5.48

资料来源：根据《中国奶业年鉴》（2008）整理而得

表 6-5　2007 年前 10 位大中城市居民酸奶消费情况对比

排　序	城　市	消费量/(千克/人)	消费支出/(元/人)	单价/(元/千克)
1	合　肥	13.32	77.93	5.85
2	北　京	11.05	80.37	7.27
3	太　原	9.77	50.02	5.12
4	石家庄	9.27	45.88	4.95
5	沈　阳	9.05	52.26	5.77
6	拉　萨	8.43	43.73	5.19
7	青　岛	7.50	43.94	5.86
8	上　海	6.64	58.40	8.80
9	郑　州	6.65	32.80	5.00
10	银　川	6.30	30.58	4.85
	全　国	5.33	37.08	6.96

资料来源：根据《中国奶业年鉴》（2008）整理而得

表 6-6　2007 年前 10 位大中城市居民奶粉消费情况对比

排　序	城　市	消费量/(千克/人)	消费支出/(元/人)	单价/(元/千克)
1	合　肥	1.30	69.61	53.55
2	拉　萨	1.23	28.80	23.41
3	南　昌	1.14	55.75	48.90
4	深　圳	1.12	125.86	112.38
5	郑　州	1.03	49.45	48.01

排　序	城　市	消费量/（千克/人）	消费支出/（元/人）	单价/（元/千克）
6	长　沙	0.82	33.24	40.54
7	海　口	0.80	55.84	69.80
8	西　安	0.74	39.77	53.74
9	长　春	0.59	28.16	47.73
10	广　州	0.58	63.56	109.59
	全　国	0.46	31.88	69.30

资料来源：根据《中国奶业年鉴》（2008）整理而得

从整个农村乳品消费市场来看，牧区和收入较高大城市的农村是中国乳品消费的另一个集中市场。2007年全国各地区农村居民平均每人乳品消费量排在前10位的分别是西藏、青海、北京、上海、山东、山西、内蒙古、新疆、江苏和天津。具体消费情况见表6-7。

表6-7　2007年全国各地区农村居民平均每人乳品消费量排在前10位

单位：千克/人

地　区	西　藏	青　海	北　京	上　海	山　东	山　西	内蒙古	新　疆	江　苏	天　津
人均年消费量	37.65	26.71	11.61	9.89	7.35	6.93	6.64	6.17	5.75	5.40

资料来源：根据《中国奶业年鉴》（2008）整理而得

此外，在中国的新疆、内蒙古、青海、西藏及宁夏、甘肃、四川、黑龙江、河北等农牧区、省（自治区）共有120余个以放牧型畜牧业为主的县（旗），牧民有1200万人左右。由于原奶是他们的主要生产产品，因此长期都把乳品作为主要食品来源，具有自己生产、自己加工与自己消费的特点，商品率很低，见表6-8。其人均消费量120千克以上，远远高于全国平均水平，消费总量则达150万吨左右，占全国乳品总量的16%左右。牧民消费的乳品品种多样，有黄牛奶、牦牛奶、山羊奶和马奶，消费方式以鲜饮为主，如1999年内蒙古自治区牧民人均消费鲜奶近62千克，远远高于各地城市居民的人均鲜奶消费量（周俊玲，2001）。

表6-8　1999年部分省（自治区）原奶商品率　　　　单位:%

地　区	新　疆	内蒙古	甘　肃	四　川	青　海	西　藏	贵　州
商品率	36.5	35.2	19.0	17.3	14.1	0.8	0.0

资料来源：根据《中国奶业中长期发展战略研究》（2001）整理而得

广大农区居民的乳品消费量则很少，如2007年湖北农村居民人均消费量仅0.50千克、湖南农村居民为0.88千克/人、广东农村居民为0.58千克/人，而且消费对象主要是老、幼、病、加夜班的乡镇企业职工及备考的农村学生。收入低、没有消费习惯及消费硬件环境不好是农村居民消费量少的重要制约因素。但在大中城市郊区的农民，一些大型乳品加工企业的奶源基地的外迁，使这些农区的奶牛饲养量增加较快，随着奶牛饲养量的增加，这些农区居民也开始饮用一定量的鲜奶，乳品消费量呈现出一种增长趋势。

6.2.1.2 从中国地理分布的六大区域来看，中国乳品消费的区域特征也很明显

华北奶牛带人均消费量最高，其次是华东沿海经济发达地区，而华南与西北等地区的消费量是最少的。这一点从中国六大地区城镇居民人均乳品消费支出情况上反映出来，具体情况见表6-9。

表6-9 2007年中国六大区域城市居民人均消费乳品支出　　　　单位：元/人

华　北		东　北		华　东		华　南		西　南		西　北	
北　京	天　津	辽　宁	吉　林	上　海	江　苏	广　东	河　南	重　庆	四　川	青　海	陕　西
279.45	182.18	153.06	120.13	313.04	182.26	147.10	145.11	181.94	161.74	138.73	151.78

资料来源：根据《中国奶业年鉴》（2008）整理而得

因此，无论是从城市、牧区和农区的角度看，还是从六大区域角度看，中国乳品消费的区域特征都十分明显：消费市场主要集中于居民收入较高的城市和有消费习惯的牧区。这充分说明收入水平与消费习惯是影响中国居民乳品消费的主要因素。

6.2.2 中国乳品消费的品种与结构特征

由于不同地区乳品价格、消费者口味及不同乳品所需销硬件条件不同，中国乳品消费在不同区域市场有不同特征，同时与国外相比，也体现出自身的特点。

6.2.2.1 中国城镇居民乳品消费的品种与结构特征

近几年来，随着城市乳品市场竞争升级，各大乳品加工企业争先恐后地开发了许多新产品以便抢夺更大的市场份额，因此在城市里尤其是大城市如北京、上海等地出现了保鲜奶、超高温灭菌奶、各种配方奶粉、花色奶等新产品，品牌众多，包括国产、合资和进口的各知名品牌，并且每个品牌都有一系列的产品，为城镇居民的乳品消费者提供了丰富多彩的乳品。但从大的品种上看，城镇居民的乳品消费目前主要集中在鲜乳品、奶粉和酸奶上。其中鲜奶消费所占比重最高，历年来都在60%以上，且有上升趋势，到2007年已经达到71.4%，但是从2004年以来开始小幅度下降；其次为奶粉消费，2001年以前比重在20%以上，但近

年来消费比重在不断下降（总量有所上升），在 2007 年只有 12.7% 的比重；酸奶消费比重开始最小，只占 4%~7%，但近年来消费比重却节节上升，呈现出良好发展态势，到 2006 年首次超过奶粉比重，成为第二大消费乳品。具体见表 6-10。总体看，液态奶比重在城镇居民的乳品消费中将不断增加，而奶粉比重将持续下降，这应是乳品品种消费的总趋势。

表6-10　中国城镇居民人均液态奶、酸奶、奶粉消费量变化率

年　份	液态奶		酸　奶		奶粉（折合）		合　计	
	消费量/（千克/人）	比重/%	消费量/（千克/人）	比重/%	消费量/（千克/人）	比重/%	消费量/（千克/人）	比重/%
1995	4.62	63.02	0.26	3.55	2.45	33.42	7.33	100
1996	4.83	60.22	0.32	3.99	2.87	35.79	8.02	100
1997	5.07	60.50	0.44	5.25	2.87	34.25	8.38	100
1998	6.18	62.87	0.64	6.51	3.01	30.62	9.83	100
1999	7.88	66.61	0.87	7.35	3.08	26.04	11.83	100
2000	9.94	68.60	1.12	7.70	3.43	23.10	14.49	100
2001	11.90	71.00	1.36	8.10	3.50	20.90	16.76	100
2002	15.68	73.40	1.82	8.50	3.85	18.00	21.35	100
2003	18.62	74.30	2.53	10.10	3.92	15.60	25.07	100
2004	18.83	74.60	2.85	11.30	3.57	14.10	25.25	100
2005	17.92	72.30	3.32	13.40	3.64	14.70	24.79	100
2006	18.32	71.70	3.72	14.60	3.50	13.70	25.54	100
2007	17.75	71.40	3.97	16.00	3.15	12.70	24.87	100

注：奶粉计算量以 1:7 折合成原奶，酸奶计算量以 1:1 折合成原奶

资料来源：《中国统计年鉴》整理而得

6.2.2.2　农村居民乳品消费特征

在广大农区，由于受居民收入水平低、乳品流通渠道不畅及硬件条件差等因素的影响，居民的乳品消费以奶粉为主，其中全脂奶粉、全脂加糖奶粉和少量的配方奶粉、豆奶粉等是消费的主要品种，在广大牧区，牧民们则直接饮用鲜奶。

6.2.2.3　全国范围内的乳品消费特征

从全国乳品消费的角度看，中国居民以消费液态奶和奶粉为主，而外国人消费较多的乳酪、黄油等品种则很少为国人消费。据中国乳品工业协会的调查显示，在 1997 年的乳品消费中，液态奶消费占总消费量的 27%，奶粉占 69%，冰淇淋等其他制品占 4% 左右。在液态奶品种中，浓缩奶的消费占 15.7%，巴氏消

毒奶占 7.7%，超高温消毒奶占 2.8%，酸奶占 1.4%；在奶粉消费中，加糖奶粉消费量占 29.8%，全脂奶粉占 14.4%，婴幼儿配方奶粉占 11.1%，脱脂粉占 1.4%，其他类型奶粉占 12.3%。具体见图 6-4。

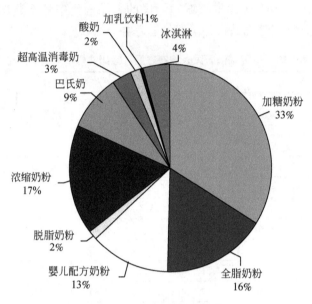

图 6-4　中国乳品消费结构

资料来源：中国乳品工业协会，1998

6.3　中国乳品消费的影响因素分析

6.3.1　收入水平

　　收入水平是影响中国乳品消费的主要因素。在中国社会由温饱型向小康转变的过程中，乳品作为一种营养最完善的食品，其消费需求量随着人均收入水平的提高而增加；同时在同一时期内，人均收入水平高的居民比收入水平低的居民所消费的乳品也更多。收入水平对中国乳品消费的影响在城乡之间和不同收入水平城镇居民之间乳品消费量的差距上得到充分反映。

　　从 1992 年以来，中国城市居民的人均收入一直是农村居民 2 倍多，且城市居民人均收入的增长速度快于农村居民的增长速度，因此城乡居民的人均收入差距呈逐渐扩大的态势。同时城乡居民人均乳品消费量之间也存在着较大差别。从 1992 年以来，城镇居民的人均乳品消费量一直维持在农村居民的 4～10 倍。从 1997 年以来，城乡之间收入差距的变动趋势与城乡居民乳品消费量差距的变动趋势更是相当的一致。具体情况见表 6-11。城乡之间收入差距与乳品消费量差距的一致性表明收入水平对乳品消费量的影响是较明显的。

表 6-11　1999～2007 年中国城乡居民人均收入与乳品消费量对比

年　份		1999	2000	2001	2002	2003	2004	2005	2006	2007
城　镇	人均收入/元	5 854.00	6 280.00	6 860.00	7 730.00	8 472.00	9 421.00	10 493.00	11 759.00	13 785.00
	人均乳品消费量/（千克／人）	9.19	14.49	16.76	21.35	25.07	25.25	24.79	25.54	24.87
农　村	人均收入/元	2 210.30	2 253.00	2 366.00	2 476.00	2 622.00	2 936.00	3 254.00	3 587.00	4 140.00
	人均乳品消费量/（千克／人）	0.96	1.22	1.47	1.52	2.31	2.76	4.08	4.57	5.14
城镇与农村比/倍	人均收入/元	2.65	2.79	2.90	3.12	3.23	3.21	3.22	3.28	3.33
	人均乳品消费量/（千克／人）	9.57	11.88	11.4	14.05	10.85	9.15	6.08	5.59	4.84

资料来源：根据历年《中国统计年鉴》与《中国农村统计年鉴》整理而得

除了城乡居民之间的乳品消费差距与收入差距相一致外，城市居民间的乳品消费量也因收入的不同而不同，高收入阶层的乳品消费量比低阶层的消费量高。见表 6-12。

表 6-12　2000～2007 年中国城镇居民家庭平均每人全年鲜奶购买量

单位：千克／人

年份	总平均	最低收入户	低收入户	中等偏下户	中等收入户	中等偏上户	高收入户	最高收入户
2000	9.94	4.59	6.04	8.27	9.83	11.95	14.07	17.52
2001	11.90	5.61	7.73	9.69	11.78	14.79	16.80	19.60
2002	15.68	4.83	8.39	11.78	15.79	19.99	23.63	26.46
2003	18.62	6.71	10.85	15.51	18.94	23.43	26.82	28.29
2004	18.83	7.79	12.70	16.49	18.93	23.18	26.18	28.30
2005	17.92	7.80	11.70	15.30	18.69	22.56	25.74	26.05
2006	18.32	8.80	12.91	16.26	19.16	22.29	24.52	25.91
2007	17.75	9.57	12.53	15.35	19.16	21.02	23.23	24.89

资料来源：根据历年《中国统计年鉴》整理而得

城市居民不同收入阶层间乳品消费的差距也表明收入水平对乳品消费量有着很大的影响，而且二者之间为正相关关系。

6.3.2　消费习惯与偏好

消费习惯与偏好是影响中国乳品消费的一个重要因素，在中国人的饮食习惯中，乳及乳制品往往被看成婴幼儿的食物，一旦过了婴幼儿期，则应以其他食物为主食才更有利于成长。因此，对大部分中国人而言，只是婴幼儿时期体内乳糖酶较多，可以把乳品中的乳糖分解以利于吸收。但由于以后不再饮用乳品，体内的乳糖酶含量逐渐降低，使得大部分中国人成人后既不习惯乳品的膻味，也易出现乳糖不耐症，从而导致他们不偏好乳品。农业部农村经济研究中心王济民等的一项调查明确显示了中国人没有消费乳品的偏好，见表6-13。该表反映中国人最偏好的是猪肉，其次为鱼类和家禽，偏好程度很低的是乳品。

表6-13　中国城镇和农村居民的畜产品消费偏好　　　　单位:%

产　品	猪　肉	牛　肉	羊　肉	家　禽	禽　蛋	奶　类	鱼　类	合　计
城　镇	57.0	5.1	5.6	8.5	5.2	2.4	16.1	100.0
农　村	58.1	8.6	8.6	11.9	4.9	0.6	10.4	100.0

资料来源：王济民等，2000

6.3.3　营养知识和保健意识

营养知识对居民乳品消费行为有较大的影响。现代科学证明，乳品是营养最全面的食品，对改善居民的营养、平衡膳食结构、补钙和增强体质均有重要的作用。但很多人由于不知道这一点，往往花大量的钱购买价格昂贵的补钙药品，也不去饮用价格低廉的乳品。在2000年的"国际牛奶日"，各大中城市举行了"奶与人类健康"的宣传活动，向广大市民宣传乳品的营养价值，使部分城市的消毒奶销售陡增20%～30%，反映营养知识对居民的乳品消费行为有较大的影响。

另外，保健意识也对居民乳品消费有影响。在广大农村，居民们往往保健意识不强，他们宁愿用有限的收入去消费不利于身体健康的烟酒，也不会去消费有营养价值与保健功能的乳品。在城市中，一些受过较高教育的父母具有一定的营养知识和保健意识，了解乳品的营养与保健功能，因此他们不仅自身饮用乳品，还鼓励和引导子女们多消费乳品。如北京市经常消费乳品（1～2次/天）的20岁以下青少年占69%，其原因之一就是孩子们的父母受教育程度较高，向他们宣传饮用乳品的好处（李易方，2001）。

6.3.4　乳品质量

许多地方调查都表明,乳品质量是影响中国乳品消费的一个重要因素。哈尔滨工业大学对哈尔滨及郑州市的消费调查显示,两市各有32%和38%的受访者对乳品的质量不放心,认为存在变质与过期等问题;北京市的调查则显示在不消费乳品的总人数中,有5%的人是因为乳品质量问题而不愿意消费;另据王济民等对山东、吉林等6省市城乡居民畜产品消费情况的调查,有37.5%的居民认为如果乳品质量提高,他们会增加购买量(农业部农村经济研究中心,2001)。正因为消费者重视乳品质量,所以在购买时往往都选择知名品牌。如奶粉消费上,固定1~3个知名品牌消费的消费者比例,北京为75.7%,上海83.2%,广州76%,重庆81.1%,武汉80.6%,西安83.2%(周俊玲,2001)。

6.3.5　价格

乳品价格对乳品消费的影响总体上表现为二者间为一种负相关关系,且影响的大小因不同消费者群体而异。对婴幼儿、老人、病人、孕妇等必需消费群体,乳品价格对需求影响不大;对收入水平较高的消费者,因乳品消费支出只占其食品消费支出的一个较小比例(1999年为3.4%),所以乳品价格对他们的消费量也无多大影响;但对收入水平低的农村居民来说,乳品价格则是一个重要的影响因素,其需求价格弹性达 -2.14(CIAT,2000)。

6.3.6　购买的便利性

购买的便利性对乳品消费也有影响。在大中城市,从各种大小商店、超市、乳品销售点到街边小摊都有冷链设备,所以广大居民可以随时随地从这些地方购买到鲜奶、酸奶和冰淇淋等产品,不仅如此,国内的乳品大企业如三元、光明和伊利等公司还为居民提供网上订奶、电话订奶和送奶服务,居民足不出户就可以喝到所需的乳品。但对于中小城市和广大农村地区的居民而言,因没有十分完善的冷链系统,购买各种需冷藏的乳品如鲜奶、酸奶和冰淇淋等产品就没那么便利了。购买便利性对乳品消费的影响,在省会城市与地级市、县级城市居民的乳品消费量上得到一定的反映。如王济民等的调查显示,江苏、广东、四川、内蒙古、吉林、山东6省的省会城市居民年人均乳品消费量平均达26.20千克,而它们的地级市、县城镇居民的消费量平均只有9.69千克。这种消费量上的差距,除了收入影响外,购买便利性的不同也是一个重要因素。

6.4 中国乳品消费未来发展趋势

6.4.1 中国乳品消费总量将持续增加

第一，居民收入水平的持续提高将使乳品消费量进一步增加。如前所述，从 1992 年以来，随着居民收入水平的提高，中国乳品消费量平均每年以 7.1% 的速度增加，二者之间存在着明显的正相关关系。因为收入水平的增加，既会促进现有乳品消费者增加消费，也会促使那些原来不消费乳品的人开始消费。同时，随着收入水平提高，人们的受教育程度也会提高，将使人们接受更多的营养知识，转变消费观念与习惯，从而把乳品作为一种必不可少的食品来消费。

第二，新的乳品消费群体的形成将促进乳品消费量的增加。未来有三类新的乳品消费群体形成，他们将带动中国乳品消费量的增加。①中国的城市化进程将使未来 10 年的城市人口由目前的 30% 增加到 40%，所增加的城市人口将带动中国乳品消费量增长。资料显示，城市人口每增加 1%，畜产品消费需求增长 1.29%，其中每增加一个城镇居民，就多消费 5 千克奶类（农业部农村经济研究中心，2001）。②国家学生奶计划将使全国 30 个大城市 3000 万在校中小学生逐渐变成乳品的消费者，即使只有 25%～50% 的学生每天饮用 200 毫升 UHT 奶，全年按 300 天计，则每年增加 45 万～90 万吨 UHT 奶的消费量。③中国每年所生 1000 万婴儿，按每个婴儿年消费奶粉 10 千克或鲜奶 60 千克，则每年增加 10 万吨奶粉或 60 万吨鲜奶的消费，相当于中国目前乳品总产量的 7.5% 左右。

第三，消费习惯与偏好的改变将会使中国人乳品消费量增加。中国人传统消费习惯与偏好是限制中国乳品消费的重要因素，其中"乳糖不耐症"又是影响消费习惯与偏好的重要因素，但"乳糖不耐症"是可以解决的。在加工技术上，可以人工提取乳糖酶，然后加入到杀菌后的牛奶中对乳糖进行水解，用这种技术制成的液态奶就可以为广大"乳糖不耐症"者直接饮用；在消费生理习性上，坚持长期饮用乳品可以使体内乳糖酶含量逐渐增多，从而可以减轻乳糖不耐症。如同样具有"乳糖不耐症"的日本和韩国人的乳品人均消费量就可以达到 74 千克和 50 千克左右的水平，其中一个原因就是他们普遍认识到乳品对民族强壮的重要作用，在政府的号召下坚持长期消费乳品而逐渐改变了传统消费习惯，同时也克服了"乳糖不耐症"。

6.4.2 液态奶消费的增长将成为中国乳品消费的主动力

从 20 世纪 50 年代初至 1992 年，中国乳品消费增长的主动力一直源于奶粉的消费增长，这也使得奶粉一直是中国最重要的一种乳制品，在中国乳制品中的比例一直保持60%以上，最高时达80%。但1993~1997年中国奶粉市场出现了数万吨积压，其中1996年和1997年积压达8万吨，占当年产量的20%，这标志着中国乳品消费市场已进入"买方市场"。在这五年间乳品生产与消费处于一种徘徊状态，但随后液态奶消费迅速增长又成了整个乳品产业进一步发展的主要动力。从1996年中国开始生产液态奶到现在，生产与消费均呈现跳跃式发展，产量从1996年的51.9万吨发展到2007年的1441.0万吨，每年平均增长47.3%。消费增长也快，2007年北京、上海、广州等大城市和省会城市液态奶的消费增长达20%~30%。在今后的一段时间，液态奶消费会继续保持较快增长势头从而带动中国乳品消费增长。

6.4.3 城镇居民仍将是中国乳品消费的主要群体

如前所述，占人口30%的城镇居民消费了中国乳品总消费量的70%~80%，而占人口70%的农村居民只消费了总量的20%~30%，今后一段时间这种乳品消费格局不会改变，城镇居民仍将是乳品的主要消费群体。这主要是由城镇居民的收入现状和未来发展趋势决定的。从1997年以来，中国农村居民的人均收入增长率不断降低，而城镇居民的人均收入增长率则持续上升，二者之间的收入差距进一步扩大。具体情况见表6-14。因此，从收入水平的变动趋势看，农村居民乳品消费量在未来一段时间内不会有很大的增加，而城镇居民则可能进一步增加消费量。此外，受收入水平增长缓慢的限制，农村居民的饮食习惯和生活模式还会维持一段时间，加之购买不便，在短期内农村居民乳品消费增长缺乏动力，乳品消费的主要群体仍将是城镇居民。

表6-14　1978~2007年中国城乡居民收入增长对比

年　份	农村家庭人均收入		城镇家庭人均可支配收入		城市/农村
	绝对数/元	比上年增长率/%	绝对数/元	比上年增长率/%	（农村=1）
1978	133.6		343.4		2.56
1980	191.3	43.20	477.6	39.10	2.50
1986	423.8	6.60	899.6	21.70	2.13
1987	462.6	9.20	1 200.2	11.40	2.17
1988	544.6	17.80	1 181.4	17.90	2.17
1989	601.5	10.40	1 375.7	16.40	2.29
1990	686.3	14.10	1 510.2	9.80	2.20
1991	708.6	3.20	1 700.6	12.60	2.40

年 份	农村家庭人均收入		城镇家庭人均可支配收入		城市/农村
	绝对数/元	比上年增长率/%	绝对数/元	比上年增长率/%	(农村=1)
1992	784.0	10.60	2 026.6	19.20	2.59
1993	921.6	17.60	2 577.4	27.20	2.80
1994	1 211.0	32.50	3 496.2	35.60	2.86
1995	1 577.7	29.20	4 283.0	22.50	2.71
1996	1 926.1	22.10	4 838.9	13.00	2.51
1997	1 090.1	8.50	5 160.3	6.60	2.47
1998	2 162.0	3.40	5 425.1	5.10	2.51
1999	2 210.0	2.20	5 854.0	7.90	2.65
2000	2 250.3	1.80	6 345.6	8.40	2.82
2001	2 366.0	5.14	6 860.0	8.10	2.90
2002	2 476.0	4.60	7 730.0	12.70	3.12
2003	2 622.0	5.90	8 472.0	9.60	3.23
2004	2 936.0	12.00	9 421.0	11.20	3.21
2005	3 254.0	10.80	10 493.0	11.40	3.22
2006	3 587.0	10.20	11 759.0	12.10	3.28
2007	4 140.0	15.40	13 785.0	17.20	3.33

资料来源：根据历年《中国统计年鉴》整理而得

第7章
中国乳品产业纵向链关系
及对产业发展的影响

乳品产业纵向链活动形成过程是乳品产业劳动分工不断专业化的过程，它不仅受乳品消费市场范围的限制，而且还受到生产技术、经济制度和生产基础设施（运输、通信和金融等）的限制。通过不断专业化而形成的纵向活动之间的关系，在计划经济体制下主要由政府统一安排；在市场经济体制下主要是各活动主体理性选择的结果。

乳品市场的竞争、乳品产业的协调特性、原奶生产属性、农户经营理念、辅助活动的资产专用性等是中国乳品产业中原奶生产与乳品加工之间纵向组织关系的主要影响因素，原奶生产者与乳品加工企业在对以上因素理性思考的基础上，根据各地的特点建立起4种主要纵向组织关系。

在每种纵向组织关系中，奶农均处于严重的受"要挟"的境地，为了回避风险，他们尽量减少投资，实行小规模的生产方式；为了获得一定的利润，他们尽量节省要素投入，实行粗放式生产。结果是低成本、低质量和低单产的原奶生产方式极大地妨碍了整个乳品产业向优质、高产方向顺利推进，也使中国乳品产业通过提高奶牛单产而解决奶源"瓶颈"问题变得更加困难。乳品市场上的风险往往被乳品加工企业利用市场力量而向处于受"要挟"境地的原奶生产者转移，引起原奶生产的较大波动，从而影响整个乳品产业的协调发展。

7.1 中国乳品产业纵向链关系的演变过程

7.1.1 乳品产业纵向链活动与关系

乳品的生产和销售涉及相当多的活动。从饲料饲草的生产开始到乳品的最终分配与销售过程，被称之为乳品产业的纵向链条。乳品产业纵向链条上的专门化活动之间形成上下游关系，上游活动为下游活动提供输入品，依次相连而使各活动之间衔接起来。图 7-1 描述了乳品产业纵向链上的各活动。

根据乳品产业纵向链上的各主体是自己生产输入品，还是向上游活动主体购

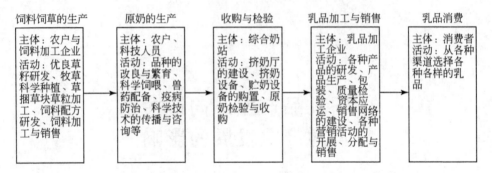

图 7-1　乳品产业链

买输入品，可以把乳品产业纵向链活动之间的关系分为三种基本类型。①公平市场交易关系，即指上下游活动主体之间是通过市场交换关系来相互衔接的，如从事原奶生产的农户与从事乳品加工的企业之间通过原奶交换市场而形成的买卖关系。②一体化关系，即上游活动主体投资从事下游活动，或者是下游活动主体投资从事上游活动，分别称之为前向一体化和后向一体化，如饲料饲草加工企业投资从事奶牛饲养活动，或奶牛场投资进行饲料饲草的生产活动。③生产与购买并行关系，即上游活动主体既向下游活动主体出售产品，同时也利用自己的产品从事下游的生产经营活动，或下游活动主题既向上游活动主体购买输入品，同时自己也从事部分输入品的生产。

7.1.2　乳品产业纵向链关系的演变过程

从 1949 年以来，中国乳品产业纵向链关系分城市郊区和农牧区的不同而呈现出不同的演变过程。

7.1.2.1　城市郊区乳品产业纵向链关系的演变

（1）1949～1955 年郊区乳品产业仅限于原奶生产与消费两个环节

1949～1955 年实行公私合营，城郊乳品产业全部由私人经营，既没有科学规范的饲养技术，也没有完善的疫病防治技术，个体生产者自己种植饲料饲草，粗放型地饲喂奶牛，也无挤奶机械，全为手工挤奶，奶牛生产性能低，牛舍狭小，条件差，病牛多，牛奶不消毒就出售，质量差，价格昂贵，一度 0.5 千克牛奶相当于 1 千克猪肉的价格。因为此期间，原奶生产量太少，且无乳品加工技术、设备和能力，同时乳品的消费也仅限于婴幼儿和病人，市场范围十分有限，所以乳品产业纵向链仅限于原奶生产与消费之间简单交易关系，其他一切专业化活动都因市场容量太小、生产技术落后而没有诞生出来。此期的纵向活动与关系见图 7-2。

图7-2   1949～1955年乳品产业链

（2）1956～1978年城郊乳品产业纵向链活动初步专业化并建立完全一体化关系

1956年国家对资本主义工商业进行改造，实行公私合营，乳品产业也不例外，城郊乳品产业由农林局统一规划和管理。在农林局的统一领导下，乳品产业的各纵向活动初步专业化，同时在统一领导下形成了完全一体化的纵向关系。在原奶生产活动上，为了维护城市卫生，将市区饲养的奶牛全部迁至城郊国有农场饲养；为了维护人民身体健康，建立公办兽医室，对国有农场的奶牛进行检疫，开展一系列消灭人畜共患传染病，建立健康牛群；为了推广和普及适用养牛技术，提高奶牛生产性能，组织技术人员开始学习和推广奶牛科学饲养与人工授精技术，同时在农场建立精粗饲料基地；为了向市民提供消毒乳品，结束饮用生奶历史，组建综合性乳品加工厂，主要生产消毒奶和奶粉；为了方便市民订奶，在城区设立了牛奶站，负责牛奶的销售，主要采用人工送奶上门的销售方式。在政府包办乳品产业纵向链一切活动且归口一个行政部门管理的制度下，城郊乳品产业得以迅速形成，各纵向活动之间完全一体化的衔接方式使得城郊乳品产业快速发展，为缓解当时城市居民"饮奶难"起了巨大作用。此期间的纵向活动及相互关系见图7-3。

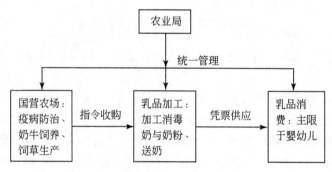

图7-3   1956～1978年乳品产业链

（3）1979～1992年乳品产业纵向链各活动进一步专业化、规模化，纵向关系一体化

1979～1992年，乳品产业纵向链各活动规模进一步扩大，专业化程度加强，相互之间的关系在农工商总公司或农垦集团公司的统一管理下继续保持一体化关系，但强制性指令安排有所减弱，议价收购取代统一收购。从1980年起，国家

为从根本上解决市民"吃奶难"问题，在改革开放的形势下，推行了"国营、集体、个体一齐上"的奶业方针，在发展国营奶牛场的同时，积极鼓励和扶持农村发展个体养牛。由于政策与市场的双重推动，城郊农村个体奶牛迅速发展，使得原奶生产规模进一步扩大。为了解决农民养牛的"三难问题"，国有农场建立了饲料加工厂向奶农提供饲料，建立了奶牛服务站向奶农提供配种繁殖、疫病防治和科学饲养方法的有偿服务，同时收购原奶；在奶源扩大的同时，政府进一步加强乳品产业技术服务系统建设，先后组建奶牛协会、奶牛改良育种中心、奶牛保健培训中心、乳品质量监测中心和乳品研究培训中心；乳品加工企业进一步改进加工手段和设备，采用机械洗瓶机和圆盘灌奶机，同时从国外进口全套先进生产线，使得乳品加工活动规模扩大；为了把大量乳品及时销售给广大居民，乳品企业改变送奶制度，建立牛奶代管点，增设自发点，并全部实行汽车送奶，各大城市的送奶通道和发奶点遍布大街小巷；由于乳品产量成倍增加，使得乳品厂可以敞开供应，居民可以自由选购，"吃奶难"基本解决。此期间的乳品产业纵向链活动及关系见图7-4。

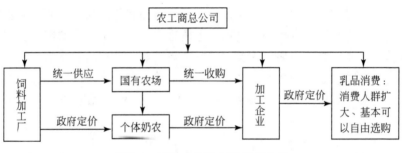

图 7-4　1979～1992 年乳品产业链

（4）1993 年至今，乳品纵向链关系由各活动主体理性选择，专业分工进一步深化

1993 年以来随着我国社会主义市场经济体制的确立，乳品产业也进入了市场经济的发展轨道，为了追求城市近郊土地的经济效益，各城市近郊农场的奶牛大都迁往远郊农场和郊县农村，并且因为农户养牛的低成本优势而使得原奶生产的主体逐渐以农户为主，国有农场的奶牛通过拍卖、租赁和贷款购牛形式而转移到农户手中，只有少数核心农场在乳品企业集团的科技示范与技术推广目的下而由乳品企业集团继续经营；为了保证农户个体养牛以高质量低成本地为乳品企业供给原奶，乳品企业投入了大量的资金经营饲料加工企业、奶牛综合服务站（提供配种繁殖、疫病防治、原奶品质检验与挤储奶服务）；乳品加工企业为了适应激烈的市场竞争而组建了企业集团（统一标准、统一配方、统一工艺、统一原料、统一检测、统一包装）；在销售环节上组建销售公司（统一销售、统一广

告），并在全国各城市建立销售网点，参与全国大市场的竞争。此时期乳品产业纵向链活动及关系见图7-5。

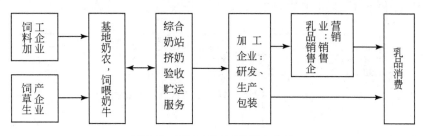

图 7-5 1993 年以后乳品产业链

7.1.2.2 农牧区乳品产业纵向链关系的演变过程

1）1949～1978 年，农牧区的乳品产业没有形成，仅限于牧民的自给自足式小生产活动。

2）1979～1992 年，农牧区乳品产业纵向活动初步专业化。中国北方奶牛带的农牧区大多土地辽阔，牧草资源丰富，具有发展奶牛生产的优越自然条件。改革开放以来，地方政府在号召大力发展畜牧业的同时，也建立了乳品加工厂，从而乳品产业纵向链活动初步专业化，形成以原奶的农户生产，乳品的工厂加工和广大牧区人民为消费市场的产业链。此期间乳品产业发展较快，主要原因是乳品消费需求大于供给，原奶生产与乳品加工活动均有可观利润，相互之间利益矛盾不明显，这期间农牧区的原奶生产者与乳品加工者之间是纯粹的市场交易关系，乳品的市场价格也主要以市场定价为主。因此这期间乳品产业纵向链活动与关系见图7-6。

图 7-6 1979～1992 年农牧区乳品产业链

3）1993 年至今，随着市场经济体制的建立和乳品加工领域的可观利润，社会资本纷纷进入乳品加工行业，使得乳品加工企业数目迅速增加，农牧区的每市（县）都有若干乳品加工企业，市场竞争日益激烈。在竞争中一部分有竞争力的企业脱颖而出，并且很快通过资本运作而组建企业集团，实力更加壮大。同时消费者对乳品的质量与多样性要求也日益增加。由于原奶的质量对乳品质量有很大影响，而原奶质量又主要决定于科学饲养、机械化挤奶和疫病防治，但农牧区农户往往不具备能力做到以上几点，因此乳品企业为了增强竞争力而通过各种形式投资于原奶生产的几个重要活动；同时为了增加市场占有率，而加强了对销售活动的投入。这时期的农牧区乳品产业呈现出以一体化为主要模式同时兼有其他模式的多样化时期，其主要模式见图7-7。

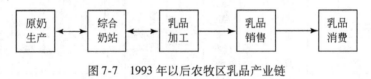

图 7-7　1993 年以后农牧区乳品产业链

7.2　中国乳品产业纵向链关系模式

根据乳品产业纵向链上下游活动主体经营边界的范围，可以把上下游活动之间的关系分为三种基本类型，但现实经营中的企业活动所选择的模式则是多种多样的，因为乳品产业纵向链上具有若干个活动，每相邻两个活动之间的关系会因为不同的企业、不同的技术、不同的地理分布而不同，从而使得整个产业纵向链关系具有多种多样的模式。现阶段中国乳品产业链关系主要模式有以下几种。

7.2.1　城郊型乳品产业纵向链模式：农户 + 奶牛企业 + 乳品加工企业 + 乳品销售企业

城郊型乳品产业纵向链模式指的是新中国成立后为了解决广大城市居民"吃奶难"问题，最初由政府投资建立一切纵向活动而形成产业，接着在市场经济条件下由各个活动主体选择而形成的现有产业链模式。城郊型乳品产业的历史最长，各个环节活动在计划经济时代就已建立，其经营主体成员的素质高、各环节的生产经营技术先进、产品的市场需求大、交通、金融等外部环境优越，因此城郊乳品产业大都以较大规模运行，各个环节间的协调历史长、经验丰富，一体化程度较高，为了增强市场竞争力而在政府号召下以企业集团形式运作，企业成员包括从饲料加工企业、奶牛企业、各种服务中心、乳品加工企业和乳品销售企业。同时为了利用规模经济而通过奶牛企业的运作开拓了城市周围的广大市（县）农区的奶牛业，保证企业集团原奶的大规模供给。这种模式的典型代表有北京三元奶业集团、南京奶业集团、天津奶业集团、上海牛奶集团等。以上海牛奶集团为例，上海牛奶集团的纵向链关系模式是在 1956 年创建的上海牛奶公司的基础上经过 40 年的发展而形成的。上海牛奶集团在发展中经历了若干次外部环境的变化，在对变化作出理性的反应基础上，逐步形成了目前的"企业集团 + 奶牛企业（牧区乳品企业）+ 农户"的纵向产业链关系模式。第一，随着经济发展，上海市区规划面积不断扩大，使得集团的城郊奶源农场不断缩小，为了保证奶源，集团把近郊土地用于开发房地产，所获资金用于开拓郊县奶源。集团把自身的远郊牧场改组为奶源公司，以奶源公司为主体对郊县奶牛场进行承包经营。被承包的郊县奶牛场的资产关系不变，农民的利益得到保证并有所提高，以公司的资金、技术和管理优势，使郊县奶牛走上集约经营的道路，扩大了公司在市郊的奶源基地。目前集团公司以联营和承包经营方式管理着 26 个郊县的奶牛场。此外，为了保证集团公司进一步扩大生产而在内蒙古、陕西等牧区以控股当地小乳品企业的方式间接增加了原奶的供给。第二，随着市场经济体制的建立和改革开放的进一步发展，乳品市场竞争日益激烈，为了实现大规模运营以增强市场竞争力，上海乳品产业在市政府的号召下于 1997 年组建成集团公司，其成员包括从饲料加工、原奶生产、奶牛繁殖和疫病防治、乳品加工和乳品销售等各个环节上的企业。第三，随着人民消费需求的变化，对乳品的质量要求越来越高，而乳品的质量主要由原奶质量决定，原奶质量又受饲料配方的影响。因此为增强产品竞争力，集团以承包的方式经营郊县的饲料厂，以最快的速度实现了饲料生产的集约化和科学化。同时重组饲料加工活动，饲料产销量迅速从 4 万吨提高到 10 万吨，保证了奶牛饲养的需要，提高了乳品品质。第四，为了扩大产品市场占有率，组建自身的销售网络。在上海市投资建立发售液态奶网亭 2600 个，乳品零售批发点 1820 余个，连锁店 100 多家。此外，还在南京、无锡、杭州、北京及西北、华中、西南等城市及地区设置经营部，外地销售奶网点总计 3700 余个。上海牛奶集团在适应外部环境的变化下，通过理性的选择而逐步形成了目前的"企业集团＋奶牛公司（牧区乳品公司）＋农户"的纵向链关系模式。

7.2.2　牧区型乳品产业纵向链模式：农户＋养殖小区＋综合挤奶站＋乳品加工企业＋乳品销售企业

牧区型乳品产业纵向链模式是在牧区政府的产业政策影响下，发挥牧区的资源优势，在其龙头企业的带动下，由小农自给自足的生产向现代产业发展过程中形成的纵向链关系模式。牧区由于牧草资源丰富，饲养奶牛历史悠久，且奶牛饲养以牧民家庭为单位，因此原奶生产成本较低；但因为粗放式饲养，往往不能保证原奶的质量，同时商品率较低，乳品加工的原奶供给不稳定。牧区的乳品加工企业为了实现规模经济，同时保证乳品质量而采取了在牧区建立养殖小区实现农户原奶生产的相对集中与规模生产，并通过组建综合奶站向农民提供饲料供给、繁殖育种和疫病防治的有偿服务而保证原奶的质量。大规模的生产需要大规模销售来实现企业的顺利运行，因此牧区的乳品加工企业大都在全国各大中城市建立自己的销售网络，实现加工企业前向一体化销售活动的关系。目前从黑龙江、内蒙古、山西、陕西到新疆这一奶牛带牧区，这种"农户＋养殖小区＋综合奶站＋

乳品加工企业＋乳品销售企业"的纵向链关系成为发展乳品产业的主要模式。以内蒙古的伊利集团为例，从 1995 年以来，伊利集团大投入、大运作进行奶源基地建设，通过"分散饲养、集中挤奶、优质优价、全面服务"的发展模式，把龙头企业与千万个奶牛养殖户结成相互依托、风险共担、利益共享的共同体。在奶源相对集中、有代表性的老基地建立奶牛养殖小区，小区内建立综合奶站；在新开辟的具有发展潜力的奶源基地建设综合奶站；在条件还不成熟的地方设收奶点。"九五"期间，伊利集团先后投入 1.8 亿元用于奶牛基地建设，先后建成标准奶站 190 个，养殖小区 6 个。在养殖小区和综合服务站为农民提供奶牛的配种改良、兽药配备、疫病防治等服务项目。伊利集团向奶源基地的投入使得呼和浩特市广大农民饲养奶牛积极性高涨，奶牛业以 40% 的速率迅速增长，奶牛数量由 1995 年以前的 2 万头猛增到 2002 年的 9.16 万头，奶牛单产由 3.5 吨提高到 4 吨，保证了伊利集团的原奶供给。

7.2.3 农区型乳品产业纵向链模式：农户＋集约化奶牛场＋综合奶站＋乳品加工企业＋乳品销售企业

农区型乳品产业纵向链模式是指在农业结构调整过程中变二元种植结构为三元种植结构，变以生猪和家禽等耗粮畜禽饲养为主为以节约精饲料的草食动物为主的奶牛养殖业，同时在农区乳品加工企业的带动下逐渐分工专业化而形成的纵向链关系模式，其形式为"农户＋规范化奶牛场＋综合奶站＋乳品加工企业＋乳品销售企业"。由于农区土地不如牧区广阔，牧草资源相对缺乏而精饲料相对充足，其奶牛饲养户规模均小，又没有掌握科学的饲养方法，使得原奶成本较牧区高，质量较牧区差，没有发挥农区的资源优势。龙头企业为了获得充足的低成本高质量的原奶，与农区的村镇集体共同建立规范化奶牛场，实行规模化集中生产、科学饲养、机械挤奶等，同时以综合奶站的方式与乳品加工企业相连接，从而形成了农区型乳品产业纵向链模式：农户＋集约化奶牛场＋综合奶站＋乳品加工企业＋乳品销售企业。目前河北省、山东省的乳品产业就主要以此种纵向链关系模式来发展的。

7.2.4 农场前向一体化型乳品产业链关系模式：国有牧场＋农户＋乳品加工企业＋乳品销售企业

农场前向一体化型产业纵向链关系是指国有牧场经过长期建设已具备了较强的科研与技术实力，同时又有大量的土地与劳动力，为了把科技力量和资源优势转化为经济优势，在由计划经济体制向市场体制转轨过程中，由农场组织农民从事原奶生产、投资建立乳品加工厂和乳品销售企业，从而形成的由农场前向一体化乳品产业纵向链的各个活动而形成的纵向链关系模式。江西省金牛企业集团是农场前向一体化的典型。它是从 20 世纪 50 年代江西省畜牧良种场的基础上逐步发展壮大而成为今天江西乳业的重要支柱企业。1992 年，在改革开放的大好形势下和京九铁路建设的机遇面前，为了加快发展，经省政府批准在江西省畜牧良种场的基础上组建江西金牛企业集团，充分发挥良种场的科技优势和英雄乳品品牌优势。为了充分利用农场的土地资源，集团把可以开垦、且地处边缘的荒山坡规划为奶牛专业村的点，统一规划设计、统一建设、统一开垦土地，提供贷款给奶牛专业户建房买牛。专业户通过种植饲料养牛，利用奶和牛的增殖偿还贷款、劳动致富。集团在各奶牛专业村设立技术服务站，配备畜牧兽医技术人员和人工授精员，提供疫病防治和配种的有偿服务。集团公司兴办饲料加工厂，按成本价格提供优质配合精料；同时统一组织供应优质牧草种子，并指导农户种好青绿饲料。为了确保奶源质量，在各专业村设立了鲜奶收集点，培训了质量管理员，配备必要的检测设备；同时集团成立了鲜奶检测中心，通过先进的检测设备，制订鲜奶按质论价办法和奖罚制度，做到了公平收奶，严把奶源质量关。集团投资300 多万元建设奶业专业村的水、电、公路和技术服务站及鲜奶收购站等基础设施。在建奶源基地的同时，集团也加大了加工与销售环节的投资力度。通过 3000 万元的技改项目，将英雄乳业股份有限公司的生产从奶粉生产为主转变为以液态奶生产为主，同时开发了多形式多品种的乳制品，培育了一系列"英雄"乳制品名牌，在全国各大中城市建立了自己的销售网络。

7.3　中国乳品产业纵向链关系的经济学分析

中国乳品产业纵向链活动包括饲料饲草生产、奶牛饲养、奶牛饲养服务、原奶的检验与收购、乳品的加工与销售。纵向活动之间的交易组织关系主要是在市场机制的作用下由各主体之间的理性决策相互作用的结果，它既受到产业特性、企业特性的影响，也受到上下游活动的具体特征的影响；同时市场结构与竞争状况也对它有较大的影响。

7.3.1　牧草生产与奶牛饲养活动之间的关系分析

7.3.1.1　牧草与奶牛饲养之间的物质技术关系

高质量的牧草对实现奶牛干物质高摄入量和高产奶量的目的是十分重要的，它不仅涉及牛奶的产量和质量，而且关系到奶牛的健康和使用寿命，饲喂高质量的牧草是提升奶牛业生产力最有效和最经济的途径。经验证明，以秸秆为粗饲料来源的日粮，只能满足 5000 千克单产水平奶牛的营养需要；使用青储玉米，饲喂普通干草或羊草，奶牛单产通常只能停留在 7000 千克水平；而精料用量过多、青储玉米饲喂量过高，则容易发生酸中毒，只会缩短奶牛使用寿命，降低经济效益；要想达到 8000 千克以上高产水平，必须饲喂苜蓿等优质牧草。2000 年北京西郊奶牛公司的总畜牧师王运亨用 2.5 千克苜蓿干草取代 2.5 千克羊草，试验牛群 120 头，头日喂苜蓿干草 2.5 千克，羊草 1 千克，对照牛群 100 头，头日喂羊草 3.5 千克，试验对照牛群其他日粮完全相同。按试前泌乳月、产奶量相同或相近原则采用配对法试验、对照牛群中各选出 47 头进行产奶量和乳成分分析。结果表明：试验组比对照组 1～7 泌乳月头日产奶量增加 2.4 千克（按此计算 305 天可增产 730 千克），提高 8.3%，其中 1～4 泌乳月头日产奶量增加 1.97 千克，提高 7.2%，以上差异均极显著（$P \leqslant 0.01$）。试验组 1～7 泌乳月投入产出比 1:4.7（每千克苜蓿、羊草差价 0.4 元×2.5 千克：每千克牛奶售价 1.95 元×2.4 千克），其中 1～4 泌乳月投入产出比 1:5.6。此外，实验组比对照组乳脂、干物质含量分别提高 0.09% 和 0.08%（乳脂率提高可能与苜蓿中有效中性洗涤纤维含量高有关）；乳脂、干物质产量分别增加 0.13 千克和 0.38 千克，提高 12.9% 和 10.6%；每毫升牛奶体细胞数 15.2 万个，下降 17.4%。试验结果充分说明：用优质牧草苜蓿取代一般牧草羊草喂奶牛，不仅产奶量显著提高，还能改善牛奶质量，经济效益显著。

正因为草业对奶牛业有如此重要的作用，当今世界一切奶牛业发达国家无一例外地都以发达的草业生产与供应作为奶业的基础条件。以美国为例，1974 年牧草和奶牛产量分别为 1.26 亿吨和 5254 万吨；到 1999 年分别上升到 1.59 亿吨和 7397 万吨，分别递增 26.2% 和 40.8%。其中优质牧草的作用功不可没。由此可见，草业已成为现奶业发达国家中的一大产业。美国牧草面积占作物面积的比重达 21%，荷兰占 33%，新西兰高达 97%（占农用国土面积）。美国草业生产已经是一项涉及 47% 的农户、产值超过 100 亿美元的大产业。在美国的种植业面积中，牧草比重排名已从第三上升为第一。草业在农业中的地位，草业对奶业的重要性由此可见一斑（陈新，2001）。

7.3.1.2　牧草生产与奶牛饲养之间交换组织关系分析

牧草生产与奶牛饲养之间的经济关系受资源条件、饲养科技水平和奶牛饲养主体经营意识的影响，目前因以上三因素的差异性而导致牧草生产与奶牛饲养之间有不同的交换组织关系。第一种关系为生产与购买并行关系。在各大城市市郊的乳品产业中，原奶主体的质量意识与效率意识较强，具有较高的科技饲养水平，他们深知优质牧草对提高原奶质量和经济效益的重大作用，在奶牛饲养中坚持饲喂优质足量的青（干）牧草。但由于牛群规模过大，草场面积有限，而不得不向牧草生产者购买大量的牧草。以北京市为例,现有6.6万头奶牛,每年所需牧草总量为6.6万吨,北京市各农场和农区的奶牛饲养者自己生产的牧草均无法满足奶牛需求,因此在政府的宏观指导下计划在5年内种植苜蓿100万亩①,其中通州区于2001年就已种植8万亩,生产干草5万吨,大部分都销售给奶牛饲养者,只有少量被销售给肉牛、羊的饲养者。此外,上海、广州、深圳等地目前也从国外进口苜蓿产品以供奶牛饲养业。第二种关系为牧草生产与奶牛饲养的一体化关系。在北方的奶牛带,奶牛饲养以农民家庭为单位,由于土地广阔,牧草丰富,因此形成了以牧草作为主要饲料的粗放饲养方式。同时由于饲养科技观念较落后,不具备调制营养成分合理配方的技术,牧区农民大都以低成本生产作为经营观念,以自己生产牧草饲养奶牛的一体化方式经营,规模小,单产低,成本低。以内蒙古为例,其可利用的草场面积6800万公顷,居全国之首,区内奶牛头数为72.61万头,居全国第二,从资源条件看内蒙古有着优越的奶牛饲养条件。但由于以家庭为单位从事奶牛业,生产十分分散,农户既无能力改良奶牛品种,又无科学饲喂技术,一直信奉低成本生产观念,奶牛饲养主要用自己生产的牧草作饲料,既不会从外采购牧草和精饲料以扩大奶牛饲养规模,也不会把自己生产的牧草向外出售,保持奶牛饲养数目与牧草产量之间的平衡。这种以农户家庭为单位的一体化奶牛养殖方式使得内蒙古自治区原奶生产表现出奶源分散、工业利用程度和商品率极低、科技利用率低、产奶季节性强、奶牛单产过低且原奶质量差等问题,但这种粗放式经营的一体化却具有低成本的竞争优势,因此在牧区的乳品产业纵向链中此种一体化方式占有较重要的地位。第三种关系是以饲料作物的青储和秸秆的氨化来代替牧草从事奶牛的饲养。这种替代关系主要是在广大农区,因土地有限,且主要用于生产粮食而使得奶牛的粗饲料供给紧张,随着奶牛饲养比较优势的显现而逐渐变二元种植结构为三元种植结构,即增加饲料作物的生产,并修建青储窖和氨化处理以保证奶牛常年的粗饲料需求。

7.3.2 奶牛饲养与乳品加工企业之间交易组织关系的分析

乳品加工企业与原奶生产活动之间的各种主要关系,不论哪种模式都是介于一体化与公平市场交易关系之间的一种交易组织关系,即乳品加工企业要么直接投资于原奶生产活动中的品种改良、繁殖配种、疫病防治、机械挤奶、奶罐储奶及精饲料的加工等活动上,要么与当地政府联合投资,并把这些活动集成在奶牛饲养相对集中的地方,以综合奶站方式经营。奶农饲养奶牛所需的以上各种服务则向综合奶站购买,部分可以免费获得,所生产出的原奶则通过综合奶站或奶点

① 1亩≈666.67m²。

销售给乳品加工企业。乳品企业与原奶生产之间的这种交替式组织交易关系是由乳品企业与原奶生产者经过理性选择而形成的。

7.3.2.1 乳品企业在原奶生产活动上的理性选择

（1）为提高乳制品品质竞争力而投资于原奶生产的各种产前、产中服务活动

中国乳品市场经过二十多年的市场运作，已进入了"买方市场"，竞争越来越激烈，在国外高品质乳品的影响下，乳品的质量已成为乳品企业竞争力的一个关键因素。乳品的质量在很大程度上取决于原奶的质量（乳脂率、体细胞数目、细菌数目及新鲜度），而原奶的质量又主要受疫病防治、品种改良、饲料饲草等产前、产中服务水平的影响。奶农不愿意或无能力投资这些辅助性活动，他们倾向于采用低成本的方式去经营奶牛饲养。乳品企业通过理性决策，发现投资于这些辅助活动，提高原奶及乳品质量所带来的收益远远高于投资的成本。乳品企业通过实行原奶的质量检测和优质优价的交易规制激励奶农提供优质原奶，并通过对奶农进行奶牛饲养的科技培训使他们主动向综合服务站去购买各种产前、产后的服务活动。奶农通过科学养牛获得了更高的收益，乳品加工企业采用优质原奶而提高了产品竞争力，增强了获利能力。如上海牛奶集团通过自己的奶牛企业高产优质的示范作用，向郊县广大奶农传播科学养牛技术，同时在郊县奶牛集中区建立综合服务站或奶站，向奶农提供各种产前、产中和产后服务。上海市政府配套出台了《上海市鲜牛乳质量暂行办法》，规定把乳脂率、乳蛋白率、微生物和抗生素指标作为按质论价的标准，并且还提出了经济制约的措施，推出介于奶牛场和加工厂之间的第三方公正检测机构承担全市生鲜牛奶质量计价检测的工作。这些措施使得上海原奶生产实现了科学饲喂、机械挤奶和疫病防治的有效防治，使得乳品加工企业收购的原奶质量基本上达到了"高乳脂率、高乳蛋白率、高维生素和无抗生素"的标准，使上海乳品具备了高质量的市场竞争力。

（2）为了协调原奶生产与乳品加工之间的关系而投资于原奶生产的产后服务活动

乳品产业的特点决定原奶生产与乳品加工活动之间必须紧密结合，协调一致。乳品是一种营养食品，其营养与安全是产品质量的核心，这要求从原奶的采集、储存、运输到加工必须精确地协调一致。因为原奶生物特性决定其必须在4℃以下、处于无菌环境才能保证质量与新鲜度。在乳品产业发展初期，原奶生产者自己以冷水池储藏牛奶，等待"中间商"来收购，再由"中间商"转手售给乳品加工企业，这一流通渠道中既没有专用降温设备，也无专用真空储奶与运输设备。原奶的采后冷却与储藏处理手段落后，流通中时滞过长，不法商贩的掺杂使假使得乳品企业无法获得优质原奶，生产的乳品品质不高，同时原奶生产者与乳品加工企业之间的"中间商"利用自己的市场垄断力量进行纵向价格压榨，

使得乳品产业纵向链中的"双倍边际化"现象显著，既严重影响原奶生产者的积极性，又影响乳品加工企业的乳品质量。在乳品处于"卖方市场"阶段时，此问题没有受到乳品加工企业的过多关注，原奶生产者也无力解决。当乳品市场进入"买方市场"阶段，各乳品企业间竞争激烈，乳品质量和市场占有率对企业的生存起到决定性作用时，乳品企业开始认识到大规模的优质原奶采购、储藏、运输与加工的精确协调是竞争取胜的关键，投资于原奶检测、收购、储藏、运输活动的收益已超过于投资成本。这期间许多乳品企业在原奶生产基地兴建了自己的收奶检测中心，并购买了大型储奶罐与奶运车，使原奶从奶牛到加工环节都处于低温无菌环境之中，这些企业也因向市场提供高质量与大批量的乳品而成为乳品产业中的优胜者得以迅速成长壮大。同时通过投资于原奶产后的这些活动，乳品企业与原奶生产者之间建立起规范公平的交易关系，消除了"中间商"的盘剥，较大地降低了交易费用，增强了纵向关系的协调性，促进了乳品产业的发展。

（3）为了封阻进入和回避封阻而投资原奶生产的辅助活动以控制奶源

相对于城镇居民迅速增加的乳品需求，中国原奶的供给一直是乳品产业发展的"瓶颈"。因为原奶供给量的增长受到奶牛生长繁殖规律的制约，短时期内很难适应市场需求大幅增加而大量增长；同时奶牛业受其自然规律的约束，只有北方奶牛带才能生产出优质低价的原奶。奶牛业的自然属性与乳品消费的市场属性的不一致性导致控制奶源对乳品企业的市场竞争有着重大意义，只有控制充足的奶源才能进行大规模的乳品生产与销售，才能以低成本为市场提供大批量的乳制品以提高乳品企业的市场地位，才能在乳品行业中扩张壮大。否则乳品企业无法成长为以大规模生产和销售为基础的现代化企业，最终被市场竞争所淘汰。正是由于奶源稀缺性和地理分布的不均衡性，使得它成为封阻其他企业进入乳品产业的壁垒或限制现有乳品企业扩张的壁垒，一批在市场竞争中脱颖而出的企业都争先抢夺奶源，使得奶源大战有愈演愈烈之势。由于中国农村实现家庭联产承包责任制，土地不能自由流转，乳品企业无法完全后向一体化原奶的生产，也没有足够的资本去后向一体化原奶生产，因此在奶源大战中，各企业理性地选择了需要投资于专用性资产的辅助活动，通过这些活动可以锁定原奶的生产者，使他们无法选择其他的乳品企业去出售原奶。通过投资原奶生产中的辅助活动，乳品企业达到了封阻其他企业进入或回避封阻的目的。

（4）土地制度与代理成本使得乳品加工企业不从事奶牛饲养活动

中国乳品产业链中的乳品加工业是由政府投资组建的，几乎奶牛带的每个县（市）都有若干个乳品加工企业，众多的乳品加工企业为了扩大自己的市场份额而进行了奶源大战，但却很少有企业去直接投资于大规模的奶牛饲养活动。其中有两个重要原因：第一，家庭联产承包责任制使得土地不能自由流转，乳品企业无法获得从事规模奶牛饲养的土地；第二，奶牛饲养活动相对其他农业生产活动是属劳动密集型和资本密集型生产，现有乳品企业自身拥有的奶牛企业因为代理成本过高（雇佣工人的怠工），同奶牛户的私人饲养相比处于成本劣势，因此，大部分国有乳品企业都在市场竞争中把自己的奶牛企业分解成私人饲养以获取原奶生产的低成本优势。

7.3.2.2 原奶生产者在原奶生产活动上的理性选择

（1）农牧区农户根据各种生产活动的比较优势而选择奶牛饲养活动

随着乳品消费需求的增加和乳品加工业的发展，农牧民生产的原奶都能以一个较好的价格顺利地实现价值，而其他的农产品则因结构性过剩而价格低。经过对各种可能生产活动收益的比较，奶牛带的农牧民选择了种植饲料作物养奶牛的生产活动。农业部软科学课题《我国奶业发展战略研究》成果表明"与一般种植业和其他饲养业相比，从事奶牛饲养可以获得的每一劳动日产值是最高的"，见表7-1。

表7-1　1999年种植业和饲养业每一劳动日产值比较　　　单位：元

稻谷	小麦	玉米	高粱	大豆	花生	油菜籽	芝麻	棉花	苹果	柑橘	淡水鱼	奶牛
20.86	15.15	15.86	17.36	21.75	20.70	10.64	26.77	12.20	22.98	30.31	37.30	54.97

生猪			蛋鸡			肉鸡		
专业户	农户散养	平均	专业户	国营集体	平均	专业户	国营集体	平均
19.35	10.49	12.65	30.97	25.02	28.98	49.00	30.17	40.14

资料来源：程漱兰，2002

（2）为了降低成本，规避风险和由于能力的限制而不投资奶牛饲养的辅助活动

奶农从事奶牛饲养，一般只会投入土地、劳动力和奶牛（往往从国有牧场购买），而不愿意投资从事品种改良、繁殖育种、疫病防治和机械挤奶及质量检测等辅助活动。其原因有以下两点。

1）农牧区农户是小规模生产，其经营理念就是低成本运作。他们往往把自有土地、青绿饲料和闲余时间不作成本计算，对奶牛饲养中的各种辅助活动的重要性认识不足，抱着能省则省的态度，并且因原奶交易中处于被动地位，因而没有积极采用科学饲养方法生产高质量的原奶。这种低成本生产方式使得农牧区奶牛业比国营和集体牧场更有竞争优势，因而得以在广大农牧区蓬勃发展，为中国乳品产业的扩张奠定了基础。

2）农牧区农户的小规模生产，没有能力投资于辅助活动，也承担不起投资于专用性资产的风险。原奶生产的各种辅助活动既需要专用性设备，又需要专用性人力资本，往往投资较大，回收期长，风险高。小农户式的生产者根本无能力

投资此类活动，并且农户目前也没有建立自己的组织去共同投资以实现辅助活动的规模经济。

综上所述，乳品市场的竞争、乳品产业协调特性、原奶生产自然性、农户经营理念与能力、辅助活动的资产专用性等因素是中国乳品产业中原奶生产者与乳品加工企业交易组织关系的主要影响因素，原奶生产者与乳品企业正是在对以上因素的理性思考基础上，根据各地特点建立起具有交错式共同特征的交易组织关系。

7.3.3 乳品加工企业与乳品销售之间的交易组织关系分析

乳品加工企业同乳品销售之间的交易组织关系受企业类型、产品特征和加工与销售之间的距离等因素的影响，经过乳品加工企业与销售企业之间的理性决策而形成各种组织交易方式。

7.3.3.1 乳品加工企业前向一体化的交易组织关系

乳品加工企业前向一体化销售活动主要是由乳品的特性与市场竞争决定的。由于巴氏消毒奶、酸奶与纯鲜牛奶等液态奶的保质期短，要求缩短流通时间与环节，同时也由于液态奶市场竞争激烈，送货上门及方便订奶等服务成为影响销售的主要因素，各液态奶生产企业都一定程度上进行前向一体化销售活动。前向一体化的形式有两种：一是乳品加工企业投资建立自己的乳品专营店、零售商亭，直接从事零售活动；二是乳品加工企业组织自己的送奶机构，从事为广大居民送奶上门的直销服务。

7.3.3.2 乳品加工企业与零售商的市场交易关系

由于乳品包装技术的改进与冷链设施的建立，使得零售商方便居民随时购买乳品成为一种重要的扩大销售的方式。随着城市居民消费量的增加，乳品流通量也变得较大，乳品零售有利可图；同时乳品加工企业通过改进包装技术和引进冷链设施使得液态奶的储存时间得以延长，乳品零售活动成为可能，各种零售商都纷纷参与乳品的销售活动。这些零售商包括大型商场、超市、连锁店、专业送奶服务公司、街头摊点、副食品商店等。乳品企业同这些零售商之间建立固定的联系，直接送货给零售商，再由零售商销售乳品给消费者。

7.3.3.3 由乳品加工企业、代理商与零售商构成交易组织关系

中国的乳品消费主要集中于城市，且主要以液态奶为主，因此农牧区乳品加工企业的乳品必须进行远距离的运输，这决定了农牧区乳品加工企业必须生产保质期长且便于运输的乳制品，如奶粉、超高温灭菌奶、冰淇淋、雪糕、炼乳、奶

酪等。由于产品市场分布范围广,乳品加工企业没有能力建立完全一体化的销售网络,因而大多以合同的形式建立各地的代理商网络,再由代理商组织零售活动。为了控制代理商以保证乳品加工企业的利润达到最大,乳品加工企业通过特定授权费用安排、规定目标销售额、排他性销售区域和转售价格固定等规制来控制各地代理商。

7.4　中国乳品产业纵向链关系对产业发展的影响

中国乳品产业纵向链活动是随着乳品需求扩大而逐步专业化分工形成的,各活动之间的关系是随着市场经济的发展由各主体根据具体情况理性选择而建立起来的,具有自身的合理性。但是由于各种原因,纵向活动之间的关系对乳品产业的发展仍有一些负面影响。

7.4.1　饲草与原奶生产活动之间关系对乳品产业发展的影响

中国乳品产业发展达到世界平均水平,则要使人均牛奶占有量达到80千克,年总产量到达1.01亿吨(按人口12.6亿计)。按目前全国平均成母牛年单产3000千克计算,成母牛头数就由目前的266万头增加到3366万头。按成母牛自然增长率15%(成母牛补充30%,减死率15%)计算,需要84年(3366÷266×0.15)才能达到上述目标。如果成年母牛年单产由目前的3000千克提高到5000千克,成母牛头数应达到2020万头,需要50年时间能达到上述目标,比84年缩短2/5时间(王运亨,2001)。因此,提高奶牛单产是促进乳品产业进一步发展的关键环节。

实践证明,奶牛的产奶量主要受品种遗传因素、饲料饲养因素、管理因素的影响,其中饲料饲养对产奶的贡献率达50%,而饲料饲养因素的贡献在很大程度上取决于日粮中粗饲料的品种和质量,特别是饲草的品种和质量。正是基于此,奶牛业的科研工作者一致认为"奶业与草业的关系就好比是地上建筑与地下根基的关系,只有根基结实,才能建成大厦"。因此发达的奶业要求有发达的草业,中国乳品产业的奶源"瓶颈"问题必须通过大力发展饲草生产来解决。但目前中国饲草生产与原奶生产之间的关系不利于饲草生产的发展,对中国乳品产业发展有负面影响。目前中国乳品产业纵向链中的饲草生产与原奶生产之间有两种关系:一是城郊国有奶牛场与饲草生产加工企业之间的市场交易关系;二是农牧区原奶生产农户以自己承包的土地生产饲草或其他粗饲料,即完全一体化关系。由于原奶生产以农牧区农户家庭为主,国有和集体农场的原奶生产比例较小,因此原奶生产活动对商品化的饲草需求量有限,饲草市场范围太小限制了饲草生产活动。据权威部门估计，目前国内草业公司凤毛麟角，全国年产商品优质牧草（苜蓿）草产品不足 20 万吨，多年前建立的企业中达到 1000 吨以上苜蓿产品生产的企业只有 1 ~ 2 家。由于市场范围太小使得饲草生产的各个方面都受到制约：优质草产品的品种少、割草机械、搂草机、捡拾打捆机械、压块机、颗粒机械等方面技术落后、科学种植技术得不到推广、种植与加工系统不协调等。饲草生产的落后状况又限制了原奶生产采用科学饲喂技术的牧场或专业户的发展，也影响了科学饲喂技术的推广，更突出了农牧区农户粗放式原奶生产的成本优势，使得中国原奶生产无法通过提高单产来解决奶源问题，只能靠农牧区奶牛数量的增加来促进中国乳品产业的发展。因此以农牧区农户家庭为单位集奶牛饲养与饲草生产为一体的上下游联系方式从长远来看阻碍了中国乳品产业的发展。

7.4.2　原奶生产与乳品加工之间的关系对乳品产业发展的影响

在市场机制作用下，乳品产业纵向活动的自由进入是乳品产业链实现协调发展的前提。但由于土地制度和旧有乳品加工体系的影响，原奶生产主体无能力进入加工环节，加工企业也无法后向一体化原奶生产，使得原奶生产与乳品加工之间形成了具有中国特色的交错式交易组织关系。但在这种交错式交易组织关系中，双方地位十分不平等，主要表现为以下几方面。

1）在原奶价格的确定上，完全由乳品加工企业决定，奶农被阻隔在"大市场"之外，享受不到最终产品需求上升时的超额利润，只能取得原奶生产成本之上的少许加成利润；而在最终产品超过需求时，原奶收购价格往往低于成本价格，使奶农受损。此外，压级压价，"优质不优价，劣质却劣价"现象也较普遍。

2）在奶款结算上，乳品加工企业尽可能拖延结算时间，并且从奶农奶款中扣除的服务费用往往不合理，也不透明，部分企业连收费标准或明细表也不提交给奶农。

3）在交易对象的选择上，奶农被锁定在现有企业上，无能力选择其他企业。因为在一个奶牛饲养比较集中的村子，一般只有一个收奶站，收奶半径为 2 ~ 3 千米，在农户没有冷藏运输设备的情况下，奶农无法远距离运输原奶，也承担不起远距离的运输成本；同时很少有相邻两个收奶价相差到足以使奶农除去运输成本及劳动成本后还有更多收益的情况（周俊玲，2001b）。

这种交易组织关系使奶农处于严重的受"要挟"境地，为了回避风险，他们尽量减少投资，实行小规模的生产方式；为了获取利润，他们尽量节省要素的投入，实行粗放式生产，其结果是低成本、低质量和低产量的原奶生产方式极大地妨碍了整个乳品产业向优质、高产方向的顺利推进，也使中国原奶通过提高单产以解决奶源瓶颈问题变得更加困难。

第8章
中国乳品市场结构

本章在对市场结构的定义、测算与分类的理论探讨基础上，明确界定了乳品和乳品产业（市场），同时对乳品企业进行了分类；利用绝对集中度指标对主要细分乳品市场结构和整体乳品市场结构进行测算与分析，数据表明中国乳品产业处于垄断竞争状态，少数全国性大企业与数量众多的地方性小企业并存，但是随着外资的进入，乳品产业集中度有进一步提高的趋势；详细探讨了乳品企业规模、乳品市场容量、乳品差异化、乳品市场进入壁垒、乳品需求价格弹性与需求增长率等因素对中国乳品市场结构的影响，认为企业平均规模偏小、市场需求量增长较快、产品差异化程度小、进入壁垒低等因素综合决定了中国乳品市场结构的状态。这一部分为后面分析乳品市场结构和乳品企业行为与市场绩效的关系奠定基础。

8.1 乳品市场界定

8.1.1 市场的划分

在产业组织理论中，"市场"和"行业"这两个概念容易混淆。大多数学者认为"行业"是指生产或提供同类产品或服务的企业的集合，是从生产相似性的角度界定的；而"市场"是指销售具有相同使用价值产品的企业的集合，或者指具有相同使用价值产品的需求者的集合，是从需求相似性的角度界定的。因此，在产业组织理论中，市场和行业的边界不是完全一致的。查阅西方产业组织有关资料，发现有的文献认为"市场结构"是从供给角度界定的行业结构，有的文献认为"市场结构"是从需求相似性角度界定的市场结构。因此，本研究首先界定"市场结构"以保证研究对象的前后一致性。

8.1.1.1 理论界定

理论上是依据弹性原理对市场和行业进行划分的。在需求方面，将交叉价格弹性大的商品或服务归为同一类产品或服务，对这类商品的需求界定为同一个市场，需求交叉弹性越大，产品间的同质性也越高，而需求交叉弹性小的或需求交叉弹性为零的产品或服务则归于差异化产品，对这些商品的需求界定为不同的需求市场。在供给方面，将供给替代弹性大的产品或服务归于同一类产品，将提供这些产品或服务的企业集合界定为同一行业，供给替代弹性小的产品或服务定义为差异化产品，生产和提供这类产品的企业则分属于不同的行业。

但是，在现实中按照弹性原理来界定市场和行业是困难的。第一，需求交叉弹性大的产品或服务，可以归于同一类产品或服务，如塑料桌布和棉质桌布就可视为同类产品，它们的销售市场可以被界定为同一个市场；然而由于生产技术迥异，这两个产品的交叉价格弹性为零，必须将这两种产品视为差异化产品，所以生产它们的厂商应该归于不同的行业。相反，有些产品或服务的生产技术有很强的相似性，如饮用酒和饲料，其交叉供给弹性大，由同一行业提供这两类产品，因此可看成同一行业的产品；然而他们的需求交叉价格弹性为零，它们分属于不同的需求市场。第二，由于信息的不可获得，计算需求价差弹性和供给交叉弹性是十分困难的，有时甚至是不可能的，因此实际中很难以交叉弹性为标准来界定市场或行业的边界。

8.1.1.2 实际界定

现实中各国政府都是根据产品生产过程中技术关联性的强弱来划分行业或界定市场的。这种划分既具有较强操作性，又为政府政策的制定和实施提供了便利。在基本框架上，当今世界各国政府对行业的划分是一致的，如各国政府都将国民经济初步分为工业、农业、交通运输业、建筑业、商业、信息服务业等基础行业。当然由于各国经济结构的特点不同，在划分各个具体行业时，各国采用的标准和细化程度不一致。

我国目前采用的行业划分标准是 GB 4754—2002，将国民经济分为 20 个门类，以英文字母代表；每个门类下细分为大类，以两位数代表；每个大类下细分为中类，以三位数代表；每个中类下进一步分为小类，以四位数代表。但在一般情况下仍然使用传统的分类方法，将国民经济分为三个层次：第一层次划分为三大产业，分别是第一产业（农业）、第二产业（工业）和第三产业（流通、服务）；第二层次在三大产业下再分为许多具体行业，如农业、工业、建筑业、运输和邮电业、国内贸易、对外贸易、旅游业、金融保险业、教科文和体育卫生和社会福利；第三层次是对上述各行业再按主要产品的特性进行的具体的行业划分，如农业进一步划分为农、林牧、渔各业。工业类别下又按产品的特性分为不同的专项行业，如制造业分为冶金、电力、煤炭、石油、化学、机械、建筑材料、森林、食品、纺织、缝纫、皮革、造纸及文教艺术用品等。

8.1.2 乳品市场界定

8.1.2.1 乳品产业定义

乳品是指以原奶（生鲜牛乳或羊乳）及其制品为主要原材料加工或制造而成的各种产品；乳品产业是指加工或制造各种乳品的所有企业的集合，在国民经济行业分类中将这些企业其统一归类于食品制造业中"液态乳及制品制造业"（行业分类代码为1440）。这就是本项目在研究范畴上界定的乳品产业。

8.1.2.2 乳品分类

1）乳品按照加工方式不同可以分为以下七大类：①液体乳类，主要包括杀菌乳（以牛乳或者羊乳为原料经巴氏杀菌制成的液体产品）、灭菌乳（以牛羊乳或者复原乳为主料，添加或者不添加辅料，经灭菌制成的液体产品）、酸牛乳（以牛乳或者复原乳为主料，添加或不添加辅料，使用含有保加利亚乳杆菌、嗜热链球菌的菌种发酵制成的产品）和配方乳等。②奶粉类（以牛羊乳为主料，添加或者不添加辅料，经加工制成的粉状产品），包括全脂奶粉、脱脂奶粉、全脂加糖奶粉和调味奶粉、婴幼儿奶粉及其他配方奶粉。③炼乳类（以牛乳为原料，添加或者不添加白砂糖，经浓缩制成的黏稠状液体产品），包括全脂无糖炼乳、全脂加糖炼乳、全脂炼乳及配方炼乳等。④奶脂肪类（以牛乳稀奶油为原料，经发酵或不发酵，加工制成固态产品），包括稀奶油、奶油及无水奶油等。⑤干酪类，包括原干酪和再干酪等。⑥乳冰淇淋类，包括乳冰淇淋和乳冰等。⑦其他乳品类，包括干乳素、乳糖、乳精粉和浓缩乳清蛋白等。

2）乳品按照市场营销学整体产品的概念分为以下三个层次：①乳品的核心产品。不同类别的乳品的核心产品不同，如液体乳的核心产品的载体是液体，乳粉和干酪的则是固体。乳品的核心产品可以用酸度、营养成分来衡量其基本效用或利益。酸度主要是衡量液体乳和酸乳的口味和成分，营养成分是其所包含的各种微量元素和营养物质。②乳品的形式产品。乳品的形式产品主要是其包装形式。传统上乳品包装材料有许多种，现在液态乳的包装形式基本上是利乐砖，同时少数小企业仍然使用瓶装、纸装及塑料袋装的包装形式。③乳品的延伸产品。乳品的延伸产品是多种多样的，如冰淇淋、蛋糕等都可以视为它的延伸产品。

8.1.2.3 乳品企业分类

我国的乳品企业主要分为四大类。第一类是奶源带乳品企业，它指北方奶牛带的乳品企业，拥有较强的资源优势，如伊利。

第二类是大都市乳品企业，它是在大中城市的郊区为满足大城市鲜奶需求的原国有企业基础上发展而成的，如光明。

第三类是中小城市乳品企业，它是各中小城市为解决早期本地婴儿鲜奶需求，在农场型企业基础上发展而成的，如武汉江夏乳品厂。

第四类是新兴乳品企业，它是在市场经济背景下为追逐利润的行业外资本进入乳品产业而形成的乳品企业，如新希望乳业。

8.2　中国乳品市场结构

8.2.1　市场结构的分类

市场结构是反映市场竞争和垄断关系的概念。在西方微观经济学发展的过程中，自 Chamberlin、Robinson 提出垄断竞争理论，根据不同产业的市场垄断与竞争程度划分为 4 种不同类型的市场结构后，Bain、植草益等著名学者在对本国产业市场不同的生产集中度作实证分析研究的过程中，将不同垄断和竞争程度的市场结构进一步具体化为实用性更强的不同等级的竞争型和寡占型市场结构。

8.2.1.1　Bain 的市场结构分类

Bain 依据产业内前 4 位和前 8 位的行业集中度指标，对不同垄断、竞争结合程度的产业的市场结构进行了如下分类（表8-1）。

表8-1　Bain 的市场结构分类

集中度 市场结构	CR_4 值/%	CR_8 值/%
寡占 I 型	$85 \leqslant CR_4$	—
寡占 II 型	$75 < CR_4 \leqslant 85$	$85 \leqslant CR_8$
寡占 III 型	$50 \leqslant CR_4 < 75$	$75 \leqslant CR_8 < 85$
寡占 IV 型	$35 \leqslant CR_4 < 50$	$45 \leqslant CR_8 < 75$
寡占 V 型	$30 \leqslant CR_4 < 35$	$40 \leqslant CR_8 < 45$
竞争型	$CR_4 < 30$	$CR_8 < 40$

资料来源：（Bain J，1968）

8.2.1.2　植草益的分类方法

由于各国国情不同，各国学者对本国产业垄断、竞争分类的具体标准不尽相同，但与贝恩的划分基本一致。日本著名学者植草益运用本国 1963 年的统计资料，对不同的市场结构所作的分类见表 8-2。

表 8-2 植草益的市场结构分类

市场结构		CR$_8$ 值/%	产业规模状况/亿日元	
粗 分	细 分		大规模	小规模
寡占型	极高寡占型	70 < CR$_8$	年生产额 > 200	年生产额 < 200
	高、中寡占型	40 < CR$_8$ < 70	年生产额 > 200	年生产额 < 200
竞争型	低集中竞争型	20 < CR$_8$ < 40	年生产额 > 200	年生产额 < 200
	分散竞争型	CR$_8$ < 20	年生产额 > 200	年生产额 < 200

资料来源：〔日〕植草益，1988

8.2.2 中国乳品市场结构分析

当前中国乳品行业的市场结构演变的基本特点是：全国性品牌乳品企业在北方奶牛带圈占奶源，在全国大中城市争夺市场份额，目标是靠奶源和市场份额成长为国际大型乳品企业以获得规模经济或垄断力量；中小型乳品企业利用保鲜期短的乳品在局部利基市场中谋求生存和发展，但是许多小企业已经或即将被大型乳品企业兼并收购；传统国有城市型乳品企业和奶畜饲养场前向一体化而产生的区域乳品企业正在进行体制改革，一部分企业经过市场化改革逐步扩大优势；另一方面，国内乳品企业和国际知名乳品企业的竞争已经从背后的奶源竞争，上升到质量竞争和市场份额竞争，国际品牌企业表现出较强的竞争优势。

乳品企业间的市场关系可以表现为现实的市场结构状态。为了揭示现在的乳品市场结构，可以根据市场结构理论采用不同的指标和方法来加以计算和衡量，例如，可以选用销售额作为衡量销售者集中度的指标，也可以采用产量作为衡量生产者集中度的指标：可以通过市场的绝对集中度（absolute concentration rate）方法来衡量大企业在行业中所占的份额，也可以通过相对集中度（relative concentration rate）方法来衡量各类企业在行业中所占份额的均等度。行业集中度的衡量常常会因所选择的方法和指标不同而有所差异，因此，在实际研究中应根据行业的特点合理选取计算指标和方法。本研究选择乳品企业销售额的绝对集中度作为描述乳品市场结构的指标。

8.2.2.1 乳品细分市场的集中程度

（1）液态奶

在液态奶市场上，最大 5 家企业凭借强大广告促销和遍布全国的销售渠道力量，使用常温奶这一保质期较长的液态奶大力拓展全国市场，使得他们的市场份额从 2003 年的 37% 迅速上升到 2007 年的 67%，到 2008 年这一数值已达到 76%。2008 年中国液态奶前三强的市场份额总和达到 71.4%，高于 2007 年的水平，表明液态奶市场集中度仍在进一步提高。但同时各地中小液态奶企业也大量存在，呈现出以少数全国大型乳品企业为主导同时生存大量中小企业的结构，这就表明液态奶市场处于垄断竞争的局面，其中竞争主要在三个巨头（蒙牛、伊利、光明）之间展开。

由图 8-1 可以看出，我国目前的液体乳的市场结构属于垄断竞争的格局，尽管市场集中度在个别年份有微小的波动，但总体上的增长的趋势是明显的。从 2000 年开始，液态乳市场的前四位基本上保持稳定，分别是光明、蒙牛、伊利和三元。其中尤其以内蒙古的蒙牛乳业发展速度惊人，后来居上，进入行业三强。

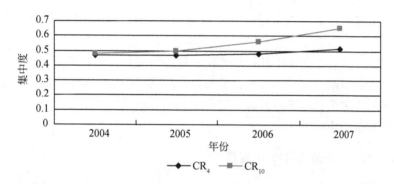

图 8-1 2004～2007 年液态奶集中度变化

资料来源：根据《中国奶业年鉴》（2005～2008）整理而得

（2）酸奶

由于中国居民，尤其年长者易表现出乳糖不耐症，酸奶一直是中国居民的主要消费乳品，遍布全国各地的中小乳品企业都生产酸奶，而且利用传统社区销售渠道获得了相对外来企业的渠道优势，同时在酸奶的品种、口味上的创新大都是以概念为主，大企业不具备优势，中小乳品企业的酸奶新品种层出不穷，深受消费者喜爱，因此中小企业在酸奶上获得较好的生存空间，这在一定程度上导致了酸奶的市场集中度比液态奶市场集中度低一些。图 8-2 所示，尽管酸奶市场集中度 CR_{10} 有上升趋势，但酸奶的市场集中度最高的时候也仅仅是高过 40%，这与液态乳市场的 70% 多的市场集中度还有一定的距离，酸奶市场呈现出了垄断竞争的格局。目前全国性销售酸奶的企业主要是两大阵营，其一是生产纯酸奶的光明、三元、达能，其二是生产果味酸奶的伊利、娃哈哈、乐百氏和三元。

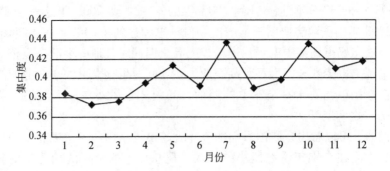

图 8-2　2006 年 1～12 月酸奶市场集中度

资料来源：根据《中国奶业年鉴》（2007）整理而得

（3）乳粉

乳粉市场最大的特点就是在"三聚氰胺"事件前，国产品牌与洋品牌相互竞争，并在一定程度上达到了均衡。但是"三聚氰胺"事件后，中国乳粉市场出现了两极分化：在高端市场被以雀巢和达能为代表的洋品牌垄断，而在中低端市场上国内品牌则占有一席之地，乳粉市场的格局正随着洋品牌的大量侵入而发生新的变化。由于各大进口品牌奶粉企业的销售数据难以获得，所以此处没有计算中国奶粉市场集中度。

8.2.2.2　整个乳品市场的集中程度

对整个乳制品市场，选取销售额作为绝对集中度的评价指标计算 CR_4、CR_8。虽然整个行业产量与销量逐年增加，但整个市场的集中度仍然是逐步提高的，如图 8-3 所示。

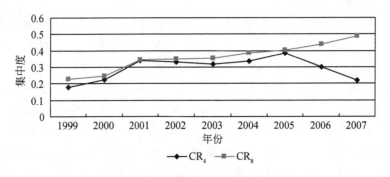

图 8-3　乳品市场集中度

资料来源：根据《中国奶业年鉴》（2000～2008）与《中国轻工业年鉴》（2000～2008）整理而得

从图 8-3 可知近年来我国乳品市场集中度在不断提高，按照植草益的界定标准，我国乳品市场已经由原子型进入到了集中寡占型的市场。特别是从 2000 年开始,市场集中度 CR_8 大幅度提高,与之伴随的是乳品企业出现了分化:以伊利、光明和蒙牛为代表的国内乳品企业面对跨国公司和进口产品的冲击,及时地调整产品结构、通过资本市场运作、调整发展战略进一步提高了企业竞争力,成功成长为全国型乳品企业。

8.3 中国乳品市场结构的影响因素

根据上述市场结构的定义可知决定市场结构的因素较多,其中主要是乳品企业规模、乳品市场容量、乳品差异化、乳品市场进入与退出壁垒、乳品需求价格弹性等,下面从这几个方面对中国乳品市场结构进行分析。

8.3.1 中国乳品企业规模

如果乳品市场容量不变,少数乳品企业的规模越大,那么乳品市场的集中度就越高,则乳品市场的竞争程度越低而垄断力量就越强,导致乳品企业的规模发生变化的主要因素有以下几点。

第一,乳品企业追求利润最大化的动机。为了获得规模经济以不断降低成本从而实现利润最大化目标,乳品企业会不断扩张规模以便使单位乳品的生产成本和销售费用不断向平均成本的最低点靠近;为了在乳品市场上获得一定的垄断力量,乳品企业通过扩大规模和提高市场占有率,以便谋取垄断地位,从而通过对价格的控制力量谋取利润最大化;为了获得社会地位或满足自身效用最大化,乳品企业的管理者也有足够的动力追求扩大企业的规模,因为乳品企业的规模往往会被作为经营者能力和成就的一种衡量指标,而且规模越大管理者控制的资源就越多。

第二,乳品产业技术进步也是促使乳品企业扩大规模的重要因素。随着乳品科技的发展,乳品生产设备和生产线的自动化程度越来越高,需要企业投入巨额的固定投资,使乳品企业必须扩大生产经营的规模,否则无法分摊高额投资。

第三,政府的乳品产业和奶业政策与法律也会影响乳品企业的规模。为了促进竞争以提高社会资源配置效率,政府会用法律防止垄断行为发生。如许多发达国家都制定了反垄断法,限制大规模企业的联合和合并行为。中国政府相关管理部门为了提高乳品企业的国际竞争力,放宽了对乳品企业大规模合并和联合的限制,甚至通过优惠产业政策鼓励乳品企业扩大规模的合并行为。

最近几年来,中国乳品产业不同规模企业所占比例能反映当前乳品企业规模结构的变化趋势。自 2002 年起,小型乳品企业数目在减少,大中型乳品企业的数目有较大增加。2007 年与 2006 年相比,小型乳品企业数目减少了 2%,中型乳品企业增加了12%，大型乳品企业数目增加了30%。

8.3.2 中国乳品市场容量

乳品市场容量缩小或不变会促进集中度进一步提高，因为大型乳品企业会试图加强兼并来争取更大的市场垄断力量，获得更多的利润；反过来，乳品市场容量扩大虽然可能有利于降低乳品市场集中度，但是在乳品市场容量扩大时，处于更优越的竞争地位的大乳品企业常常率先发展，只有当乳品市场容量增长率很高且超出大乳品企业扩张的速率时，才有可能降低乳品市场集中度。乳品市场容量是指供求均衡所对应的均衡量，可以通过每年的消费量予以度量，因此可以从乳品的消费水平来分析市场容量的基本情况。

从20世纪90年代开始，在国家营养计划的指导和"学生奶计划"的支持下，中国乳品人均消费逐步进入了高速增长期，中国乳品产业的市场需求量迅速扩大，为整个产业发展提供了良好发展空间。

图8-4～图8-6显示了20世纪90年代以来中国居民的乳品消费水平。1994～2007年十多年间，我国乳品无论是总消费量还是人均消费量都保持了较快速度的增长。乳品总消费量增长了4.28倍，而人均消费量则增长了3倍多。人均消费增长率除了个别年份之外，都保持了正的增长率。单纯从增长率来看，我国乳品产业的发展可以简单地划分为两个阶段：1994～2002年是第一阶段，这一阶段人均消费增长的平均增长率达到4.6%，属于缓慢增长阶段；2002～2007年属于快速增长阶段，人均消费增长率平均达到20.6%，特别是在2007年增长率高到38.1%，这在一定程度上也预示着我国乳品消费的新的高速增长期的到来。这种快速增长的原因有两个：一是自1998年以来，政府部门、乳品加工行业、营养学家、医学工作者通过各种宣传媒体，采取多种形式开展了奶及奶制

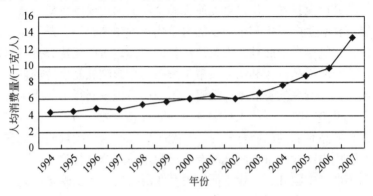

图8-4 乳品人均消费量

品对改善人们营养健康状况、提高国民身体素质的作用和饮奶科学知识的宣传，积极引导消费，产生了明显的效果。二是乳品加工业的发展，为市场提供了更营养、更美味、更卫生、更方便的奶制品；并针对不同的消费群体，提供了更多的花色品种；此外城市营销配送系统逐步完善使得购买十分方便，进一步刺激了消费者的购买欲望。

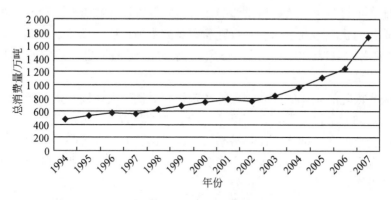

图 8-5　乳品总消费量

资料来源：根据历年《中国统计年鉴》整理而得

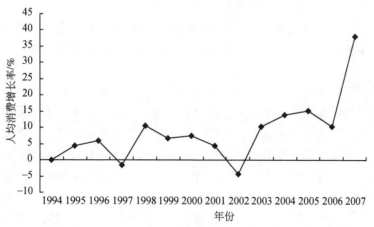

图 8-6　人均消费增长率

资料来源：根据历年《中国统计年鉴》整理而得

如果以世界发达国家的乳品消费量为比较对象，或者仅仅是以世界平均乳品消费量为参照基准，会发现我国乳品消费市场容量尚有的巨大的增长空间。目前我国乳品消费量仅相当于世界平均水平的7%左右。根据2001~2003年各项指标的平均值进行计算，可以发现我国人均乳品年消费量仅为11.15千克。而2003年发达国家人均乳品年消费量为100千克，即使发展中国家人均乳品年消费量也达到50千克，其中在亚洲除了中国以外的其他国家人均乳品消费量也超过40千克，这表明我国乳品消费量还处在十分低下水平，尚有巨大的增长空间。

8.3.3　乳品差异化

乳品差别化是指由于乳品产业内部不同乳品企业生产的乳制品在质量、款式、性能、销售服务、信息提供和消费者偏好等方面存在着差异所导致的乳品间不完全替代的状况。其来源主要有乳品本身的物理特征（质量、包装、口感、营养）、消费者的主观印象（产品的形象）、乳品销售的渠道与终端和乳品的销售服务等的差别。

不同规模乳品企业的产品物理特性差别相对比较大，同一规模组别的乳品企业的产品差别就小得多了。在产品质量上，中小乳品企业的质量问题频频曝光，大型乳品企业的产品抽样往往合格率较高；在包装上，大乳品企业以屋型纸盒包装的超高温灭菌奶为主，且各种果味奶层出不穷，而中小企业液体奶主要是以塑料袋装的巴士杀菌奶为主。

因为乳品的操作规程已经模式化，而其工艺相对来说又较为简单，所以各乳品企业的核心产品同质性较高，单纯从乳品的固有特质进行差别化的运作，效果不会太理想。因此，各乳品企业的差别化策略的重点就主要放在品牌、销售的地域差别以及销售服务的差别上。2003 年中央电视台黄金时段广告招标会上乳品企业的异军突起，标志着乳品企业的竞争已经进入了真正意义上的品牌差异化竞争时代。

在品牌形象的塑造方面，各个人的乳品制造企业通过宣传、广告等促销活动使自己的品牌形象同中小企业的品牌区分开来，并且由于长时期的品牌形象方面的投资使得消费者对大企业的产品产生了偏爱和相对较高的评价，在很大的程度上培养了消费者对企业品牌的忠诚度。相对而言，各个地方品牌都在地方区域性的市场建立了一定的客户群。例如，在液体乳或酸奶的消费方面，北京人购买"三元"牌最多，上海人购买"光明"最多，广州人对"香满楼"、湖北人对于"扬子江"与"友芝友"都是情有独钟的。这其中很重要的原因就在于这些大企业通过广泛的宣传活动使自己的品牌形象深深地印入了当地的消费者的心目中，从而与其他企业的品牌的产品区别开来。目前在品牌形象的较量上，中国乳品产业可算得上是"战国时代"，几乎每一个省都拥有自己区域的强势品牌，并且占据着当地 70% 以上的市场份额，少数的几家大企业虽已在全国建立自己的品牌形象，但在各自总部所在地以外的市场上都没有对当地强势品牌形成真正的威胁。从这一点上看，品牌形象的差异所构造的进入壁垒将使中国乳品产业在未来一段时间里仍保持在一个较低的集中度状态，竞争仍然会十分激烈。

就总体而言，乳品行业的产品差别化程度较低，乳品本身的物理特性导致的产品差异化较低，绝大部分差异化都是来源于乳品企业的广告、渠道等各方面形成的消费者主观印象的差别化。

8.3.4 中国乳品市场进入与退出壁垒

8.3.4.1 进入壁垒

乳品市场的进入壁垒指准备进入乳品产业的新企业同产业内已有企业之间的竞争关系，反映乳品市场潜在的竞争强度，它对中国乳品市场结构有较大的影响。如果进入壁垒较低，则可能形成竞争较为完备的市场结构；相反，则可能形成垄断程度较高的市场结构。从乳品企业的规模经济、必要资本量、产品差别化和绝对费用等角度综合考虑，目前中国乳品市场的进入壁垒较低。

（1）乳品市场进入的规模经济壁垒较低

新企业在某一产业未取得一定的市场份额之前，由于不能充分享受规模的经济性，相对于产业内已有的企业，其生产成本必然较高，这就构成了市场进入的规模经济壁垒。根据 Stigler 的生存技术原理可知，无论何种市场组织结构，那些在产业中能长期生存发展并且处于企业排序中前几位的企业必然获得该产业的规模经济，因此目前处于中国乳品产业前十位的企业都应该具备了规模经济。以2000 年销售额来衡量，前十位乳品企业的平均销售额为 8.6 亿元，占 2000 年中国乳品产业总销售额 216.38 亿元的 3.9%（方有生，2002）。新进入的企业只要能拥有 4% 的乳品市场份额就可以打破乳品市场的规模经济壁垒，而根据产业经济学的分类标准：最优规模占市场规模的比重低于 5% 的产业属于中度和低规模经济壁垒的产业。从这一点来看中国乳品产业的规模经济壁垒是较低的。

（2）乳品市场进入的必要资本量壁垒也较低

新企业进入某一产业所必须投入的资本量越大，筹资越不容易，则新企业进入市场的难度越大，这就是必要的资本量壁垒。根据农业部农村经济发展研究中心的测算，中国奶业未来发展每生产万吨牛奶的投入资金为 3180 万元，其中乳品加工企业的实际投入（设备、厂房、牛舍三项投入）占全部投入的 42.8%，即每生产万吨牛奶乳品加工企业必须投入 1335.6 万元。根据 1998 年国家学生奶调查组的统计，在中国日加工能力大于 100 吨的乳品企业就属乳品产业中的大企业。因此新企业投入 4874.94 万元就可以组建一个日加工能力为 100 吨的大型乳品加工企业，这笔投资对于年销售收入处于 5 亿~50 亿元之间的中型企业来说都不会构成任何进入壁垒，对于年销售收入在 50 亿元以上的大型企业来说则更不可能（国家经济贸易委员会把年销售收入在 5 亿~50 亿元的企业划为中型企业，50 亿元以上的企业划为大型企业）。因此，从必要资本量来看，中国乳品市场的进入壁垒也是较低的。

（3）乳品市场进入的绝对费用壁垒较高

绝对费用是指与新企业相比，原有企业在以下方面的有利性：①对原料的排斥性占有；②对专利、技术诀窍的占有；③对销售渠道的控制；④对运输系统的控制；⑤对特殊的经营能力和专业人才的占有等。绝对费用壁垒使新企业在进入市场时的生产成本总是高于原有企业，即使新企业的规模达到了最优规模经济水平。

由于中国几大乳品企业（伊利、蒙牛、三元、光明、完达山等）经过数年的奶源争夺战而瓜分了中国奶牛带的几乎所有优质奶源，这就使得新企业在获得优质低成本的奶源上处于十分不利的地位。新企业要么从老企业手中抢夺奶源，要么利用剩余的零散奶源，这些都会使新企业付出较高代价，并且因原奶质量与数量的无法控制而难以向市场大规模提供优质的乳品。不仅如此，中国现有乳品科研与营销人员都为原有乳品企业所占有，组建一支强有力研发与营销队伍也是新企业必须承担的绝对费用。此外，全国区域性的乳品龙头企业都利用保鲜牛奶的生物特性而在各大城市建立了本土化的封闭式的社区直销送奶渠道，牢牢地控制了当地的保鲜奶的流通渠道，并且不断完善销售服务。这也是新企业进入乳品市场难以冲破的进入壁垒。

（4）产品差别化壁垒

产品差别化是构筑进入壁垒的重要手段一，它表现为现有乳品企业通过持续的广告投入、顾客服务、产品特色或由于最早进入该行业而获得的品牌知名度及顾客忠诚度上的优势。产品差异化构筑了进入壁垒，从而迫使新进入者投入巨大的资金建立品牌、增加自己品牌知名度以降低原有企业的顾客忠诚。这种初期巨大投资导致新进入企业在经营初期处于亏损状态，而且此亏损状态常常会持续一段时间。这种品牌建设的固定投资带有特殊的风险，如果进入失败，这些固定投资是无法收回的。中国乳品企业现在主要采用广告手段在消费者印象中建立产品的认知差别，加深他们对企业品牌的印象。如蒙牛乳业、光明乳业都先后夺得过央视的标王，2005年的"超级女声"更是蒙牛乳业的一个建立消费者认知的强有力方法。此外，各乳品企业在产品外形上也努力形成差异化，如包装上的产品差别化主要从以下几个方面着手：①容量的不同。液态乳的包装，有5升装的大包装瓶，也有不到1升的小包装瓶，其间差别明显。②包装材料的多样化。③包装方式的创新性。

8.3.4.2　退出壁垒

如果产业的退出壁垒低，那么产业的集中度就会较低；相反，则产业集中度较高。因为退出壁垒低，则产业中经营不善的企业容易及时退出，从而发生损失的风险低，同时生存下来的企业能获得稳定的收益；相反退出壁垒高，企业经营不善也不宜退出，经营风险就大。因为风险对投资的影响，所以低退出壁垒的产业往往集中度低。

不同规模的乳品企业退出壁垒有很大的差异。对于大型乳品企业而言，其退出壁垒较高。原因有两点：①大型乳品企业斥巨资用于奶源基地的建设，因此所造成的沉淀成本会非常高；②在奶源基地和加工环节的衔接上投入大量的资金用于专用性资产。对于中小型乳品企业而言，则退出壁垒较低。因为中小型乳品加工企业的生产设备、检测设备相对较为落后，所投入的固定资产并不高，退出时的固定成本就不会太高。但是对所有乳品企业而言，随着我国市场经济体制的建立和完善，产权制度的深化改革使企业退出、劳动力的安置等问题的解决方案相对成熟，退出壁垒会大幅度地降低。

8.3.5 中国乳品需求价格弹性

乳品的市场需求弹性较大，则乳品企业的市场力量就较小，乳品市场集中度就会较低，市场结构呈较充分竞争状态；乳品的市场需求弹性较小时，乳品企业的市场力量就较大，则市场处于不充分竞争状态。乳品的市场需求弹性主要取决于替代品的多少及产品本身的特性等。

城镇居民是中国乳品的主要消费者，而农村居民的消费量十分有限，因此重点对城镇居民乳品需求弹性进行了测算。经过对中国乳品需求函数形式的反复检验与修正，发现双对数需求函数模型客观地反映了中国城镇居民的乳品消费行为。该模型的形式如下：

$$\ln Q = a + b \ln Y + \sum C_j \ln P_j + \mu$$

式中，Q 为中国城镇居民的人均乳品消费量；Y 为中国城镇居民的人均可支配收入；P_j（$j = 1，2，3$）分别为奶类、肉类、蛋类的平均市场价格；a、b、C_j 为模型中待估参数；μ 为模型的随机扰动项。分析所用的样本数据均来源于《中国统计年鉴》，选取 1996 ~ 2007 年城镇居民的人均乳品消费量、人均可支配收入数据，价格数据则由相应的食品人均消费支出与人均消费数量的比值算出。所有收入与价格数据均已剔除通货膨胀因素，折算为 1996 年的可比价。采用 TSP 计量软件，用最小二乘法进行参数估计，结果见表 8-3。

表 8-3 中国城镇居民乳品消费模型的参数估计

变 量	C	$\ln Y$	$\ln P_1$	$\ln P_2$	$\ln P_3$
系 数	−7.086	1.534	−0.738	−0.743	−0.327
t 检验值	−15.033	27.161	−7.612	−6.452	−5.008
R^2	0.999				
F 值	801.205				

根据模型估计结果可知：$F = 801.205 > F_{0.01}$ （4，3）= 28.71，说明模型线性化后的线性关系在99%的水平下显著成立；各参数的 $| t | > t_{0.01}$ （3）= 4.54，说明各变量对人均消费量的影响也都是显著的。

根据需求弹性的定义，可以推导出需求收入弹性、需求自价格弹性和需求的交叉弹性分别为 $E_Y = b$，$E_{P_1} = C_1$，$E_{P_2} = C_2$，$E_{P_3} = C_3$。因此城镇居民的乳品需求弹性分别为 $E_Y = 1.53$，$E_{P_1} = -0.738$，$E_{P_2} = -0.743$，$E_{P_3} = -0.327$。可以看出，城镇居民的乳品需求收入弹性在4个弹性中是最高的，说明收入水平是影响城镇居民乳品消费的最主要因素，其收入每增加1，将导致乳品消费量增加1.53；与其他动物产品的需求收入弹性相比，乳品的需求收入弹性也是最高的［肉类的为0.39（周俊玲，2001b）；禽蛋的为0.58（崔继蓝，2000）；水产品的为0.87（孙琛，2000）］，说明在各种动物产品中乳品的需求增长潜力是最大的。城镇居民的乳品需求价格弹性为 -0.738，说明乳品价格上升1%，乳品人均需求量将下降0.738%，总体看是缺乏价格弹性的，这可能与中国乳品的现有消费者以婴儿、老人、病人、孕妇等必需消费者为主有密切关系。而城镇居民乳品消费与肉类和蛋类的需求交叉弹性也为负数，说明肉类和蛋类的价格上升也将导致乳品需求量的减少，而且肉类价格上升的作用较明显。这可能是由中国居民的消费偏好与收入水平共同决定的结果。因为中国居民偏好肉类与蛋类食品，对城镇居民家庭而言，几乎是每天必不可少的，在收入水平一定的情况下，如果肉类或蛋类价格上涨必然会减少其他偏好程度较低食品的消费量也是较合理的事。

第 9 章
中国乳品企业行为

本章在描述乳品企业间"价格战"与"数量战"的基础上，利用博弈论 Bertrand 模型和 Cournot 博弈模型揭示乳品企业间"价格战"与"数量战"的内在根据，认为进入壁垒低和市场需求前景广阔导致大量资源进入乳品产业，现有企业为了利用规模经济获得竞争优势，展开了奶源大战和市场份额大战，最终导致一轮又一轮的价格大战；以 2007 年 6 月 21 日乳品企业共同签署的《乳品企业自律南京宣言》为典型合谋事件，系统分析了乳品企业合谋行为，认为合谋是为了避免价格竞争和利润率的下降，但是合谋主体之间的投机行为及利益的不一致导致合谋具有明显的不稳定性；以公共品效应、公共地效应和不确定性理论对乳制品企业研发竞争行为及其引发的问题进行了分析，认为新乳品研发的公共品效应导致整个行业产品开发投资不足，而生产设施投资的公共地效应导致整个行业产能过剩；从广告行为的质量效应和市场协调作用的角度分析了乳品企业广告行为，认为乳品企业通过广告投资既可以提高消费者认知度，又可以利用广告的规模经济性；利用斯坦尔伯格模型分析了乳品企业间进入阻挠行为，认为奶源圈地行为的重要目的是封阻进入和回避被封阻；最后分析了乳品企业差异化行为特征，认为各地城市型小企业利用保质期短的产品销售渠道对全国性大企业进行反封阻行为。

9.1　乳品企业间"价格战"行为的 Bertrand 模型分析

9.1.1　乳品企业间"价格战"的现实背景

在逐利本性的驱动下，中国乳品企业通过铺天盖地的广告全面诱发非奶牛带居民的乳品消费需求，通过营销公关说服或俘房营养学家，让他们宣扬"牛奶是营养最全面的食品"，甚至提出"一杯牛奶强壮一个民族"等口号；加上中国居民对以牛奶、汽车为代表的"西化现代文明方式"的盲目追求，共同促进了中国乳品消费需求的快速增长，1996～2007 年城镇居民人均鲜乳品消费量以年均 15% 的速度增长（图 9-1）。与此同时，在 GDP 政绩观的驱动下，奶牛带政府追

求经济快速增长，将乳业作为支柱产业，给予优惠政策大力招商引资。乳品消费
需求的高速增长和政府的支持政策，吸引着资源源源不断地进入中国乳业，原奶
的产量大幅度提高，乳品企业的数量快速增长。1996～2007年全国原奶生产量
以年均19%的速度增长，规模以上乳品企业数量则从2001年的434家增加到
2007年的736家（图9-1、图9-2）。随着乳品企业数量持续增加，中国乳业从
2002年开始"价格战"。2003～2004年每年只有两三个回合，力度也不大。但从
2005年就愈演愈烈了，差不多每半个月左右就有一次价格大战，参加的企业也
更多，规模更大，有的品牌在全国各地同时上演价格大战。与"价格战"相伴
随的就是中国规模以上乳品企业亏损数量从2002年的110家迅速增加到2005年
的197家，随后几年都有超过166家的乳品企业处于亏损状态，同时整个行业销
售利润率从6.8%下降到5.3%。具体情况见图9-2。

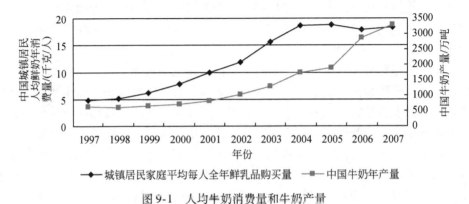

图9-1　人均牛奶消费量和牛奶产量

资料来源：根据《中国奶业年鉴》（1997～2008）与《中国轻工业年鉴》（1997～2008）整理而得

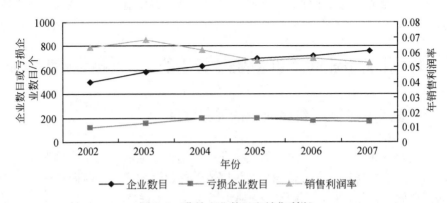

图9-2　乳品企业数目和销售利润

资料来源：根据《中国奶业年鉴》（2002～2008）与《中国轻工业年鉴》（2002～2008）整理而得

9.1.2 乳品企业间"价格战"的内在根据:博弈论 Bertrand 模型

可以利用博弈论 Bertrand 模型揭示中国乳品企业间价格竞争行为的内在根据。为了将问题简化,假设市场上存在两个乳品企业 i 和 j,乳品 i 和 j 不完全同质,具有一定替代性。市场竞争中两家乳品企业的策略变量是乳品的价格;乳品的替代程度可用需求交叉价格弹性 E_{ji} 来衡量。E_{ji} 表示 j 乳品企业价格变化对 i 乳品企业产品需求量变化的影响,E_{ji} 的计算公式为

$$E_{ji} = \frac{\partial Q_i}{\partial} \frac{P_j P_j}{Q_i}$$

式中,Q_i 是乳品企业 i 和 j 的产品市场需求量,P_j 是乳品企业 i 和 j 的产品价格。E_{ji} 越大,则说明 i 乳品企业产品和 j 乳品企业产品间的差异越小;E_{ji} 越小,则说明 i 乳品企业产品和 j 乳品企业产品差异越大。

假设市场总的乳品需求函数 $Q = Q_i + Q_j = a - P_i - P_j$,进一步构造两个乳品企业的需求函数分别为

$$Q_i = Q_i \ (P_i, \ P_j) \ = a - 2P_i + P_j$$
$$Q_j = Q_j \ (P_i, \ P_j) \ = a - 2P_j + P_i$$

同时假设乳品企业 i 和 j 的产品边际成本为 $\mathrm{MC}_i = \mathrm{MC}_j = C$;在构造的乳品需求函数中,当各乳品企业提高自己的价格时,该企业的销售量就减少,但当竞争者提高价格时,它的销售量就会增加。此外,$a > C$(因为当 $a \leq C$ 时,乳品企业的定价或将小于或等于边际成本 C 显然不合理)。在这种情况下,i、j 乳品企业之间的交叉价格弹性为

$$E_{ji} = \frac{\partial Q_i}{\partial P_j} \frac{P_j}{Q_i} = \frac{P_j}{Q_i}, \ E_{ij} = \frac{\partial Q_j}{\partial P_i} \frac{P_i}{Q_j} = \frac{P_i}{Q_j}$$

也就是说,所构造的 i 和 j 乳品企业的需求函数之交叉价格弹性 E_{ji} 和 E_{ij} 具有对称性。乳品企业 i 和 j 的利润分别为

$$\Pi_i = (P_i - \mathrm{MC}_i)Q_i = (P_i - C)(a - 2P_i + P_j)$$
$$\Pi_j = (P_j - \mathrm{MC}_j)Q_j = (P_j - C)(a - 2P_j + P_i)$$

根据博弈论 Bertrand 模型,两企业在定价博弈中使自身利润最大化的条件可以得出

$$P_i = p_j = \frac{(a + 2c)}{3}$$

企业 i 和 j 的利润为

$$\Pi_i = \Pi_j = \frac{2(a - c)^2}{9}$$

进一步放松假设,分析乳品市场增加乳品企业的情况。假定市场上存在 3 个

企业 i、j、k，面临的需求函数分别为

$$Q_i = a - 3P_i + P_j + P_k, \quad Q_j = a - 3P_j + P_i + P_k, \quad Q_k = a - 3P_k + P_i + P_j$$

同样 i、j、k 间的交叉价格弹性具有对称性，即

$$E_{ji} = \frac{\partial Q_i}{\partial P_j}\frac{P_j}{Q_i} = \frac{P_j}{Q_i}$$

$$E_{ij} = \frac{\partial Q_j}{\partial P_i}\frac{P_i}{Q_j} = \frac{P_i}{Q_j}$$

$$E_{jk} = \frac{\partial Q_k}{\partial P_j}\frac{P_j}{Q_k} = \frac{P_j}{Q_k}$$

$$E_{kj} = \frac{\partial Q_j}{\partial P_k}\frac{P_k}{Q_j} = \frac{P_k}{Q_j}$$

$$E_{ki} = \frac{\partial Q_i}{\partial P_k}\frac{P_k}{Q_i} = \frac{P_k}{Q_i}$$

$$E_{ik} = \frac{\partial Q_k}{\partial P_i}\frac{P_i}{Q_k} = \frac{P_i}{Q_k}$$

边际成本仍假定为 $MC_i = MC_j = MC_k = C$，因此上面的假定保证三个乳品企业的市场均衡结果与只有两个乳品企业 i、j 时的市场均衡结果具有可比性。三个乳品企业的利润函数分别为

$$\Pi_i = (P_i - MC_i)\,Q_i = (P_i - c)\,(a - 3P_i + P_k + P_j)$$

$$\Pi_j = (P_j - MC_j)\,Q_j = (P_j - c)\,(a - 3P_j + P_i + P_k)$$

$$\Pi_k = (P_k - MC_k)\,Q_k = (P_k - c)\,(a - 3P_k + P_i + P_j)$$

由极值条件同样对利润函数求偏导可以得到新的均衡价格 $P_{i2} = P_{j2} = P_{k2} = (a + 3c)\,/4$，乳品企业的均衡利润为 $\Pi_{i2} = \Pi_{j2} = \Pi_{k2} = 3\,(a - c)^2/16$。由于 $a > c$，显然 $P_{i2} < P_{i1}$，$P_{j2} < P_{j1}$；且 $\Pi_{i2} < \Pi_{i1}$，$\Pi_{j2} < \Pi_{j1}$，所以 3 个乳品企业生产 3 种乳品进行竞争时，每种乳品的定价比两个乳品企业竞争时又下降了，每个乳品企业的利润也下降了。

同理可以推论，当乳品企业数量继续增加时，会得出价格进一步下降的结果，并且当乳品企业数目无限增加时乳品价格会以边际成本 C 为极限值。因此，乳品企业数目的增多是乳业发生"价格战"的原因。乳品企业间"价格战"会导致扣除边际成本后的乳品企业毛利润低于乳品企业的固定成本，就会出现上述乳业中亏损企业数增加和整个乳业利润率下降的现象。

9.2 乳品企业间"数量战"行为的 Cournot 博弈模型分析

从光明乳业首先实施"用全国资源做全国市场"的跨省市投资战略开始，几乎所有的国内大型乳品企业都纷纷走出家门，到原奶价格最低廉的农牧区建立

原料奶生产基地，到乳品市场规模最大、成长最迅速的大中城市就地、就近建立液态奶生产基地。它们相互渗透到对方的传统领地，在"国内竞争跨省化"格局中，在充分的市场竞争中，迅速扩张自己的生产量和销售量。乳品企业间不仅通过奶源基地和生产基地扩张形式进行数量竞争，而且逐渐升级为借助强大的资本实力通过并购重组的形势以扩大生产规模。2002年至今，乳品行业的并购事件不断发生，先是三元乳业100%收购上海全佳，再到新希望5000万并购四川华西，而光明乳业更是大手笔不断，对黑龙江光明松鹤、湖南派派、天井梦得、江西英雄和广州达能进行再投资和股权收购，蒙牛和伊利也斥巨资买断央视黄金广告时段成为新标王，试图借助强势传媒的优势扩大生产和销售量，这些数量竞争都使行业的集中度呈现不断集中的趋势。光明、伊利、蒙牛、三元等老牌知名企业的市场总占有率已经达到了50%，这个数字表明，乳品行业已经进入了数量竞争（规模化发展）的新阶段。

可以构造 Cournot 博弈模型分析乳品企业间争夺奶源基地和市场份额的数量竞争行为的决策和竞争机理。

（1）模型的基本假设

1）假设我国乳制品市场上存在两家相互竞争的乳制品企业1和2（事实上可以推广至 N 家），两个乳制品企业生产差异程度小的可替代的乳制品，其乳制品的产量分别为 q_1 和 q_2，市场需求函数为 $p = a - q_1 - q_2$；假设乳制品企业1的市场需求函数为 $p_1 = \lambda_1(a - q_1 - q_2)$；乳制品企业2的市场需求函数为 $p_2 = \lambda_2(a - q_1 - q_2)$。

2）假设乳制品企业1和企业2所生产的乳制品的顾客价值分别为 x 和 y。如果乳制品的顾客价值越高，则市场价格的加成系数 λ 越高，则乳制品企业成本（生产成本、销售成本及售后服务成本）也会越高。因此可以假设两个乳制品企业成本分别为

$$c_1 = \frac{1}{2}\beta_1(\lambda_1 x)^2 q_1 \ , \ c_2 = \frac{1}{2}\beta_2(\lambda_2 y)^2 q_2$$

式中，β_1 为乳制品企业1的单位产品边际成本系数；β_2 为乳制品企业2的单位产品的边际成本系数。

（2）乳制品企业间数量竞争的静态古诺模型

根据以上基本假设可以得到乳制品企业1和企业2的利润函数分别为

$$\pi_1 = \lambda_1(a - q_1 - q_2)q_1 - \frac{1}{2}\beta_1(\lambda x)^2 q_1 \tag{9-1}$$

$$\pi_2 = \lambda_2(a - q_1 - q_2)q_2 - \frac{1}{2}\beta_2(\lambda y)^2 q_2 \tag{9-2}$$

根据上述现象，可以知道目前我国的乳制品企业间利用生产量和销售量进行数量竞争，同时奶业的《乳品企业自律南京宣言》则反映出乳制品的价格已基

本接近其内在价值，局部市场的价格甚至低于其内在价值，因此乳制品企业的降价空间非常有限。因此假设乳制品企业是在彼此间维持价格不变的情况下，通过选择产销量 $q_i (i = 1,2)$ 进行竞争以追求利润最大化目标。根据式（9-1）、式（9-2）得两个一阶导数分别为

$$\frac{\partial \pi_1}{q_1} = \lambda_1 (a - 2q_1 - q_2) - \frac{1}{2} \beta_1 (\lambda_1 x)^2 \tag{9-3}$$

$$\frac{\partial \pi_2}{q_2} = \lambda_2 (a - 2q_2 - q_1) - \frac{1}{2} \beta_2 (\lambda_2 y)^2 \tag{9-4}$$

假设乳制品企业 1、2 进行同时博弈（即静态博弈），则每一乳制品企业市场行为的结果都依赖于竞争企业的市场行为。由两个一阶导数同时为零，则可以得到乳制品企业 1、2 的纳什均衡产量分别为

$$q_1^* = \frac{(2a - 2\beta_1 \lambda_1 x^2 + \beta_2 \lambda_2 y^2)}{6} \tag{9-5}$$

$$q_2^* = \frac{(2a - 2\beta_2 \lambda_2 y^2 + \beta_1 \lambda_1 x^2)}{6} \tag{9-6}$$

由式（9-5）、式（9-6）可以得出，两乳制品企业的利润分别为

$$\pi_1 = \left[\frac{2a - 2\beta_1 \lambda_1 x^2 + \beta_2 \lambda_2 y^2}{6} \right]^2 \tag{9-7}$$

$$\pi_2 = \left[\frac{2a - 2\beta_2 \lambda_2 y^2 + \beta_1 \lambda_1 x^2}{6} \right]^2 \tag{9-8}$$

由式（9-5）~（9-8），可以发现 $\pi_1 = [q_1^*]^2$，$\pi_2 = [q_2^*]^2$，因此两个乳制品企业的利润决定于其销售量或其市场份额，这就是目前乳制品企业间进行圈地运动的"奶源大战"和竞相上市融资进行兼并重组的数量竞争的内部根据。

此外，由式（9-5）、式（9-6）可以得到

$$q_1^* - q_2^* = \frac{1}{2} (\beta_2 \lambda_2 y^2 - \beta_1 \lambda_1 x^2) \tag{9-9}$$

如果令 $q_1^* = q_2^*$，则有

$$\frac{y^2}{x^2} = \frac{\beta_1 \lambda_1}{\beta_2 \lambda_2} \tag{9-10}$$

由式（9-10）可以推知如果两个乳制品企业的乳制品的顾客价值比 $\frac{y^2}{x^2} > \frac{\beta_1 \lambda_1}{\beta_2 \lambda_2}$，则乳制品企业 1 的市场份额 q_1^* 大于乳制品企业 2 的市场份额 q_2^*，因此乳制品企业 1 的利润大于乳制品企业 2 的利润。这表明乳制品企业 1 在竞争中处于优势地位，而乳制品企业 2 则处于弱势地位。

同时由式（9-10）还可推知，两个乳制品企业提供的顾客价值比 $\dfrac{y^2}{x^2}$ 由两个影响因素决定：价格加成系数 λ_i（$i=1$，2）和乳制品企业的单位产品边际成本系数 β_i（$i=1$，2）。当两个乳制品企业以相同价格销售乳制品，即当 $\lambda_1=\lambda_2=\lambda$ 时，两乳制品企业的乳制品顾客价值竞争就等价于边际成本系数 β_1 和 β_2 的竞争，其含义是在我国乳制品产业目前的市场竞争态势下，能以较低的边际成本获得尽可能多的顾客价值的乳制品企业将具有更强的竞争力，也最有可能在竞争中获胜。这就是目前中国乳制品企业间进行数量竞争的又一个主要动力——数量扩张以获得规模经济。

由式（9-9）可以发现，乳制品企业间的数量竞争与乳制品企业产品的顾客价值之间没有必然的因果联系，顾客价值较低的乳制品企业仍有可能在竞争中获胜。

9.3　乳品企业间合谋行为分析

9.3.1　合谋的背景

2007 年 6 月 21 日，中国奶业协会副理事长号召乳品企业共同签署了《乳品企业自律南京宣言》（以下简称《南京宣言》）。《南京宣言》直接目的在于提高奶农利润，因为奶业协会认为："乳品企业利润率低，制约了原料奶收购价格的调整，而饲养成本显著提高，直接影响了奶农的养殖效益，有些地方已经出现杀奶牛当肉牛卖的现象，严重威胁奶源基地建设和奶业发展后劲"，最终会"影响把行业蛋糕做大"。而合谋的更深层动机则隐而未说：如果奶业持续价格战，还原奶将大行其道，加之相关质量问题，消费者对奶业终将会失去信心。

9.3.2　合谋的方式

9.3.2.1　《乳品企业自律南京宣言》（2007 年 6 月 21 日）

当前，我国奶类产量已跃居世界第三位，正处于向现代奶业转型的关键时期。为了规范市场行为，营造公平竞争环境，践行社会责任，构建和谐行业，推进现代奶业发展，参加 2007 年中国奶业协会年会的乳品企业共同形成并发布了《南京宣言》。

1）开展公平竞争。以科学发展观为指导，加强企业自主创新，提高产品质量，创立特色品牌，增强服务意识，营造公平竞争的环境。反对违反职业道德、行业准则的不正当竞争，善待奶农、善待消费者、善待同行。

2）推行合同收奶。奶源基地是奶业发展的基础，乳品企业要加强奶源基地建设，与奶农建立合理的利益联结机制，签订长期稳定的原料奶收购合同，促进奶业一体化经营。反对争抢奶源，限量收奶，压级压价，拖欠奶资，维护奶农的利益。实行按质论价，保证收奶质量。

3）恪守诚信经营。乳品企业要准确发布与宣传产品信息，保证产品质量安全，自觉维护消费者的知情权和选择权。反对误导消费者的各种宣传和行为，营造和谐消费环境，保护消费者的利益。

4）谋求共同发展。树立大局观念，积极开展企业间的合作、协作，做大做强民族品牌，增强民族奶业发展能力。反对捆绑销售、特价销售等低于成本价销售的恶性竞争行为，保障市场规范和有序竞争，谋求共同发展的局面。

5）接受社会监督。建立和完善企业管理制度，形成自律机制，提高企业的公信力。接受政府部门、行业协会对企业的管理和监督，接受新闻媒体、广大消费者的监督，确保企业自律言行落到实处。

参加签字的企业代表有：内蒙古伊利实业集团股份有限责任公司、内蒙古蒙牛乳业（集团）股份有限责任公司、光明乳业股份有限公司、西安银桥生物科技有限责任公司、黑龙江省完达山乳业股份有限公司、济南佳宝乳业股份有限责任公司、新希望乳业控股有限公司、北京三元食品股份有限公司、南京奶业集团有限公司、山西古城乳业集团有限公司、大庆市银螺乳业有限公司、广东燕塘乳业有限公司、雀巢（中国）有限公司。

9.3.2.2 《乳品企业自律南京宣言》实施方案

为把《南京宣言》落到实处，中国奶业协会同与会企业经过充分讨论协商，达成共识，共同制定了落实《南京宣言》的实施方案。

（1）实施时间

《南京宣言》实施方案从 2007 年 7 月 23 日起执行。

（2）实施地区

选择北京、哈尔滨两个乳品消费市场较成熟的大城市作为试点城市；在取得经验的基础上，在上海、广州、成都等全国大城市逐步扩大实施范围。其他地区的各级奶业主管部门、行业协会参照此实施方案执行。

（3）涉及的产品类别

涉及的产品为不同包装材料、不同包装规格的所有超高温灭菌乳、巴氏杀菌乳、酸牛奶、乳粉、含乳饮料产品。

（4）具体措施

1）取消所有涉及产品的捆绑、搭赠（包括其他产品或礼品）销售行为。

2）禁止低于成本价的倾销行为，取消特价、降价销售。对于特殊的临逾期

（已超过 1/2 保质期）产品，其销售价也不得低于成本价。

3）鼓励优质优价。

（5）监督检查

1）中国奶业协会设立全国奶业动态监测办公室，办公室设在中国奶业协会乳品工业委员会，代表协会负责监督和协调工作。由北京市奶业协会、黑龙江省畜牧局牵头，同当地主要乳品企业共同组成监督检查小组。各乳品企业于 2007年 7 月 16 日前指定一名监督检查员，将名单报送监督检查小组组长单位。

北京市监督检查小组：

组　　长：范学珊，北京市奶业协会理事长

成　　员：北京市奶业协会
　　　　　内蒙古伊利实业集团股份有限公司
　　　　　内蒙古蒙牛乳业（集团）股份有限责任公司
　　　　　光明乳业股份有限公司
　　　　　北京三元食品股份有限公司
　　　　　雀巢中国（有限）公司

哈尔滨市监督检查小组：

组　　长：王德胜，黑龙江省畜牧局副局长

成　　员：黑龙江省奶业协会
　　　　　内蒙古伊利实业集团股份有限公司
　　　　　内蒙古蒙牛乳业（集团）股份有限责任公司
　　　　　光明乳业股份有限公司
　　　　　黑龙江省完达山乳业股份有限公司
　　　　　雀巢中国（有限）公司

2）中国奶业协会受农业部委托，结合农业部重点乳品加工企业监测月报，实行对企业的动态监测，建立乳品加工企业诚信档案。

（6）保护奶农利益，支持奶源基地建设

目前，由于饲料成本增加，奶牛养殖效益下降，影响了奶农养殖奶牛的积极性。为保护奶农利益和支持奶源基地建设，规范市场销售行为后，给企业带来的效益，企业应主要用于支持奶源基地建设，提高原料奶的收购价格。中国奶业协会将对重点乳品加工企业原料奶收购量和收购价格实行监测月报。

引导奶农发展优质、高产、高效养牛业，鼓励加工企业对原料奶收购实行优质优价。

（7）奖惩办法

遵守《南京宣言》和执行实施方案，主要靠企业自身诚信，恪守行业市场规则，树立行业道德，自觉维护市场秩序。

1）对于执行《南京宣言》和实施方案好的诚信企业予以公开表彰。

2）对于拒不遵守《南京宣言》和实施方案的企业，将视情况采取必要的处罚措施：①列入不诚信企业名单，在行业内通报。②中国奶业协会与当地奶业主管部门、行业协会提出通报，在中央和当地主要新闻媒体向社会予以曝光。③对于严重违规的，中国奶业协会将取消该企业副理事长单位资格，必要时取消会员资格。

9.3.2.3 合谋行为

2007年7月19日，北京奶业协会牵头，三元、光明、伊利、蒙牛等5家大型乳品加工企业联合宣布落实《南京宣言》，并于北京市场率先启动实施计划。北京行动计划于7月23日正式实施，主要内容包括：取消所有涉及产品的捆绑、搭赠（包括其他产品或礼品）销售行为；禁止低于成本价的倾销行为，取消特价、降价销售。

7月26日，在京城的6家超市中，除了物美超市中圣雪、太子奶等品牌的乳品依然还有特价和买赠活动外，西单几家商场的超市和京客隆等超市中已经不见了促销和低价的踪影。在西单一家商场的超市中，除了伊利推出了购买乳品可积分兑奖活动外，其他品牌均是按兵不动，按相对统一的价格销售。

9.3.2.4 合谋的监督方式

对于不遵守《南京宣言》和实施方案的企业，中国奶业协会提出的办法是："视情况采取处罚措施，包括列入不诚信企业名单，中国奶业协会与当地奶业主管部门、行业协会提出通报，并在主要新闻媒体上向社会予以曝光。"

9.3.2.5 合谋的结果

明显的结果是，北京乳品柜台一下子冷清了。根据7月23日开始在北京实施的《南京宣言》，7月28日北京双井的家乐福超市，各大乳品企业取消了牛奶捆绑销售等促销活动，往日里站满促销员的乳品展示柜前空空荡荡。

然而该行动实施刚刚两个多月，就碰上了十一黄金周，自律宣言在促销旺季面前迅速"瓦解"。有几家宣称自律的乳品企业旗下的产品均出现了捆绑、搭赠现象，一些没有参与《南京宣言》的小型企业借机低价促销。大企业乳品的销售量下降，同时由于巴氏奶和酸奶的保质期都不会超过一个月，厂家担心产品积压不会过多供货，酸奶、巴氏奶在部分超市出现了缺货的现象。

9.3.2.6 乳品企业合谋行为的理论分析

（1）乳品企业合谋的动机分析

关于同一行业企业间的竞争与合作关系，有一个基本的结论：两个企业的非合作古诺利润之和小于两个企业合作的垄断利润。其背后的原因是横向外部性。根据古诺均衡的定义，每个企业都是在假设对手产量不变的情况下，进行产量决策以实现自己利润最优化的目标，因此，在乙企业生产量不变情况下，如果甲企业增加产量，市场价格将因总供给增加而随之下跌，从而使乙企业的利润降低。但甲乙两个企业在决定自己的产量时都假设对方的产量不变，即并不考虑双方行为的外部性所带来的影响，从而市场的实际结果是每个企业都"过度"生产，导致市场总供给高于市场垄断产量。由此可推知，如果两个企业能够进行合谋限制产量，则市场的总利润就会增加，同时，只要采用某种合理的补偿机制，就可以实现每个企业的合谋利润大于非合作利润。所以，企业间合谋的动机就是通过合谋极大化市场总利润以实现每个企业利润的增加。

以两个乳制品企业的古诺博弈为例分析乳制品企业合谋的动机。假设乳制品市场需求函数为 $p = p(Q)$，乳制品企业 i 的成本函数为 $c_i(q_i)$，其中 $i = 1,2$，而市场总需求量 $Q = q_1 + q_2$。两个乳制品企业合谋以选择 q_1 和 q_2 使得整个市场总利润最大化

$$\Pi = \pi_1 + \pi_2 = p(Q)(q_1 + q_2) - c_1(q_1) - c_2(q_2)$$

式中，π_i 为乳制品企业 i 在合谋时取得的利润。则利润最大化的一阶条件有

$$p(Q^*) + p'(Q^*)Q^* = c_i'(q_i^*) \tag{9-11}$$

式中 $Q^* = q_1^* + q_2^*$ 为乳制品企业合谋时市场均衡时的总产量。

为将结论具体化，进一步假设乳制品市场需求函数为 $p = a - bQ$。从式（9-11）可推测出，两个乳制品企业合谋均衡的特性取决于两个乳制品企业的成本函数。讨论乳制品企业成本函数为两种特殊情况下的均衡。

1）两乳制品企业成本函数 $c_i(q_i) = cq_i$，即两个乳制品企业具有相同的边际成本 c。如果两企业进行非合作古诺博弈，则乳制品企业 i 生产古诺产量 $q_i^c = (a - c)/3b$，获得古诺利润 $\pi_1^c = (a - c)^2/9b$。如果两乳制品企业进行合谋，则乳制品企业 i 生产 $q_1^m = (a - c)/4b$，获得合谋利润 $\pi_1^m = (a - c)^2/8b$。

2）两乳制品企业成本函数为 $c_i(q_i) = c_iq_i$，$c_1 > c_2$。如果两企业进行非合作古诺博弈，则乳制品企业 i 厂商生产 $q_i^c = (a - 2c_i + c_j)^2/3b$，获古诺利润 $\pi_i^c = (a - 2c_i + c_j)^2/9b$。如果两乳制品企业进行合谋，因为乳制品企业 2 的边际成本总是小于企业 1 的边际成本，所以在合谋情况下，乳制品企业 1 的产量为 $q_1^m = 0$，获合谋利润 $\pi_1^m = 0$；而乳制品企业 2 的古诺产量为 $q_2^m = (a - 2c_2)/2b$，获合谋利润为 $\pi_2^m = (a - 2c_2)^2/4b$。

在两乳制品企业成本函数相同情况下，$\pi_i^m > \pi_i^c$，即两乳制品企业合谋利润大于古诺利润，所以每个乳制品企业都有动机进行合谋。但在两乳制品企业成本函数不同的情况下，尽管乳制品企业 2 合谋利润增加了，但乳制品企业 1 的合谋利润却减少了。所以，如果乳制品企业 2 不对乳制品企业 1 进行合理补偿，乳制

品企业 1 是不愿意进行合谋的，而进行非合作古诺博弈。

将上述情况一般化，假设乳制品企业 i 的非合作博弈利润为 π_i^0，而合谋的利润为 π_i^m，那么 $\pi_1^m + \pi_2^m \geq \pi_1^0 + \pi_2^0$，即合谋利润大于非合作利润，但这并不意味着 $\pi_1^m \geq \pi_1^0$ 和 $\pi_2^m \geq \pi_2^0$ 同时成立，即并不是意味着每个乳制品企业的利润都会自动增加。因此，合谋乳制品企业必须找到某种合理的利润分配机制，以保证每个乳制品企业的合谋利润高于非合作利润，否则乳制品企业间的合谋行为无法达成。假设利润重新分配之后，两乳制品企业的利润分别为 π_1^* 和 π_2^*，那就意味着必须确定一个调节利润，使得

$$\pi_1^* = \pi_1^m + T \geq \pi_1^0, \quad \pi_2^* = \pi_2^m - T \geq \pi_2^0 \tag{9-12}$$

因此 $\pi_1^* + \pi_2^* = \pi_1^m + \pi_2^m$。因为 $\pi_2^m - \pi_2^0 \geq T \geq \pi_1^0 - \pi_1^m$，所以调节利润 T 可能取正值，也可能取负值。令 $\Delta = (\pi_1^m + \pi_2^m) - (\pi_1^0 + \pi_2^0)$，则 Δ 表示乳制品企业合谋的利润增加值。在式（9-12）约束条件下，两个乳制品企业如何分配这个合谋利润增加值则取决于他们之间的讨价还价能力。一般情况下假设两个乳制品企业以各自的非合作利润为基础，均分合谋的利润增加值，即

$$\pi_i^* = \pi_i^0 + \Delta/2 = \pi_i^0 + [(\pi_1^m + \pi_2^m) - (\pi_1^0 + \pi_2^0)]/2$$

由此可得调节利润 T 为乳制品企业 2 的利润增加值和乳制品企业 1 利润增加值差值的一半

$$T^* = [(\pi_2^m - \pi_2^0) - (\pi_1^m - \pi_1^0)]/2$$

合谋行为受到两个乳制品企业谈判成本 Θ 的影响。如果 $0 < \Theta < \Delta$，合谋的利润增加值变为 $\Delta - \Theta > 0$，则两个乳制品企业仍有合谋的动力；如果 $\Theta > \Delta > 0$，合谋利润增加值变为 $\Delta - \Theta < 0$，则两个乳制品企业在合谋后利润不能同时提高，合谋的动力消失。因此，谈判成本 Θ 为合谋行为设立了一个临界值，只有当合谋后总利润的增加超过这个值，合谋才是有动力的。

（2）乳品企业合谋的不稳定性分析

尽管相互竞争的乳制品企业有合谋的动机，但是当合谋形成后，各合谋乳制品企业也有相互"欺骗"的动机，因此合谋行为具有不稳定的特点。

假设两个乳制品企业的边际成本相等且为 c。根据上面的结论，如果两个乳制品企业合谋，则每个乳制品企业的产量都为 $(a - c)/4b$，获得利润为 $\pi^m = (a - c)^2/8b$，利润比古诺竞争时有所增加。但是如果某个乳制品企业采取欺骗的策略，他有可能获得比合谋时的利润更高的利润，那么该乳制品企业就有违背合谋契约的动机。根据古诺竞争均衡，乳制品企业的反应函数为

$$R_i = q_i^*(q_j) = \frac{a - c}{2b} - \frac{q_j}{2}, \quad i,j = 1,2, \quad i \neq j$$

根据以上反应式，如果乳制品企业 1 采取合谋行为，则利润极大化时其产量为 $(a - c)/4b$，乳制品企业 2 的利润最大化反应将产量确定为 $q^d = 3(a - c)/8b$，并

因此获得违背合谋契约的利润为 $\pi^d = 9(a-c)^2/64b$，此利润高于其采取合谋策略的利润。但在这种情况下，乳制品企业 1 将成为"受害者"，其利润为 $\pi^v = 3(a-c)^2/32b$，此利润小于其采取非合作时的利润。因此，乳制品企业就有违背合谋契约的动机，即乳制品企业间的合谋具有不稳定性。

可以用收益矩阵（图 9-3）分析两个乳制品企业的合谋与欺骗策略的不同利润状况。当两个乳制品企业都采取欺骗策略时，则合谋解体，彼此之间进行非合作古诺博弈，最终得到古诺利润。在收益矩阵中，每个矩阵单元的第一项表示乳制品企业 1 的利润，第二项则表示乳制品企业 2 的利润。为将问题简化，可令 $a = b = 1, c = 0$。

乳制品企业 2

		合谋	欺骗
乳制品企业 1	合谋	(1/8，1/8)	(3/32，9/64)
	欺骗	(9/64，3/32)	(1/9，1/9)

图 9-3　两个乳制品企业的合谋与欺骗

这个收益矩阵揭示了两个基本事实。①对两个乳制品企业来说（1/8，1/8）是帕累托最优的（总和最大），故两个乳制品企业都有合谋的动机。②这个收益矩阵同时表明，不论对手采取什么策略，某个乳制品企业的最优策略都是"欺骗"，即这个静态博弈的唯一纳什均衡为（欺骗、欺骗），其利润结果为（1/9，1/9）。这是一种典型的"囚徒困境"，尽管合谋能够增加每个乳制品企业的利润，但是每个乳制品企业的均衡策略却是欺骗。所以，乳制品企业之间存在合谋动机的同时也存在违背动机，即合谋行为具有不稳定性特点。这就是上述乳业《南京宣言》出台与解体的内部机理。

（3）影响乳品企业之间合谋的因素分析

乳制品企业之间要进行合谋，必须具备三个条件：①彼此之间必须达成一个协定；②合谋的乳制品企业相互之间能够敏锐地发现违背协定的成员企业；③必须能够对违背协定的乳制品企业进行足够大和足够及时的惩罚，使得违约企业因违约而招致的损失超过违约而得到的收益。从这些条件可以推知以下因素影响乳制品企业间的合谋行为。

第一，乳制品企业之间的差异性越大则合谋越困难。如果乳制品企业之间存在着较大的成本差异，他们之间在价格制定上的一致性难度加大，则某个乳制品企业秘密削价将不易被对手察觉；如果乳制品企业之间存在着较大的产品差异，则在相同的价格下每个乳制品企业面临的需求会存在巨大差异，而合谋利润最大化要求每个乳制品企业边际收益相同，这有可能导致边际成本较高的乳制品企业停产或者产量降低很多，以至于在合谋情况下其利润比不合谋时还低。此时，如果谈判成本很高，补偿机制就难以建立，从而合谋难以达成。《南京宣言》的失败就有此方面的原因。

第二，乳制品企业尤其是大型企业在许多市场上共存这一现实有利于彼此之间的合谋行为。因为乳制品企业都在全国市场尤其大中城市中都有竞争关系，任何乳制品企业的背叛行为都可能导致全国范围的报复。一旦背叛行为被发现，可能招致其他乳制品企业在全国市场中的报复行为，这可能使背叛行为无利可图。

第三，乳制品企业战略视角不同会影响合谋行为。如果一个乳制品企业只重视眼前的利润，则在他的眼中近期比远期更重要；而另一个乳制品企业则认为未来比现在更重要。这是乳制品企业之间的贴现率不同，他们对未来利润和当期利润的评价也将不同，那么他们达成合谋协定的难度将会增加。在极端的情况，一个乳制品企业的折现率为零，那么不管将来会招致何种严厉的处罚，他在当期会违背合谋协定，这意味着乳制品企业之间在此种情况下无法达成任何合谋协定。目前中国乳制品产业正处在朝阳阶段，未来具有较大的不确定性（如国外大型企业的进入和中国乳品市场的成长速度等），因此不同乳制品企业对未来的预期可能是不同的，这类似于不同乳制品企业的贴现率不同，从而使合谋难以形成，这也是《南京宣言》无法继续实施的一个原因。此外，在竞争环境或者条件迅速而且随机变化的情况下，乳制品企业之间必须更加频繁地进行再谈判以维持合谋行为，这将产生较高的谈判费用，从而提高"交易锁定"的可能性。

第四，如果乳制品企业之间共享价格信息，合谋就可能产生并得以维持。如果乳制品企业对竞争对手的行为有更多的信息时，检测违约行为会更加容易。如果各个乳制品企业互通信息，市场信息会随之而增加，合谋行为就变得可行。中国的奶业协会就是一个遍布全国的行业协会，其主要功能之一就是搜集和发布与行业有关的信息，也正是在此协会的推动下，中国乳制品企业之间建立了合谋协定《南京宣言》。

第五，乳制品行业中的厂商数目及大小分布也对合谋具有很大的影响。中国乳制品企业尤其是大中型企业都采取了差异化的策略，不同乳制品企业的产品需求弹性不同，其中需求弹性越大的厂商越有积极性降价。对于那些规模比较小的乳制品企业，其市场份额较小，故降价可以获得更大的市场份额。反过来，已经占有很大市场份额的大型乳制品企业则不愿意降价，因为这样他获得市场份额不会大幅度增加，但由于单位产品利润降低遭受的损失却很大。因此，在《南京宣言》中签字的都是大型乳制品企业。

9.4 乳品企业间研究与开发竞争分析

9.4.1 乳品企业研发竞争现状

9.4.1.1 新产品研发竞争

为了适应消费需求变化，各乳品企业不断增加投入以开发新产品，在控制市场至高点上展开竞争。在研发战略上，许多乳品企业在人才与资金上不断加强研发力度，引进高科技人员，投资建立科研与中试基地，配备具有国际先进水平的分析检测仪器设备，为科研人员攻克技术难题提供了先进的装备，大型乳品企业甚至采取了生产一代、储备一代、研制一代、构思一代的科研开发战略。在产品开发上，各大型乳品企业通过一系列新产品开发，不断进行产品结构的升级换代，不断对产品进行全新形象设计，让精美包装的优质高档次、高品位产品不断适应市场潮流。在奶粉研发上，不断进行产品品种、质量升级、换代，重点则是在开发生物功能性配方奶粉上进行竞争。在液态奶上，进一步扩大开发液态奶和配方奶的品种，使之形成从婴儿到老年，适合不同人群食用的系列化饮用奶。在乳饮料上，开发以乳为主的不同风味的系列乳饮料和发酵食品，引导消费者向既有营养又能补充体液的科学消费过渡，以满足人们日益增长的消费需求。在冷饮产品上，开发多种冷食制品，以满足人们消夏度暑及越冬解燥的需求。在活性产品上，利用初乳中的活性物质，争相开发一系列深加工产品，向相关产业多元化方向发展。在科技信息跟踪上，乳品企业纷纷加强信息网建设，及时掌握国际乳业科技发展动态及重大发明情报；不惜重金购买高科技含量、高市场容量的成熟科技成果及中、后期研究项目，并使技术成果为自己所专有；针对生产中的技术难题，积极向社会招标或组织联合攻关。

9.4.1.2 生产技术研发竞争

为了提高生产效率、降低成本，同时生产出更高品质的产品，乳品企业在生产技术的改造与设备更新上也展开了激烈竞争。各大型乳品企业在每个发展阶段都要投入上千万元资金进行技术改造，引进了大量国际一流的生产设备，建成一条条自动化生产线。在液态奶生产上，纷纷投资购买当今国际领先水平的全套设备，使得目前国内液态奶生产的自控程度和自动化程度极大提高；在奶粉生产上，则引进了当今国际一流水平的干法混合生产线，在获得节能、高效、质优性能的基础上，解决了配方奶粉的营养素添加问题。各大乳品企业先后从荷兰、德国、瑞典、丹麦等地引进了具有世界先进水平的鱼骨式挤奶器、牛奶无菌加工设备、利乐包装线及冰淇淋、奶粉生产技术，建立了具有国际先进水平的技术中心，不仅确保了产品质量、花色品种，而且通过这些技改，完成了由劳动密集型向技术密集型企业的根本转变，乳品生产技术与国际全面接轨，使企业具备了全方位参与国际市场竞争能力。

9.4.2 乳品企业研发竞争问题

9.4.2.1 中小乳品企业研发投资不足

在新产品开发上，中小乳品企业投资不足，利用概念炒作获取生存机会，扰乱市场竞争秩序。欧美和日本等发达国家研究和开发新型乳品方面的经费高达其年收益的3%~4%，而目前中国国内相当一部分乳品企业在研究和开发新型乳品方面的经费仅仅是其年收益的1%，其中，中小乳品企业在新产品开发上的投资更低。为了在同大企业的竞争中生存下去，经常在大型乳品企业的新产品开发出来之后，中小乳品企业利用市场监管漏洞进行概念炒作以模仿大企业的新产品。近年来，"杀菌乳"与"灭菌乳"之争、"无抗奶"和"有抗奶"之争、"高钙奶"和"特浓奶"之争、"酸牛乳"同"乳酸菌乳饮料"之争，以及将干酪标成"奶酪"、"芝士"，将奶油标成"黄油"、"白脱"，将杀菌乳标成"纯鲜牛奶"、"鲜牛奶"，将含乳饮料标成"巧克力牛奶"、"草莓牛奶"，将乳酸菌饮料标成"活性乳"、"甜酸乳"等现象，都有中小企业因产品开发投资不足而虚假炒作乳制品概念，迷惑消费者以获得市场份额的动机。这一系列概念炒作扰乱了市场竞争秩序，也带来了市场的动荡。

9.4.2.2 大型乳品企业技术研发投资过度

在奶源建设上则引进了具有世界先进水平的鱼骨式挤奶器、牛奶无菌储运设备；在乳制品包装环节，则大量引进利乐包装线。在加工技术上，投入大量资金改造更新设备，或直接大量引进国际一流生产设备。这种大规模的生产过程投资，使得我国乳制品产能过剩。目前，中国乳制品产量大约有3000万吨，但产能却有5000万吨左右，一些省份产能过剩40%~50%（王丁棉，2008）。以广东梅州一家乳品企业为例，它有60多万吨的产能，但实际产量却只有五六万吨，造成了资源的极度浪费，如清洗环节，即使部分产能闲置，也需要对机器进行大约半小时的清洗，与满产没有差别。同时陕西省统计发现，陕西的乳品加工能力达到每天1万吨，但实际上每天加工量就在3000~4000吨。

9.4.3 乳品企业研发行为的理论分析

9.4.3.1 公共品效应和公共地效应与乳制品企业研发竞争

中小乳品企业的研发投资不足与大型乳品企业的投资过度，分别对应于公共品效应和公共地效应。乳品企业的生产过程投资意味着乳品企业能够以更低的成本生产原来的产品，而产品研发投资则意味着引入新产品或者对旧产品进行改进和完善，从而增加需求。所以，乳品企业研究和开发在本质上是一种投资行为，乳品企业希望借此降低自己的成本或者提高产品的吸引力，从而增加盈利能力。因此，乳品企业是否愿意进行研发投资或者投资多少则取决于能否占有自己的研发成果，也就是研发投资成果的可占有性。

乳品企业的研发可以看做是"信息"的生产过程，这些信息可能是新乳品的制作方案，也可能是乳品生产技术的改进措施等。在乳品的新产品开发方面，由于目前相关乳品的质量和成分标准不健全，以及乳品市场监管的存在漏洞，各大型乳品企业已经开发出来的新产品信息就变成一种准"公共品"，中小乳品企业就可以利用这些公共信息进行概念炒作，混淆消费者视听以获得市场生存机会，这种信息不对称及监管体系的漏洞导致了新乳品开发成果的可占有性太低，加上新产品开发的不确定性和中小乳品企业研发资金的有限性，这就刺激了中小企业的投机行为，导致了中小企业的新产品开发投资不足的行为。这就是乳品R&D活动中的"公共品"效应。

与中小乳品企业产品开发投资不足的"公共品"效应相反，大型乳品企业的生产过程投资则表现出"公共地"效应。由于乳品生产过程的改进主要依赖于设备性能的改进及生产流程的设计与管理，而这些都需要乳品企业长期的投资或投入巨额资金直接从先进国家引进，才可能发挥出降低成本或提高产品质量的功能，这些信息具有较高程度的保密性且不具有投机的性质，因此乳品生产过程研发投资结果具有很强的可占有性。同时生产过程的先进性可以发挥出巨大的规模经济和范围经济的比较优势，成为乳品企业通过价格战进行市场扩张的核心竞争力源泉，加上乳品生产过程的研究开发活动具有"公共地"的性质，乳品企业之间的规模竞争就会导致研发投资过度和乳品的产能过剩。这是因为可以降低成本的先进生产过程都是建立在高度自动化的大规模生产流水线的基础之上的，只要通过投资于生产过程研发所获得平均收益大于成本，乳品企业就会进行投资。虽然从整个乳品行业效率的角度看，当进入"公共地"（生产过程的研究开发）的行业边际贡献等于边际成本时，进入就应该停止。但是，从个体乳品企业的角度看，他进入"公共地"后可以抢走其他乳品企业的收益，从而各个乳品企业进入"公共地"（生产过程的研究开发）的私人收益大于行业的边际收益，各大型乳品企业就会进行大规模的生产技术改造或直接从国外引进大量的先进生产流水线，由此会导致整个乳品行业或部分乳品企业的产能过剩现象。

9.4.3.2 不确定性与乳品企业研发竞争

假设有 n 个乳品企业进行研发竞争，最先完成创新的乳品企业获得该项创新的专利，该专利可以给该乳品企业带的价值为 V。同时假设，如果乳品企业 i 投资 x_i，他将在时刻 $\tau(x_i)$ 完成创新，τ 是一个随机变量，满足以下无记忆的指数分布

$$P(t) = \Pr\left[\ \tau(x_i) \leqslant t\ \right] = 1 - \mathrm{e}^{-h(x_i)\gamma} \tag{9-13}$$

式中，$h(x_i) = \partial q / \partial t \mid_{t=0}$ 表示乳品企业发生创新的瞬时概率。根据指数分布的特性，$E\tau(x) = 1/h(x)$，即乳品企业的预期创新时间为瞬时创新概率的倒数。因此，如果乳品企业的瞬时创新概率越大，其创新将实现的更早。进一步对瞬时创新概率函数 $h(x)$ 的假设如下：

假设 1：$h(0) = 0 = \lim\limits_{x \to \infty} h'(x)$；假设 2：当 $x \leqslant \bar{x}$ 时，$h''(x) \geqslant 0$

根据假设①可知，乳品企业 i 在时刻 t 之前没有完成创新，在时刻 t 完成创新的概率为 $[1 - P(t)]h(x_i) = h(x_i)\mathrm{e}^{-h(x_i)\gamma}$；除乳品企业 i 以外所有其他乳制品企业的瞬时创新概率为

$$a = \sum_{j=1, j \neq i}^{n} h(x_j) \tag{9-14}$$

则所有其他乳品企业在时刻 t 之前没有完成创新，在时刻 t 完成创新的概率为 $\prod\limits_{j \neq i} [1 - P_j(t)] \sum\limits_{j=1, j \neq i}^{n} h(x_j) = a\mathrm{e}^{-at}$。如果定义 $\hat{\tau} \equiv \min\limits_{1 \leqslant j \neq i \leqslant n} \{\ \tau_j(x_j)\ \}$ 为除乳品企业 i 以外所有其他乳品企业实现创新的最早时刻，则

$$p(\hat{\tau} = t) = a\mathrm{e}^{-at} \tag{9-15}$$

只有当乳品企业 i 的创新时刻早于 $\hat{\tau}$ 时，他才能获得专利，赢得创新收益。由此可见，乳品企业 i 投资 x 的预期价值为

$$EB = \int_0^{\infty} p(\tau = t) \left\{ \int_0^t p(\tau = s) V\mathrm{e}^{-rs} ds \right\} dt$$
$$= \int_0^{\infty} a\mathrm{e}^{-at} \left\{ \int_0^t Vh\mathrm{e}^{-hs}\mathrm{e}^{-rs} ds \right\} dt = \frac{Vh}{(a+h+r)} \tag{9-16}$$

上式积分号中第一项 $p(\hat{\tau} = t)$ 由 (9-15) 所定义。第二项 $\int_0^t Vh\mathrm{e}^{-hs}\mathrm{e}^{-rs} ds$ 则表示乳品企业 i 在时刻 t 之前首先完成创新所能得到的收益折现值。这样两项积分后得到的就是乳品企业 i 投资 x 后所能得到的预期收益。乳品企业 i 的目标选择 x 进行利润极大化：

$$\max_x \left\{ \frac{Vh(x)}{(a+r+h)} - x \right\} \tag{9-17}$$

存在均衡内解 $\hat{\tau}$ 的一阶条件和二阶条件分别为

$$h'(\hat{x})(a+r)/[a+r+h(\hat{x})]^2 - 1/V = 0 \tag{9-18}$$
$$h''(\hat{x})[a+r+h(\hat{x})] - 2h'(\hat{x})^2 \leqslant 0 \tag{9-19}$$

式 (9-18) 确定了乳品企业 i 的反映函数，即给定所有其他乳品企业（看做

博弈对手）选定策略变量为 a，乳品企业 i 选择 $\hat{x}$。考虑到 n 个乳品企业是对称的，均衡时每个乳品企业都投资 x^*，从而 $a = (n-1)h(x^*)$，进而

$$x^* = \hat{x}[(n-1)h(x^*)] \tag{9-20}$$

若要存在均衡，必须有

$$\partial\hat{x}/\partial a < 0 \tag{9-21}$$

即当对手的投资增加时，乳品企业 i 的投资将会减少。

对式（9-20）微分并利用隐函数定理可得

$$\partial x^*/\partial n = [h(x^*)\partial\hat{x}/\partial a]/[1-(n-1)h'(x^*)\partial\hat{x}/\partial a] < 0 \tag{9-22}$$

其含义是随着乳品企业数目的增加，每个乳品企业的研究开发投资会减少。其经济直觉是，在对称情况下，随着乳品企业数目增加，单个乳品企业赢得专利的概率和预期收益降低，从而均衡时的投资就会减少。从 1996 年以来，中国的乳品产业快速发展，乳品企业的数量在 600 多家的基础上迅速增加，曾经达到1500 多家，其中大多数是中小乳品企业，这些中小乳品企业的生存主要是依赖于迅速增加的市场需求和对大型乳品企业新产品的模仿，他们洞晓中国市场监管的漏洞，深知产品开发结果的占有性较低，同时大量的乳品企业竞争创新成果的结果是每个企业成功的概率下降和预期收益的减少。因此，他们的理性决策就是与其进行投资研发，不如进行新产品的模仿，这就是上述中小乳制品企业进行较少的研发投资或根本就不进行研发投资的原因。

根据指数分布的特性，很容易知道整个乳品行业实现创新的预期时刻 $\tau = 1/nh(x^*)$，由此：$d[nh(x^*(n))]/dn = h(x^*(n)) + nh'(x^*(n))(\partial x^*/\partial n)$

将假设 2 代入上式，并利用 $\partial\hat{x}/\partial a < 0$ 和 $-h'(x^*)\hat{x}'(a^*) < 1$ 可得

$$\frac{d}{dn}(nh(x^*(n))) = h(x^*(n))\frac{1+h'(x^*(n))\partial\hat{x}/\partial a}{1-(n-1)h'(x^*(n))\partial\hat{x}/\partial a} > 0$$

其含义是整个乳品行业的创新实现的预期时刻 τ 和厂商数目 n 之间的关系是同方向变化的：整个乳品行业的预期创新时刻随着乳品企业的数目的增加而提前。其现实表现就是部分乳品企业敏锐地意识到大规模生产带来的竞争优势，大量投资于生产过程开发，从而导致大型乳品企业的数量迅速增加，整个乳品行业在各大乳品企业的研发竞争中快速升级，使得中国乳品行业与国外乳品行业的生产技术差距迅速缩小，但同时激烈的生产过程开发竞争导致整个行业产能过剩。

9.5　乳品企业广告行为分析

9.5.1　乳品企业的广告行为的质量效应——重复购买机制

产品的信息是多维度的，一些信息是外在的，如产品的外观、色彩、设计、位

置等；另外一些信息是内化的，如产品的质量、功能、寿命等。根据这种特性可以将产品分为搜寻产品和经验产品。对于搜寻产品，消费者在购买时就可以了解产品质量的全部信息，产品质量不是一个重要的影响因素，因此厂商广告的作用是将消费者的消费行为和产品联系起来。但对于经验产品，消费者在购买时无法获得其质量信息，产品质量就是一个至关重要的影响因素：对于低质量产品，消费者只愿支付低价格，而对于高质量产品，则愿意支付高价格。乳制品是一种典型的经验品，因此，高质量的乳品企业希望通过某种方式传递它是高质量的信息。

乳制品企业广告信息作用并不在于其中包含多少有关乳制品的信息，关键是在于告诉消费者：本企业在花很多钱做广告！因为在保持其他影响因素不变的情况下，高质量的乳制品更有可能导致消费者进行重复购买，所以，初始销售对于高质量的乳制品企业的价值更大，从而高质量乳制品企业更愿意斥巨资做广告活动以吸引消费者的初始购买。反之，尽管低质量乳制品企业可以做广告吸引消费者进行初次购买，但无法让消费者进行重复购买，从而可能无法收回巨额的广告投资。由此，如果高质量乳制品企业斥巨资做广告，就等价于向消费者传递了其产品是高质量的信息。反过来说，如果消费者看到某个乳制品企业在做广告，他们可以推知该乳制品企业的产品是高质量的。

乳制品企业的广告行为是一种信号传递机制，同时乳制品价格作为一种选择变量也可以被乳制品企业用来传递质量信息。因此，将广告和价格结合起来（传递高质量信息）要比仅仅利用价格变化（来传递质量信息）更加廉价，所以高质量的乳制品企业的实际行为是选择最佳的广告和价格组合，达到分离均衡的成本最小。

可以构造一个乳制品质量的信号传递模型来分析上述乳品企业的广告行为。假设：某乳制品企业生产一种乳制品，且是这种产品的唯一生产者；该乳制品企业知道自己产品的质量，而消费者可能认为产品是高质量的（H），也有可能是低质量的（L）；该乳制品企业通过制定产品价格 P 和广告水平 A 的组合来传递其乳制品的质量信息；消费者在观察到 P 和 A 后判断该乳制品是高质量的概率为 $\rho(P,A)$；该乳制品企业利润为 $\pi(P,q,\rho) - A$，其中 Π 表示出广告支出以外的利润，q 表示乳制品的实际质量（$q = H$，L）；如果消费者认为该乳制品企业的产品是高质量的概率 $\rho(P,A)$ 越大，则有更多的消费者进行初次购买，从而该乳制品企业的利润随着 $\rho(P,A)$ 的增加而增加；同时假定该乳制品企业的利润是其乳制品价格 P 的凸函数。

如果 $\rho(P,A) = 0$，则消费者确信乳制品是低质量的；反之，如果 $\rho(p,A) = 1$，则消费者判断乳制品是高质量的。定义 $\pi(p,q,Q)$ 为乳制品企业未扣除广告支出的毛利润，其中：$q(H$ 或者 $L)$ 为乳制品实际质量为 H 或 L；$Q(H$ 或者 $L)$ 为消费者判断乳制品质量类型为 H 或 L；p 为乳制品的价格。则

$$\pi(p,q,L) = \mathit{II}(p,q,0)\ ;\ \pi(p,q,H) = \mathit{II}(p,q,1)$$

如果乳制品是搜寻品（相当于信息是完全的情况），消费者在购买前判断的乳制品质量与其实际质量是一致的，即 $q = Q$，则乳制品企业扣除广告费用之后的净利润为 $\pi(p,q,q) - A$。这种情况下，无论乳制品质量是高还是低，乳制品企业的最优选择都是不进行广告投资，即 $A = 0$，因为广告的信息传递机制此时失灵。此种情况下，乳制品质量为 q 的企业的最优价格应为 p_q^q，即高质量乳制品企业选择价格为 p_H^H，低质量乳制品企业定价为 p_L^L。

但实际上乳制品是经验品，消费者在购买时无法准确判断其质量高低，所以消费者判断的质量与乳制品的实际质量就会出现不一致的可能性，即 $q \neq Q$。例如，一个乳制品实际质量 $q = H$ 的企业有可能被消费者认为是质量 $Q = L$ 的企业。根据上述定义，一个乳制品实际质量为 q，而被消费者判断其质量为 Q 的企业的毛利润为 $\pi(p,q,Q)$。进一步定义 p_Q^q 为使 $\pi(p,q,Q)$ 极大化的价格（即 q 上标表示乳制品的实际质量，而下标 Q 表示消费者判断的质量）。具体来说 p_L^H 使 $\pi(p,H,L)$ 极大化，p_H^L 使 $\pi(p,L,H)$ 极大化，p_H^H 使 $\pi(p,H,H)$ 极大化，而 p_L^L 使 $\pi(p,L,L)$ 极大化。对于高质量的乳制品企业会选择最优 $p^* \geq 0$ 和 $A^* \geq 0$，使得消费者就可以判断它的乳制品是高质量的。如果该乳制品企业选择其他价格和广告组合，将被消费者判断是生产低质量的企业。在这种情况下，高质量乳制品企业选择均衡策略 $p^* \geq 0$ 和 $A^* \geq 0$，他将获得净利润 $\pi(p^*,H,H) - A^*$。如果高质量乳制品企业不进行广告投资，让消费者认为它是低质量的，此时他可以获得最高利润为 $\pi(p_L^H,H,L)$。但因为在分离均衡的情况下 $\pi(p^*,H,H) - A > \pi(p_L^H,H,L)$，所以高质量的乳制品企业就会进行广告活动从而将自己产品的高质量显示出来。同时在分离均衡情况下低质量乳制品企业不会选择高质量厂商的价格广告策略，即消费者看到低质量乳制品企业的均衡策略，就可判断它是生产低质量乳制品的企业。在此情况下，低质量乳制品企业的最佳选择是不做广告，即 $A_L = 0$，则他可以得到最高利润为 $\pi(p_L^L,L,L)$，即低质量乳制品企业将选择均衡价格 p_L^L。如果低质量乳制品企业选择 $p^* \geq 0$ 和 $A^* \geq 0$，以误导消费者认为它是高质量的，则得到净利润 $\pi(p^*,L,H) - A^*$。在分离均衡情况下 $\pi(p_L^L,L,L) > \pi(p^*,L,H) - A^*$，即低质量厂商将得不偿失，所以不愿意模仿高质量乳品企业进行广告投资活动。因此，高质量的乳品企业往往会通过广告活动来显示自己产品是优质，从而达到与其他企业的产品区别开来以实行差异化目的。

实际中进行大量广告活动的乳制品企业的质量的确是优于不做广告的企业乳品质量。这一点可以从中国乳品质量的检查中得以证实：进行了大量的广告投资的大型乳制品企业的产品质量较高，而基本上不进行广告活动的中小型企业的产品质量较低。2006 年 3 月 16 日《中国乳业信息》报道了消费者协会对奶粉进行比较试验结果，表明中国奶粉质量以大型企业的产品最好，各项指标基本合格，而中小型企业的质量问题较多。

9.5.2　乳品企业的广告行为与市场竞争激烈程度关系

在中国乳品市场，越是质量高档的奶粉细分市场或市场集中度较高的长期保鲜液态奶市场，相应的乳制品企业的广告支出越大，而在低档次的奶粉市场或保鲜时间较短液态奶市场基本上不进行广告活动。这是市场结构对乳制品企业广告行为作用的结果。可以假设一个极端的乳制品市场结构来分析乳制品企业的广告行为。假设乳制品企业面临的需求是乳制品价格和广告投资的函数，令 $q(p,A)$ 表示乳制品的需求，其中 q 为乳制品产销量，p 为乳制品价格，A 为乳制品企业的广告费用，进一步假设 $\partial q/\partial p < 0, \partial q/\partial A > 0$，而乳制品企业的生产成本和广告费用是分离可加的。那么，乳制品企业的利润为

$$\pi = pq(p,A) - c(q(p,A)) - A$$

对 p 和 A 分别求一阶条件得到

$$\frac{P - c'}{P} = \frac{1}{\varepsilon_p}, \frac{P - c'}{P} = \frac{A}{pq\varepsilon_A} \tag{9-23}$$

式中，$\varepsilon_p = -\frac{p\partial q}{q\partial p}$ 和 $\varepsilon_A = \frac{A\partial q}{q\partial A}$ 分别为乳制品的价格需求弹性和广告需求弹性，由式（9-23）进而可以推理出

$$A/pq = \varepsilon_A/\varepsilon_p \tag{9-24}$$

式（9-24）表示当乳制品企业的广告投资占销售收入的比率等于乳制品的广告需求弹性与其价格需求弹性之比时，乳制品企业可以获得最大利润。其经济含义是，如果保持其他情况不变，乳制品企业的广告支出占销售收入的比例随着乳制品的需求弹性的增加而减小。具体来说，乳制品市场结构和乳制品价格需求弹性之间的关系为：如果某个乳制品企业没有竞争者，其乳制品的需求曲线将比较陡峭，即其乳制品的价格需求弹性比较小；如果他面临很多竞争者，其乳制品的需求曲线将非常平缓，即其乳制品的价格需求弹性比较大；极端情况是，处于完全竞争市场的乳制品企业的产品价格需求弹性为无穷大，而垄断乳制品企业的价格需求弹性大于零。

上述推理表明，乳制品企业所处的市场竞争性越小，则乳制品企业越愿意做广告；竞争性越强，则乳制品企业越不愿意进行广告投资。这是上述中国乳品企业广告行为的根源所在：质量高档的奶粉细分市场或市场集中度较高的长期保鲜液态奶市场都是集中度较高的市场，处于其中的乳制品企业的产品价格弹性较小，所以乳制品企业愿意进行广告投资活动；而低档次的奶粉市场或保鲜时间较短液态奶市场集中度较低，处于其中的乳制品企业的产品价格弹性较大，所以乳制品企业不愿意进行广告投资。

9.5.3 乳品企业的广告行为与市场协调作用

乳制品的销售与一般商品的销售一样，具有高利润特性和好生意特性，前者表示乳制品企业的利润随市场份额的增加而增加，后者表明当乳制品企业预期降低乳制品价格会吸引更多消费者时，会以更低的价格向消费者销售产品。在这两种特性的作用下，消费者和乳制品企业都希望乳制品的生产和销售集中在少数乳制品企业，因为这时的生产和销售会产生一种规模效应。乳制品企业的广告投资行为就是利用广告的协调效应来进行竞争的理性行为。如果不进行广告投资，消费者无法获得乳制品企业产品的相关信息（如价格），这时协调可能会失败。那就意味着一个有效率的乳制品企业可能无法获得足够的市场份额，而乳制品企业之间的市场划分使每一个乳制品企业只能在非效率的小规模上经营。但是乳制品企业通过大量的广告投资就可能产生强有力的协调作用，即大量的广告投资会向消费者传递这样的信息：该企业会获得大量的市场份额，否则无法回收巨额的广告投资。

乳制品企业的广告协调效应在实践中体现得十分突出。内蒙古的伊利实业集团最早感受到广告投资的强大协调效应。1994年，伊利首次在中央电视台投放冰淇淋广告，当年伊利冰淇淋的销量蹿到了全国第一，到2001年伊利冰淇淋销售额突破了10亿元，成为连续8年的销售状元。而当时伊利冰淇淋项目的主要决策和执行者牛根生更是深刻地领悟到了广告的强大协调效应，所以当他自起门户创建蒙牛乳业时，将广告的协调效应发挥到了极致。1999年刚成立的蒙牛乳业首次投入35万元包揽了央视6套两个月的阶段广告，当年蒙牛销售额为4300万元。尝到甜头的蒙牛迅速加大广告投入，2002年蒙牛的广告花销为6000万元左右，其销售额已突破21亿元。蒙牛每年的广告费用以3%的速率增长，而广告的投入绝对是与销售额的上升成正比的。2001年，伊利全年广告额为4000万元左右，其销售额为27.02亿元。2002年伊利乳品销售额突破42亿元，其广告投放增至6000多万元。有了伊利和蒙牛的广告榜样，三元、光明、完达山等其他乳制品厂家纷纷跟进，一时间央视的屏幕上出现了大量的乳制品广告。根据世界权威市场调查机构AC尼尔森监测的有关乳品企业投放广告的具体数据：2003年1~10月中国乳品企业在大陆总共投入广告费用为28亿元。其中：长富牛奶投入广告费达9200万元，占其销售收入的比例为30%；完达山投入的广告费为1.08亿元，占其销售收入的10%；娃哈哈投入广告费为2.41亿元，占其乳品销售收入的9%；蒙牛投入广告费3.74亿元，占其销售收入的8.9%；伊利投入广告费4.27亿元，占其销售收入的8.7%；光明投入的广告费为2.17亿元，占其销售收入的5.5%。一般来说产品销售量大的企业，广告投放绝对值也大，从中也可以看出广告的强大协调效应。

9.6　乳品企业间进入阻挠行为分析

9.6.1　投资于原奶生产辅助活动的专用性资产以控制奶源从而封阻进入和回避封阻

相对于城镇居民迅速增加的乳品需求，中国原奶供给一直是乳品产业发展的"瓶颈"，因为原奶供给的增长受到奶牛生长繁殖规律的制约，短期内很难适应市场需求的增加而大量增长；同时受自然规律约束，只有在北方奶牛带才能生产出优质低成本的原奶，而乳品消费主要集中于城市和经济发达地区。奶牛业的自然属性与乳品消费的市场特点之间的不一致性，导致控制奶源对乳品企业的市场竞争具有重大意义：只有控制充足的奶源才能进行大规模乳品生产，才能低成本地为市场提供大量的乳品以提高乳品企业市场地位，进而在乳品行业中扩张壮大，否则将无法成长为以大规模生产和销售为基础的现代化企业，最终必为市场竞争所淘汰。奶源的稀缺性和地理分布的不均衡性使得它成为封阻其他企业进入乳业的壁垒或限制现有企业扩张的壁垒，一批在市场竞争中脱颖而出的企业都纷纷抢占奶源，使得奶源大战有愈演愈烈之势。由于中国农村实行家庭联产承包责任制，土地不能自由流转，乳品企业无法完全后向一体化原奶生产，也没有足够资本去后向一体化，因此在奶源大战中各企业理性地选择了投资于需要专用性资产的辅助性活动，通过这些活动可以锁定原奶生产者，使他们无法选择其他的乳品加工企业作为原奶的交易对象，而辅助活动的资产专用性和显著的规模经济性使得一个地方难以容纳两个企业从事同样的投资活动。因此，通过投资原奶生产的辅助活动可以达到封阻进入和回避封阻的目的。

9.6.2　并购重组扩大市场份额，构筑规模经济壁垒

新企业在某一产业未取得一定的市场份额之前，由于不能充分享受规模的经济性，相对于产业内已有的企业，其生产成本必然较高，这就构成了市场进入的规模经济壁垒。根据 Stig 的生存技术原理可知，无论何种市场组织结构，那些在产业中能长期生存发展并且处于企业排序中前几位的企业必然获得该产业的规模经济。因此目前处于中国乳业前四位的企业都应该具备了规模经济。以 2006 年销售额来衡量，前四位乳品企业的产品销售收入为 484.83 亿元，占乳品加工企业销售总额 1041.42 亿元的 46.55%，平均规模是年销售额 121.21 亿元。新进入的企业必须年销售额达 100 亿元以上，市场份额达 10% 以上，才可以打破乳品市场的规模经济壁垒，而根据产业经济学的分类标准：前八位企业产品销售收入占

市场规模的比重在40% $<C_8<$ 70%间的产业属于高、中寡占型市场结构。从这一点来看中国乳业的规模经济壁垒是较高的。

9.6.3 乳品企业间进入阻挠行为分析的经济学分析

9.6.3.1 进入阻挠的斯坦克尔伯格模型分析

利用斯坦克尔伯格模型可以分析领导乳品企业利用先动优势阻挠其他企业进入乳制品市场的可能性。

假设乳品市场中有一个大型乳品企业1和一个潜在进入企业2。两企业进行一个两阶段的博弈。乳品企业1在第一阶段选择不可逆转的生产能力 Q_1 ，并且在第二期乳品企业1的产量等于 Q_1 。在第二阶段，乳品企业2在乳制品企业1的产量为 Q_1 的背景下，选择产量 Q_2 。 $Q_2>0$ 表示乳品企业2进入市场，进入时乳品企业2需要支付的进入成本为 f 。乳品企业2进入市场后和乳品企业1进行古诺博弈，且两个乳品企业的利润都在第二阶段实现。假设乳品市场的需求函数 $P=1-Q$ 。

根据逆向归纳法，在第二阶段，乳品企业2将乳品企业1的生产量 Q_1 看作给定的参数。如果乳品企业2进入市场，即 $Q_2>0$ ，则乳品企业2的利润 $II_2(Q_1,Q_2)=Q_2(1-Q_1-Q_2)-f$ 。乳品企业2的一阶条件可得

$$Q_2^*(Q_1)=(1-Q_1)/2 \tag{9-25}$$

$$II_2^*(Q_1,Q_2^*)=(Q_2^*)^2-f=(1-Q_1)^2/4-f \tag{9-26}$$

如果乳品企业2的固定成本 $f=0$ ，即乳品企业2没有进入成本。在此情况下，根据式（9-26）可知，不管乳品企业1在第一阶段如何选择生产量水平 Q_1 ，乳品企业2在第二阶段都会进入并获得非负的利润。将 $Q_2^*=(1-Q_1)/2$ 代入乳品企业1的利润函数可得

$$II_1(Q_1,Q_2^*(Q_1))=Q_1(1-Q_1-Q_2^*)=Q_1(1-Q_1)/2 \tag{9-27}$$

由一阶条件可得 $Q_1^*=1/2,Q_2^*=1/4,II_1^*=1/8,II_2^*=1/16$ ，这就是两个乳品企业进行斯坦克尔伯格博弈结果。

如果乳品企业2的固定成本 $f>0$ ，即乳品企业2的进入是有成本的。在此情况下，乳品企业1就可以通过事先选择生产量 Q_1 使得乳品企业2处于亏损状态，从而达到阻挠乳品企业2进入的目的。因此，乳品企业1阻挠乳品企业2进入市场的条件是

$$II_2^*(Q_1,Q_2^*)=(1-Q_1)^2/4-f<0 \text{ 或者 } Q_1>Q_1^b=1-2\sqrt{f} \tag{9-28}$$

如果乳品企业1在第一阶段选择阻挠产量 $Q_1=Q_1^b=1-2\sqrt{f}$ ，则可以获得阻挠利润 $II_1^b=Q_1^b(1-Q_1^b)=2\sqrt{f}(1-2\sqrt{f})$ 。所以阻挠利润函数是参数 $\sqrt{f}$ 的一

个一元二次函数，其曲线是开口向下的抛物线。随着 $\sqrt{f}$ 的变化，阻挠利润具有最大值 1/4。

如果乳品企业 1 在第一阶段选择斯坦克尔伯格领导者的产量 $Q_1^* = 1/2$，从而容纳乳品企业 2 的进入，他可获得斯坦克尔伯格领导者利润 $II_1^l = 1/8$。

由于乳品企业 1 是理性的，他会将上述两种情况进行对比，只有当阻挠利润大于容纳利润时，即 $II_1^b > II_1^l = 1/8$，他才会阻挠乳品企业 2 进入市场。令 $II_1^b = 2\sqrt{f}(1 - 2\sqrt{f}) = 1/8 = II_1^l$，则可以得到两个解

$$\sqrt{f_1} = (2 - \sqrt{2})/8, \quad \sqrt{f_2} = (2 + \sqrt{2})/8 \tag{9-29}$$

由此可知，乳品企业 1 对乳品企业 2 的阻挠行为可以分为以下三种情况。

1）如果乳品企业 2 的进入成本满足 $\sqrt{f} \in (0, \sqrt{f_1})$，则 $II_1^b < II_1^l = 1/8$，即乳品企业 1 的阻挠利润是小于容纳利润的，这种阻挠是非有效阻挠，乳品企业 1 会选择容纳乳品企业 2，即乳品企业 1 选择产量 $Q_1 = 1/2$，并获得斯坦克尔伯格领导者利润 1/8。

2）如果乳品企业 2 的进入成本满足 $\sqrt{f} \in (\sqrt{f_1}, 1/4)$，则 $II_1^b > II_1^l = 1/8$，即乳品企业 1 的阻挠利润是大于容纳利润的，这种阻挠是有效阻挠，乳品企业 1 会通过"过度"投资阻挠乳品企业 2 进入市场，并获得超过 1/8 的利润。

3）如果乳品企业 2 的进入成本满足 $\sqrt{f} > 1/4$，则 $II_2^*(Q_1, Q_2^*) = (1 - Q_1)^2/4 - f < 0$，即乳品企业 2 利润小于零，那么乳品企业 1 会选择 $Q_1 = 1/2$，封锁乳品企业 2 进入市场，同时可以获得垄断利润 1/4。

根据上述分析可知，随着乳品企业 2 的固定进入成本参数 f 的变化，乳品企业 1 对乳品企业 2 的进入会采取不同的态度。其中，当乳品企业 2 的固定进入成本 f 比较小的时候，乳品企业 1 会容纳乳品企业 2 的进入；当乳品企业 2 的固定进入成本比较大时，乳品企业 1 会阻挠乳品企业 2 的进入。在这两个阶段博弈中，两个乳品企业进行数量竞争，而数量竞争是战略替代的，乳品企业 1 为了让乳品企业 2 的利润降低，他就必须增大投资和产量。但是，如果乳品企业 2 没有进入成本，在数量竞争下他得到的利润总是正的，必然会进入市场。因此在逻辑上可以推理出，如果乳品企业 2 的进入成本比较低，乳品企业 1 必须投资很多才能使乳品企业 2 的利润降低到进入成本之下，从而阻挠其进入。

此外，随着乳品企业 2 的进入成本逐渐增加，即使乳品企业 1 不采取任何阻挠策略，乳品企业 2 的进入利润本身就会逐渐递减，因此当进入成本达到某一个临界值时，乳品企业 2 的利润会变为零，乳品企业 2 就会采取相应的策略（进入或不进入），因此实质上产业本身的进入成本就是一个重要的影响进入的因素，只不过乳品企业 1 是策略性地利用了此基本规律而已。所以我们可以发现在奶源进入成本比较高的情况下，大型乳品企业，尤其是奶源性大型乳品企业对市场资

源性乳品企业采取了进入阻挠的战略,这就是乳品产业的奶源大战现象的实质;相反,乳品市场的进入成本较低,所以各个城市性乳品企业对各奶源性乳品企业采取了市场容纳的策略。

9.6.3.2 提高竞争者成本的进入阻挠

进入壁垒可以产生于成本不对称,即进入者必须支付一些在位者不需支付的成本,往往表现为进入者必须支付一笔"进入费",或者进入者对在位者存在成本劣势。据此可以推测,现有乳品企业为阻挠其他企业进入乳品市场,就可能会通过投资以提高其他企业进入乳品市场的成本,或者提高其他企业进入乳品市场后的运营成本。假设其他企业进入乳品市场的成本是现有乳品企业投资 I 的函数,即 $c_e = f(I)$,且 $c'_e > 0$。如果新企业进入乳品市场,新企业就会在双寡头竞争的情况下获得毛利润 R^n,这个利润与两个乳品企业在第二阶段的竞争策略有关,而与新企业进入乳品市场的成本无关。新乳品企业是理性的,所以他进入乳品市场的必要条件是净利润 $II^n = R^n - f(I) > 0$。如果现有乳品企业想阻挠新企业进入乳品市场,则可以在第一阶段增加投资 I,从而增大 c_e,进而减小 II^n。直到存在某个 I^*,使得对于所得的 $I > I^*$、$II^n(I) < 0$,则新企业就会被阻挠在乳品市场外。

现有乳品企业提高进入者运营成本的重要策略就是抢占优质奶源基地。目前国内几大乳品企业基本上将北方奶牛带的优质的大规模的奶源地基地瓜分殆尽,而行业外的企业要想进入乳品产业就只能在那些地处偏远、零星分散且生产条件较差的奶源地建立自己的原料基地。这无疑较大幅度递增加了行业外企业进入乳品行业的经营成本,从而在竞争上处于劣势地位,再加上终端市场上的价格战,使得行业外的许多企业不敢轻易进入乳品行业,即使已经进入的企业也不能扩大规模,如近几年纷纷从中国乳品行业退出去的国际乳品企业,就是因为无法突破国内几家大型乳品企业的奶源壁垒而被迫退出的。这充分显示了通过垄断优质资源而提高进入者经营成本的威力。同时,现有乳品企业还可通过提高原料奶的收购价格而构建进入壁垒。尽管由此支付的原料奶的成本增加了,但通过阻挠其他企业的进入,现有乳品企业可以获得垄断利润。

对于上述阻挠行为可以进行简单的模型分析。假设乳品行业的现有企业通过控制奶源基地而操纵原料奶的价格 ω。由于原料奶的价格 ω 计入乳品企业的生产成本,故 ω 越大,乳品企业的利润越低。假设现有乳品企业和新进入的乳品企业的利润分别为 $\pi_i(\omega)$ 和 $\pi_e(\omega)$,其中下标 i 表示现有乳品企业,下标 e 表示新进入的乳品企业。令 $\pi_e(\omega^*) = 0$,则可确定新进入的乳品企业对原料奶的最高支付价格 ω^*。假设新乳品企业进入后,各乳品企业之间不进行完全的合谋,则乳品行业利润会下降

$$\pi_i(\omega^*) + \pi_e(\omega^*) = \pi_i(\omega^*) < \pi_i(\omega^* + \varepsilon) \qquad (9\text{-}30)$$

其中，ε 为正的小量。式（9-30）中的不等式意味着现有乳品企业的利润函数在 ω^* 有一个跳跃，现有乳品企业的原料奶支付价格只要稍稍高于 ω^*，就可将其他企业阻挠在乳品行业外，因为 $\pi_e(\omega^* + \varepsilon) < 0$。由此可见，只要乳品行业现有利润超过新的竞争者进入市场后的行业利润，现有乳品企业的最佳选择是出价稍高于 ω^*，垄断稀缺原料奶，阻挠新企业的进入。

9.7 乳品企业差异化行为分析

乳品企业差异化是决定乳品市场结构从而决定乳品产业竞争状况与发展的一个重要因素。乳品企业的差异化主要是由乳品本身的物理特征（质量、包装、口感、营养）、消费者的主观印象（产品和企业形象）、乳品销售的渠道与终端和乳品的销售服务等差异形成的，合理的差异化可以避免乳品产业内过激价格战，保证产业内有足够的利润空间来支持产业发展，使乳品产业不断更新技术、研发新产品以满足消费者不断变化的需求。目前中国乳品企业的差异化程度在各个方面各不相同，对乳品产业发展的影响也各有利弊。

9.7.1 不同规模企业的乳品差异化

不同规模企业的产品物理特性差别较大，同一规模组别企业产品差别较小，价格竞争激烈。目前不同规模企业的乳品在物理特性上有着明显的差别，如在质量检测中大型企业的产品几乎 100% 的合格，而中小企业的质量问题却频频曝光。另外，中小企业的液体奶主要为塑料袋包装的巴氏杀菌奶，但大企业则以屋型纸盒包装的超高温灭菌奶为主，且各种果味奶层出不穷。但在相同规模的企业组内，乳品物理特征差别化却并不明显。以大型乳品企业生产的纯牛奶为例，光明通过各种宣传媒介突出自己纯牛奶的高科技形象，伊利力图树立自己纯牛奶的优质奶源形象，蒙牛则以醇香来标榜自己的纯牛奶，但因为三家企业的生产工艺与设备均是直接引进的国外最先进产品，所以其产品在质量、口感上没有让消费者感受到明显的差别。

9.7.2 消费者认知上的差异化

在消费者的主观印象上，各大乳品企业通过宣传、广告等促销活动使自己的品牌形象同中小企业的品牌区别开来，从一定程度上避免了中小乳品企业用质次价低乳品充斥市场给大企业造成的负面影响，并且由于长期的品牌形象投资使得消费者从心理上对大企业产品产生偏爱和较高的评价，培养了消费者对大企业品牌的忠诚度，从而使大企业的乳品品牌具有一定的"防御力"。如奶粉消费，固定1~3个名优品牌消费的消费者比例，北京为75.7%、上海为83.2%、广州为76%、重庆为81.1%、武汉为80.6%、西安为83.2%（周俊玲，2001）。其他乳品的消费者也都有认品牌消费的习惯。其主要原因就是这些企业通过强大的宣传活动使自己的液体奶品牌深深地印入当地消费者心目中，从而与其他企业的产品区别开来。另据上海铭泰乳业咨询公司2002年对浙江乳品市场上主要企业的销售额与形象力的调查研究表明：企业品牌形象力和销售额之间呈一条直线关系，二者之间的相关系数 $R = 0.84$，说明企业品牌形象在消费者心目中的地位越高，消费者越认可该企业的产品。具体关系见图9-4。

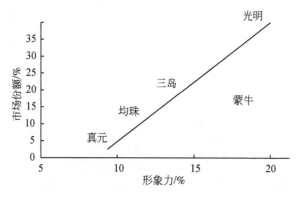

计算公式：$Y = -25.69 + 2.7993x$；$R = 0.8373$；$F = 11.73$

图9-4　销售额与品牌形象之间的关系

资料来源：http://www.Milkmkt.com

9.7.3　销售渠道上的差异化

目前在同一类型的企业之间销售渠道与终端促销高度同质化，竞争十分激烈，但不同类型的企业有各自不同的主导产品，相应地采用不同的销售渠道。以大卖场和社区直销渠道为例。在大卖场（商超）内几乎所有驻进去的企业都使用导购、免费品尝、买赠、生动化陈列、堆头和广场活动等终端拦截手段，使得消费者无法判断谁的产品更好，结果是企业一做促销活动则销售马上上升，一旦停止促销则销量马上减少，最后各大企业被迫采取最直接的竞争手段——降价，使得同一类型的产品间价格战愈演愈烈；在社区直销渠道中，几乎所有的鲜奶生产企业都提供了以下服务：①根据顾客需要量定制送货时间；②顾客可以随时订购，并且中途可以增减数量、更换品种等；③由送货员按时上门向顾客收取货款，并且同时开具公司统一发票；④开通24小时订购、咨询、投诉服务热线，

24 小时内处理完顾客的质量投诉，并且做好处理结果的记录。同时在渠道结构上十分雷同：大都采用在区域市场内实行密集分销，将目标区域市场分成若干块，每个块设一个网点。因此在这些向社区消费者提供鲜奶的中小企业间竞争也是十分激烈。但是从中国乳品产业的整体角度看，不同类型的企业有各自的不同主导产品，相应地采用不同的销售渠道。第一类是全国型大企业生产的无需冷链设备的常温液态奶和奶粉，这些企业的产品主要通过大卖场（商超）渠道来销售；第二类是地方型龙头企业生产的保鲜液体奶，主要通过社区型直销渠道来销售；第三类是部分中小乳品企业生产的优质高档纯牛奶，主要通过各大酒店等餐饮市场来销售；第四类为中小企业生产的低档保鲜牛奶，主要通过路边街道的摊点来销售。

第 10 章
中国乳品市场绩效

本章在明确界定市场绩效和对比介绍各种绩效测度方法的基础上，分析了乳品产业的资源利用效率和规模结构效率，数据表明乳品产业的这两个效率较好；分析了产权结构对乳品市场绩效的影响，显示出股份制乳品企业和三资乳品企业的百元创利税额较其他企业要高；采用柯布－道格拉斯（Cobb-Douglas）生产函数模型和索洛增长速度方程式测算了科技进步对乳品产业绩效的影响，发现1994~2007 年劳动力对经济增长的贡献率为 39.17%，固定资本对经济增长的贡献率为 39.44%，科技进步对经济增长的贡献率为 21.39%，表明中国乳品业生产是在增加要素投入量的基础上同时依靠科技进步促进产业快速增长的。

10.1　市场绩效的界定与度量

10.1.1　市场绩效的定义

市场绩效是指在一定的市场结构中，由一定的市场行为所形成的价格、产量、成本、利润、产品质量和品种及技术进步等方面的最终经济成果。市场绩效反映了在特定的市场结构和市场行为条件下市场运行的效果。

10.1.2　市场绩效的度量

市场绩效的度量指标通常采用收益率、价格成本加成即勒纳指数和贝恩指数以及托宾 q 值三个基本指标。

10.1.2.1　收益率

收益率是指单位货币投资所赚取的利润，是经济利润的一种衡量方法。由于经济利润等于收益与经济成本（即资产的会计成本及机会成本之和）之差，从长期角度看，经济利润无疑是市场力量的一个直观的度量指标。但是，经济利润这个指标本身是不精确的，因为厂商即使有足够的市场势力，也未必能赚取利润。所以,一般采用投资回报率又称收益率 (rate of return on investment) 来替代经济利润。投资回报率包括资产回报率 (rate of return on assets) 与 (股权) 投资回报率 (rate of return on shareholder's equity)。一般的,收益率由下式计算:

收益率 = (收入−劳动力成本−原材料成本−折旧率×资本价格×资本量) ÷资本价格×资本量

其中,资本价格即资本的租金率。但是,正如 Fisher 和 McGowan (1983) 所归纳的,正确计算收益率存在一些困难,主要表现在 8 个方面:①由于通常使用会计定义而非经济定义,因此资本的正确估计往往被忽略;②折旧通常没有被适当衡量;③关于广告及研发的估价问题;④通货膨胀率的存在使得名义收益率与真实收益率存在较大差异;⑤所计划的收益率可能不恰当地包括了垄断利润;⑥忽略税收影响,计算的是税前收益率而非税后收益率;⑦缺乏对收益率进行恰当的风险调整;⑧一些收益率没有恰当地考虑负债。

10.1.2.2　勒纳指数和贝恩指数

勒纳指数度量的是价格与边际成本的偏离率。其计算公式为

$$L = (P - MC) / P$$

式中,L 为勒纳指数;P 为价格;MC 为边际成本。

勒纳指数的数值在 0 和 1 之间变动。在完全竞争条件下,价格等于边际成本,勒纳指数等于 0;在垄断情况下,勒纳指数会大一些,但不会超过 1。从直接的角度观察,勒纳指数越大,市场的竞争程度就越低。必须了解的是,勒纳指数本身反映的是当市场存在支配能力时价格与边际成本的偏离程度,但是却无法反映企业为了谋取或巩固垄断地位而采取的限制性定价和掠夺性定价行为 (在这两种情况中,勒纳指数接近 0,但是却不表明该市场是竞争性的)。此外,在实施计算过程中,由于边际成本的数据很难获得,常常要使用平均成本代替边际成本,从而可能有使结论失真。

贝恩指数是著名的产业组织学学者贝恩提出的一个指标。他把利润分为会计利润和经济利润两种,它们的计算公式分别是

$$\pi_a = (R - C - D)$$
$$\pi_e = \pi_a - iV$$

式中,π_a 为会计利润;R 为总收益;C 为当期总成本;D 为折旧;π_e 为经济利润;i 为正常投资收益率;V 为投资总额。

于是贝恩指数为

$$B = \pi_e / V$$

实际上,贝恩指数代表的是行业的超额利润率。它的理论依据是,市场中如果持续存在超额利润 (或者说经济利润),那么一般情况下就表明该市场上存在

中国乳品产业发展研究

垄断势力，且超额利润越高，垄断力量越强。

与勒纳指数相比，贝恩指数所要求的基础数据相对比较容易取得，产生系统偏差的可能性就减少了。但是，这两个指标与利润率指标一样，都建立在不完全的理论假定基础上，因为企业或行业所获得的高利润并不必定是通过垄断力量实现的，而确实存在垄断力量的市场的这些指标也不一定就表现得更高，因为垄断企业往往会出于驱逐竞争对手和阻止新竞争者进入的目的而制定低价格，使行业市场显得无利可图。

10. 1. 2. 3　托宾 q 值

托宾 q 值是采用公司的市场价值来度量其经济利润，托宾 q 值等于公司的市场价值（market value）与资产重置成本（replacement cost of assets）的比率（Tobin，1969）。公司的市场价值通过其已公开发行并售出的股票和债务来衡量。进一步，公司市场价值等于其所有流通股的总价值与负债之差。托宾 q 值大于 1 意味着它获得超额利润。托宾 q 值越大，说明公司的经济利润越大。

托宾 q 值作为业绩衡量方法虽然没有收益率与价格 – 成本加成用得多，但它避免了估计收益率或边际成本的困难，因此具有广泛的应用前景。但是，为使托宾 q 值具有意义，需要精确估计厂商的市场价值与重置成本。

如果能够正确计算托宾 q 值，便可以确定垄断厂商超额索价的程度。实际上，这只要计算使得托宾 q 值等于 1 需要降低多少收益。例如，假设托宾 q 值 =2，记垄断厂商的年收益率为 r_m，竞争性厂商的年收益率为 r_c，则托宾 q 值 = $\frac{r_m}{r_c}$ = 2，说明在厂商索取竞争性价格前其收益必须降低一半。

10. 1. 3　市场绩效的综合评价

从另外一个角度看，市场绩效也表示最终实现经济活动目标的程度。因此，绩效的衡量同经济活动的目标密不可分。在产业组织学中，市场绩效主要是指向的经济活动目标，并且不是企业层次上的，而是产业和整个国民经济层次上的。从经济学的角度看，社会福利是最主要、也是最具综合性的目标，它包括了社会经济活动的效率、公平、稳定和进步等多层次、多方位的内容，这就决定了对市场绩效的评价必然是多层次、多方位的。因此可以从产业的资源配置效率、产业的规模结构效率、产业技术进步状况等若干方面直接或间接地对市场绩效进行综合评价。

10.2 中国乳品市场绩效分析

10.2.1 乳品产业的资源利用效率

由图 10-1、图 10-2 可以看出，从 2004 年以来，亏损乳品企业数目在全部乳品企业中的比例由 36% 下降到 2007 年的 26.55%，盈利乳品企业数目所占的比重逐步上升，同时在最近几年产品销售率都维持在 96% 以上。2001 年乳品产业

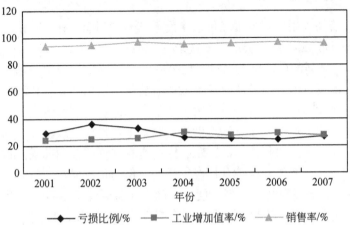

图 10-1　2001～2007 年乳品产业基本绩效状况之一

资料来源：根据《中国食品工业年鉴》（2002～2008）整理而得

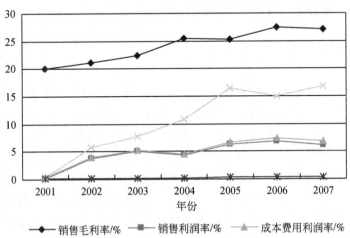

图 10-2　2001～2007 年乳品产业的基本绩效状况之二

资料来源：根据《中国食品工业年鉴》（2002～2008）整理而得

利润额从为 31.97 亿元，到 2007 年则达到 77.96 亿元，增加了近两倍多。近几年乳品产业的销售毛利率都维持在 26% 上下，相比其他食品制造业而言盈利水平是较高的。乳品产业的全员劳动生产率逐年递增，2007 年全员劳动生产率达到 8.97 万元/（人·年），在同期食品制造业的全员劳动生产率中属于较高水平。虽然每年有 26% 左右的企业面临亏损甚至部分企业因此退出乳品产业，然而乳品制造行业较高的平均利润率及市场需求快速增长的前景，导致了每年仍会有大量的乳品企业突破较低的进入壁垒而进入该行业。乳品制造行业在全部工业中产值所占比重由 2001 年的 0.17% 增加到了 2007 年的 0.38%。以上数据表明乳品产业的资源利用效率较好。

10.2.2　乳品产业的规模结构效率

乳品产业的规模结构效率是从乳品产业内规模经济效益的角度来考察乳业资源的利用效率的，可以用处于规模经济范围内的企业的产量占整个乳品产业产量的比例来表示。由图 10-3 可以看到，我国十大乳品企业的液体乳、乳粉和原奶

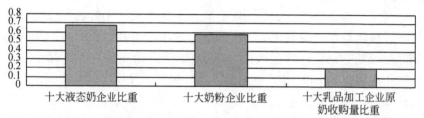

图 10-3　2007 年十大乳品企业液态奶、奶粉以及原奶收购量占全国总量的比重%
资料来源：根据《中国奶业年鉴》（2008）整理而得

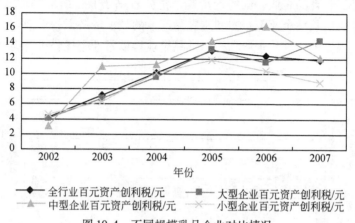

图 10-4　不同规模乳品企业对比情况

注：表中所列是指全部国有和年销售收入 500 万元以上的非国有企业的统计数据。

资料来源：根据《中国奶业年鉴》（2008）整理而得

的收购量占全国总量的比重为 67%、58% 和 20%，表明十大乳品企业利用 20% 的原奶创造了较高比例的市场价值，在一定程度上说明乳品制造行业的规模结构效率比较好。

由图 10-4 可以看出，比较不同规模乳品企业的百元创利税额可以反映乳品产业的规模结构效率。2002～2007 年的 6 年间，全产业企业的百元创利税额增长了 179%，大型乳品企业百元创利税额增长了 255%，中型乳品企业增长了 281%，小型乳品企业增长了 89%。从中可以看出大型乳品企业和中型乳品企业相对于小型乳品企业表现出了规模经济性，但是大型乳品企业和中型乳品企业之间的规模效率差异并不明显。

10.2.3 产权结构对市场绩效的影响

从图 10-5、图 10-6 中可以看到，如果用百元创利税来表示效率指标，2002～2007 年股份制乳品企业和三资乳品企业百元创利税高于全行业平均值；同时集体乳品企业虽然资产规模和劳动力规模呈现不规则的下降趋势，但是其百元资产创利税却高于国有企业的，表明同国有乳品企业相比，集体乳品企业的劳动生产率较高。可能是由于国有企业的所有制形式决定了其经营行为的多目标性导致其相对较低的劳动生产率。因此，从 2002 年开始我国国有乳品企业占全行业比例逐年递减，到 2007 年已经降到了 10.44%，显示出国有产权的比例伴随着乳品行业市场绩效的提高而逐步减少的趋势。但是从平均资产规模看，2002～2007 年除了集体乳品企业和私营乳品企业以外，全行业平均资产规模、国营乳品企业资产规模、股份制乳品企业和三资乳品企业的资产规模都有不同程度的增加，尤其是三资乳品企业，同期资产规模都要远高于其他所有制形式乳品企业，表明各种性质的乳品企业都企图利用乳品产业的规模经济以提升效率。但是由于融资渠道有限，集体乳品企业和私营乳品企业难以靠效率优势进行有效融资以扩张规模。

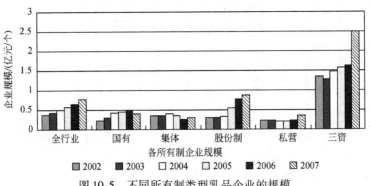

图 10-5 不同所有制类型乳品企业的规模

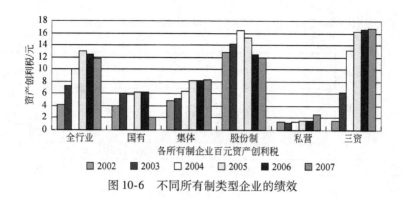

图 10-6　不同所有制类型企业的绩效

10.2.4　科技进步对乳品产业绩效的影响

10.2.4.1　科技进步对乳品产业绩效影响的计算方法

可以采用柯布－道格拉斯生产函数模型和索洛增长速度方程式测算科技进步对乳品产业绩效的影响。柯布－道格拉斯生产函数的基本形式

$$Y = AL^{\alpha}K^{\beta}$$

式中，Y、L、K 分别表示产量、劳动量与资本量；α、β 分别为劳动、资本的产出弹性系数；A 为科技因子。

索洛增长速度方程式为

$$Y = A(t)L^{\alpha}K^{\beta}$$

式中，$A = A_0e^{\delta t}$，A_0 为常数因子；δ 为科技进步速率。将上式两边同取自然对数得

$$\ln Y = \ln A_0 + \delta t + \alpha \ln L + \beta \ln K$$

进一步两边同时对时间 t 求导得

$$\frac{dY}{Y} = \delta + \alpha \frac{dL}{L} + \beta \frac{dK}{K}$$

所以技术进步率为 $\delta = \frac{dY}{Y} - \alpha \frac{dL}{L} - \beta \frac{dK}{K}$

即技术进步率等于产出增长率减去资金和劳动对产出增长的贡献率。

因此，技术进步对产值增长速度的贡献率 E_A，可以用下式计算出来：

$$E_A = \delta \times \frac{Y}{dY} \times 100\%$$

10.2.4.2　科技进步对乳品产业绩效影响的计算

（1）数据来源和样本选择

测算所用的数据主要来源于《中国食品工业年鉴》和《中国奶业年鉴》。选

择样本年限为 1994～2007 年。具体数据见图 10-7 和图 10-8。

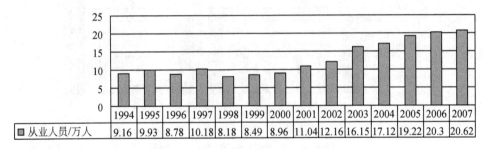

	1994	1995	1996	1997	1998	1999	2000	2001	2002	2003	2004	2005	2006	2007
■ 从业人员/万人	9.16	9.93	8.78	10.18	8.18	8.49	8.96	11.04	12.16	16.15	17.12	19.22	20.3	20.62

图 10-7 1994～2007 年我国乳品加工业从业人员数量

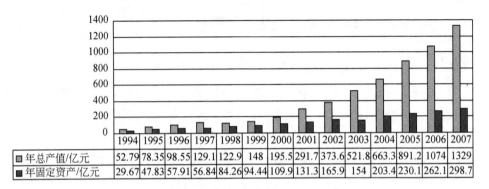

	1994	1995	1996	1997	1998	1999	2000	2001	2002	2003	2004	2005	2006	2007
■ 年总产值/亿元	52.79	78.35	98.55	129.1	122.9	148	195.5	291.7	373.6	521.8	663.3	891.2	1074	1329
■ 年固定资产/亿元	29.67	47.83	57.91	56.84	84.26	94.44	109.9	131.3	165.9	154	203.4	230.1	262.1	298.7

图 10-8 1994～2007 年我国乳品产业年总产值和固定资产

资料来源：根据《中国食品工业年鉴》（2008）和《中国奶业年鉴》（2008）整理而得

表 10-1 1994～2007 年我国乳品加工业总产值、从业人员数量和固定资产总额的改变量

项 目	年总产值/亿元	从业人员/万人	年固定资产/亿元
平均值	$\overline{Y} = 389.15$	$\overline{L} = 11.51$	$\overline{K} = 128.22$
平均变化量	$\Delta \overline{Y} = 37.27$	$\Delta \overline{L} = 1.37$	$\Delta \overline{K} = 9.38$
平均变化速度	$\dfrac{\Delta \overline{Y}}{\overline{Y}} = 0.096$	$\dfrac{\Delta L}{L} = 0.119$	$\dfrac{\Delta \overline{K}}{\overline{K}} = 0.0731$

（2）生产函数的计算

利用图 10-7、图 10-8 和表 10-1 的数据，使用 SPSS 对模型进行计算，得

$$\ln Y = -0.668 + 0.316\ln L + 0.518\ln K + 0.0205t$$

对上式进行检验，则 $F = 30.66$，$F_{0.05}（3，10）= 3.71$。

生产函数估计十分显著。从上式可知：$\alpha = 0.316$，$\beta = 0.518$，$\delta = 0.0205$。

（3）科技进步和要素投入对乳业产出增长贡献率的测算

利用上式的估计结果及表 10-1 中的数据，可测算出 1994～2007 年中国乳业科技进步贡献率及各投入要素对产出增长的贡献率，具体测算结果如下：

1）模型形式：$\ln Y = -0.668 + 1.316\ln L + 0.518\ln K + 0.136t$

2）劳动力贡献率：$E_L = \alpha \times \dfrac{dL/L}{dY/Y} \times 100\% = 39.17\%$

3）固定资本贡献率：$E_K = \beta \times \dfrac{dK/K}{dY/Y} \times 100\% = 39.44\%$

4）科技进步贡献率：$E_A = \delta \times \dfrac{Y}{dY} \times 100\% = 21.39\%$

从上测算结果可知，1994～2007 年劳动力对经济增长的贡献率为 39.17%，这与上表数据中劳动力投入量的变化趋势一致。固定资本对经济增长的贡献率为 39.44%。科技进步对经济增长的贡献率为 21.39%，表明中国乳品业生产是在增加要素投入量的基础上同时依靠科技进步促进产业快速增长的。

第 11 章
中国乳品产业组织关系

本章在乳品企业虚拟动态的古诺博弈分析的基础上,进行乳品产业集中度与利润率关系的数理分析,并进一步提出了二者关系假设;在分别对乳品产业集中度和乳品产业盈利能力进行时间序列整理的基础上,利用灰色系统理论的关联度分析方法对乳品产业集中度——利润关系进行了实证研究,发现乳品产业集中度与乳品市场利润率之间成正相关关系;揭示了乳品企业间"价格战"和数量竞争行为如何引发周期性"倒奶"事件和"三聚氰胺"事件的内在关系,认为"看不见的手"的"经济人"决策机制、中国的土地制度、原奶质量监管漏洞及上下游生产技术特性差异综合解释了"三聚氰胺"事件与周期性"倒奶"事件的根本原因;分析了乳品企业的阻挠行为,认为大型乳品企业实施的奶源控制阻挠行为使奶农处于受"要挟"境地,成为"三聚氰胺"事件直接诱因;讨论了研发行为和差异化行为对乳品市场绩效的影响,认为目前中国乳品产业研发投资不足和差异化不显著,主要进行概念炒作以吸引消费者的购买。

11.1 乳品产业集中度与利润率关系的数理分析

11.1.1 乳品企业虚拟动态的古诺博弈分析

假设每个乳品企业在选择自己的乳品产量时会猜想对手将作出何种反应。为了在一个静态同质产品古诺模型中考察此问题,可以借鉴布里提出的猜想变差方法。在乳品企业间古诺博弈下,将猜想变差定义为:如果某乳品企业改变乳制品产量,其竞争乳品企业也作出相应的乳品产量变化。一般情况下,假设市场中有 n 个乳品企业进行古诺博弈,则乳品企业 i 的猜想 $\partial Q / \partial q_i = 1 + v_i$,其中 $v_i \equiv [\partial Q_{-i} / \partial q_i]^e$ 为乳品企业 i 对所有其他乳品企业的反应的预期,则

$$Q_{-i} = \sum_{j=1, j \neq i}^{N} q_j$$

假设乳品市场需求曲线为 $p = p(Q)$,而乳品企业 i 的边际成本为 c_i,则乳品企业 i 的利润为 $\pi_i = (p(Q) - c_i)q_i$。由一阶条件可得

$$p'(Q)(1+v)q_i + p(Q) - c_i = 0$$

或者
$$L_i = \frac{p(Q) - c_i}{p(Q)} = \frac{S_i(1+v_i)}{\varepsilon}$$

式中，$\varepsilon = -\frac{p}{Q}\frac{\mathrm{d}Q}{\mathrm{d}p} = -\frac{p}{Qp'}$ 为乳品市场的需求弹性；$s_i = \frac{q_i}{Q}$ 为乳品企业 i 的市场份额，而 L_i 则被称为乳品企业 i 的勒纳指数。

1）如果 $v_i = 0$，猜想变差结果即为乳品企业古诺博弈一阶条件的弹性表达式。

2）如果 v_i 很大，乳品企业 i 认为如果他提高产量，其他乳品企业会对此做出激烈的反应。从而他避免提高乳品产量，最终导致比较低的产量和比较高的市场价格。

3）如果所有乳品企业是对称的，则 $v_i = N - 1, s_i = 1/N$，进而得到 $(p - c)/p = 1/\varepsilon$。这个结果恰好是垄断乳品企业的加成定价规则。在这种情况下，某个乳品企业增加产量后，其他的每个乳品企业也将增加相同幅度，从而他并不能提高自己的市场份额，依然获得市场总利润的 $1/N$。由此，每个乳品企业都选择垄断产量的 $1/N$ 以极大化市场总利润。

4）如果 $v_i = -1$，乳品企业 i 将认为 $\partial Q/\partial q_i = 1 + v_i = 0$，从而乳品市场总产量，进而乳品市场价格不随自己的产量变化，由此将得到完全竞争结果。由此可见，对应于不同的猜想变差 v，上式可得到不同的市场结果。

11.1.2 乳品产业集中度与利润率关系假设

通过猜想变差方法可以推论乳品产业集中度与利润率之间的关系。为简单起见，假设 $v_i = v$。乳品市场利润率可用价格对成本的加成，即勒纳指数来度量。假设乳品市场中共有 N 个乳品企业，则根据上面所定义的企业勒纳指数，可以定义乳品市场的加权平均勒纳指数为

$$\bar{L} = \sum_{i=1}^{N} \omega_i L_i = \sum_{i=1}^{N} \omega_i \frac{s_i(1+v)}{\varepsilon}$$

式中，ω_i 为加权的权重。按乳品企业的市场份额对所有的乳品企业进行编号和排序，使得 $s_1 \geqslant s_2 \geqslant \cdots s_n \geqslant$。如果对 ω_i 赋以不同的值，则可以得到如乳品产业利润率（平均勒纳指数）和各种集中度指标之间的关系。

1）如果 $i \leqslant k$，$\omega_i = 1$；如果 $i > k$，$\omega_i = 0$，则平均勒纳指数变为

$$\bar{L} = \sum_{i=1}^{N} \omega_i L_i = c_k(1+v)/\varepsilon$$

式中，$c_k = \sum_{i=1}^{k} s_i$ 为前 K 个乳品企业集中度指数。特别地，如果 $k = N$，则由其可

以得到乳品产业的平均价格加成 $(p - \bar{c})/p = (1 + v)N/\varepsilon$，其中 $\bar{c} = \sum_{i=1}^{N} c_i/N$ 为乳品产业的平均成本。

2）如果 $\omega_i = s_i$，则乳品产业的平均勒纳指勒纳指数变为

$$\bar{L} = \sum_i \omega_i L_i = c_H (1 + v)/\varepsilon$$

式中，$c_H = \sum_{i=1}^{n} s_i^2$ 为乳品产业的荷芬达尔 – 赫希曼指数。

3）如果 $\omega_i = \log s_i$，则乳品产业的平均勒纳指数变为

$$\bar{L} = \sum_i \omega_i L_i = c_E (1 + v)/\varepsilon$$

式中，$c_E = \sum_{i=1}^{n} s_i \log s_i$ 为乳品产业的熵指数。

由以上三个关系式可以看出乳品产业的市场集中度与利润率之间存在正方向关系，而市场集中度是度量市场结构的指标，因此这一集中度与利润关系可以看成是乳品市场结构决定乳品企业行为，进而决定乳品产业绩效这一理论假设的数理推论。

11.2 乳品产业集中度与利润关系实证分析

11.2.1 乳品产业集中度变化趋势

根据产业组织理论，市场集中度 CR_n 反映某一市场卖者或买者的规模结构，它是度量一个行业的市场结构的常用指标，表示产业内最大前 n 家厂商的市场集中程度。n 通常为 4 或 8。CR_4 表示行业最大 4 家厂商的集中程度，CR_8 表示最大 8 家厂商的集中程度。该指标介于 0 与 1 之间，数值越大，表示产业越接近垄断市场，数值越小，表示产业越接近完全竞争市场。

选取中国乳品企业的销售额作为绝对集中度的评价指标，发现 CR_4 与 CR_8 呈现出如图 11-1 所示的变化趋势。

由图 11-1 可知，从 1999 年以来我国乳品产业的市场集中度在不断提高，根据 Brain 的划分标准，我国乳品市场已经由原子型进入到了集中寡占型的市场。特别是从 2000 年开始，市场集中度 CR_8 持续大幅度提高。其主要原因有两个：①随着外资以各种形式的进入，在很大的程度上导致了我国乳品产业竞争的加剧，优胜劣汰从而导致我国乳品产业集中度提高；②我国国内的乳品企业进行大规模横向兼并也进一步引起了我国乳品产业集中度的进一步提高。

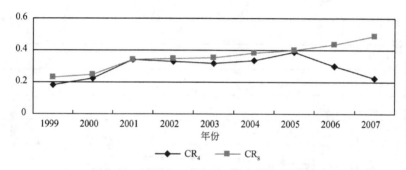

图 11-1　1999～2007 年乳品企业市场集中度

资料来源：根据《中国奶业年鉴》（2000～2008）和《中国轻工业年鉴》（2000～2008）整理而得

11.2.2　乳品产业盈利变化趋势

20 世纪 90 年代后期以来，我国乳品制造业进入了快速发展时期。图 11-2 显示 1999～2007 年我国乳品制造业的产品销售利润率稳步增长。

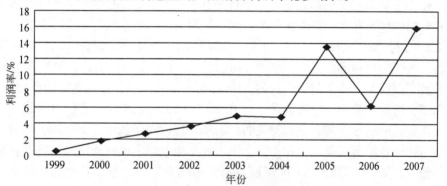

图 11-2　1999～2007 年我国乳品企业经营绩效与利润率

数据来源：根据历年《中国食品工业年鉴》统计而得

11.2.3　乳品产业集中度与利润关系实证分析

由产业组织理论分析可以推论乳品产业的市场集中度与利润率之间存在正方向关系，而市场集中度是度量市场结构的指标，因此这一集中度与利润关系可以看成是乳制品市场结构决定乳品企业行为，进而决定乳品产业绩效这一理论假设的数理推论。

图 11-3 中▲为用 1999～2007 年乳品市场份额最大的前 8 家企业的销售额计算的市场集中度，━■━为用 1999～2007 年前 4 家的销售额计算的市场集中度，蓝色为 1999～2007 年整个乳品产业的销售利润率，代表整个行业的绩效。从图中

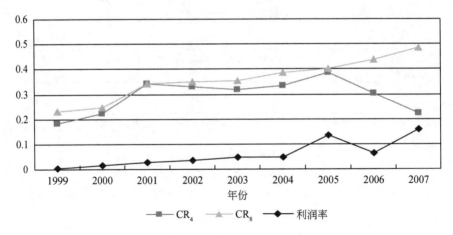

图 11-3　1999~2007 年乳品企业市场集中度与利润率

数据来源：根据历年《中国食品工业年鉴》统计而得

可以直观地发现乳品产业市场集中度与利润率之间是同方向变化的；进一步计算 CR_4 和 CR_8 与利润率的相关系数，分别为 0.89 和 0.90，表明乳品产业市场集中度和利润率之间存在较强的正相关，其中从图上显示出来的关系有一个特点，就是 CR_4 与利润率之间的关系在 2002~2004 年两个年度先为同向变动，后为反向变动；而 CR_8 与利润率之间的关系在此时间段先为反向变动，后为同向变动关系。其原因就是，排在前四位后的几个大型乳品企业为了获得更大的市场份额，采取了价格竞争策略，导致乳品产业在 2005~2006 年度发生了价格大战，结果前四位企业的份额下降，整个行业的利润率降低，而经过此轮价格战的刺激，整个前八位企业的市场份额却在上升。由于乳品企业都意识到价格战对彼此盈利能力的伤害，随后的 2006~2007 年度价格竞争相对平缓，整个行业的利润率又开始上升。所以，上述的集中度与利润率的变化关系较好地证实了乳业市场结构、企业行为与绩效之间的内在关系。

为了准确比较集中度与利润率之间的相关关系的强弱，利用灰色系统理论的关联度方法对中国乳品产业集中度与产业绩效之间关系进行多维度的时间序列动态分析。

第一步，对 CR_4、CR_8 和利润率进行归一化处理以消除量纲得到如表 11-1 所示。

表 11-1　CR_4、CR_8 与利润率的归一化处理

年份 项目	1999	2000	2001	2002	2003	2004	2005	2006	2007
CR_4	0.1813	0.2244	0.3415	0.3306	0.3188	0.3336	0.3873	0.3019	0.2209
CR_8	0.2294	0.2450	0.3431	0.3478	0.3550	0.3848	0.4023	0.4373	0.4860
利润率	1	3.52	5.4	7.2	9.8	9.6	27.2	12.4	31.8

第二步，计算关联系数 $\varepsilon_{0i}(k) = \dfrac{\Delta\min + \rho\Delta\max}{|x_0(k) - x_i(k)|} + \rho\Delta\max$（表 11-2）。

表 11-2 ε_{01}（k）与 ε_{02}（k）值

$\varepsilon_{01}(k)$	0.997	0.867	0.794	0.730	0.655	0.660	0.388	0.593	0.349
$\varepsilon_{02}(k)$	1.000	0.868	0.794	0.731	0.656	0.662	0.388	0.596	0.351

第三步，计算关联系数得：$\gamma_{01} = 0.670$，$\gamma_{02} = 0.673$。

根据上述两个相关系数可知，集中度 CR_8 与利润率之间的相关关系比 CR_4 与利润率之间的相关关系略强，这一结论也进一步证实了集中度与利润率之间的正相关关系。

11.3 乳制品企业行为与绩效

11.3.1 乳品企业间"价格战"与市场绩效关系分析

11.3.1.1 乳品企业间"价格战"的表现

价格是企业在产品市场上竞争的重要手段，在产品同质性较强的乳品市场上，价格竞争更加激烈。乳品价格战主要有两种表现形式：一是直接降价，二是"买赠"。随着乳品行业的竞争加剧，乳品价格战也不断升级且影响范围不断扩大。以 2004 年 6~8 月的价格战为例，成都、沈阳、长春、昆明、哈尔滨、重庆等地的牛奶价格相继大幅度下滑，最高降幅达 50%（郝亚辉，2004a）。虽然乳品价格已基本趋于成本，但各大商家仍举办"买赠"活动。如 2006 年 6 月在北京某大型超市的奶制品销售点，某品牌 946 毫升鲜牛奶"买 1 送 1"标价为 5.9 元，折合 500 毫升鲜牛奶仅售 1.5 元，243 毫升纯牛奶每袋仅为 0.9 元。而在矿泉水专柜上的某品牌 400 毫升活性水的售价为 2.2 元，某品牌矿泉水 330 毫升装的为每瓶 3.45 元/瓶。对于这种奶比水贱的现象，消费者普遍表示欢迎，同时也对这种低价牛奶的质量表示了关注。总结现实中的乳品价格战，发现呈现出以下特点：①挑起价格战的企业都是知名企业；②由单品降价发展成全线降价，从有针对性地对抗竞争对手变成了完全靠低价拉拢消费者的简单行为，"买三送一"、"买四送一"、"买奶送实物"等方式屡见不鲜；③新品直接低价上市。例如，三鹿乳业新推出的"乳酸多"一上市定价就是每盒 1.9 元，比经历了长期价格战的三鹿牌"酸酸乳"每盒仅高 0.1 元（郝亚辉，2004a）。④周而复始、有律可循。乳品平常的促销活动不断，每年的淡季（7~9 月、2~4 月）价格战力度加大，旺季（10 月~翌年 1 月、5~7 月）价格战力度减小，节假日前后市场波动较大。

11.3.1.2 "价格战"与周期性"倒奶"事件关系

乳业"价格战"对原奶生产的"蛛网"效应导致周期性"倒奶"事件发生。每一轮乳品企业"价格战"都带来乳品价格周期性下降。在价格下降的作用下，乳品需求量大幅度增加，进一步刺激乳品企业规模扩张的冲动。与此同时，为了弥补价格下降对利润的负面影响，乳品企业理性的反应就是实施"薄利多销"策略以扩大销售量抢夺市场份额，大量的广告活动与销售渠道投资成为必然。这种固定资本的投资活动进一步强化乳品企业追求规模经济的动机，乳品企业的生产扩张成为必然。这就是中国乳业近十年年均超过 20% 增长速度的市场表现。但是乳业生产两个最基础环节（原奶生产和乳品加工）的技术周期却是不一致的，乳品加工项目建设周期短，而奶牛繁殖周期长。当乳品企业产能扩张完成时，对原奶需求量会迅速上升，但是原奶生产扩张却没有同步完成，"奶源大战"就在乳品企业间展开，带来原奶价格上升；在价格的刺激下，原奶生产扩张进一步发生。当原奶生产能力完全释放出来时，整个乳业的生产能力超过市场需求量，"价格战"在乳品企业间展开，乳品企业"经济人"行为就是将"价格战"的市场风险转移给奶农，"倒奶"事件出现。在"蛛网"效应的作用下，"倒奶"事件就会周期性发生。

11.3.1.3 "价格战"与"三聚氰胺"事件的关系

乳业"价格战"导致的"后向价格压榨"效应是"三聚氰胺"事件直接诱因。中国乳业产业链的基本模式是"奶农 + 乳品企业"。奶农是高度分散的，乳品企业是相对集中的，因此中国原奶供给市场是接近完全竞争的市场结构，而原奶需求市场是寡头垄断结构。这种不对称性就导致原奶生产者在交易中处于"价格接受者"的地位。当乳品企业间展开"价格战"时，乳品企业为了释放价格下降的压力，反应之一就是压低原奶的收购价格，而上述的市场结构不对称性使得乳品企业的"后向价格压榨"成为可能。在原奶价格下降的压力下，原奶生产者"经济人"反应之一就是减少投入，尤其是精饲料的投入，导致原奶的品质达不到乳品企业的要求，从而招致乳品企业拒收或亏损销售的压力。在这种压力下，无论是原奶生产者还是奶站"经济人"反应之一就是"造假"，"三聚氰胺"事件就可能会出现，而在原奶收购质量监管十分薄弱的制度安排下，就成为必然事件。

11.3.2 乳品企业间数量竞争与乳制品产业绩效

首先，各大乳品企业扩张的同时放松了对产品质量的控制。近年来随着大乳制品企业的快速扩张，委托加工方式十分普遍，为乳品质量埋下了很多隐患。这种合作，只是小厂子挂了大品牌。这些加盟大型乳品企业的小厂本身技术含量达不到标准，管理也比较无序，所谓合作只是替大乳品企业加工产品，而这些分公司管理相当无序，产品质量无法达标。此外，快速的扩张需要大量的销售渠道，许多扩张的乳品企业根本没有能力管理自己膨胀的渠道，甚至受到下游销售商的要挟。典型的现象就是商超（包括其他经销商）对乳品企业的压迫。一个乳品品牌要进超市，开店费、条码费、店庆费等不胜枚举，而且商超要求乳品企业承诺卖不掉可以退货，乳制品企业不敢得罪经销商，只好退货。这就给乳制品企业造成很大压力，退回来之后是否再加工，就要凭各自的"良心"了，而"良心"本身是软约束。光明在河南收购的子公司郑州山盟曝出回收过期乳制品加工出售的事件，就反映出公司规模扩张之后，对收购企业的管理没有跟上。由此付出的代价也很惨重，光明在外地市场的销售受到很大的影响。2005 年是乳品大企业扩张规模的高峰期，也是乳品产业的"多事之秋"，先是 5 月 25 日雀巢曝出金牌成长 3＋奶粉碘超标，接着是 6 月 5 日光明"回产奶"、"早产奶"风波，紧着 7 月 8 日三鹿也曝出酸牛奶涉嫌超前标注生产日期的丑闻。

其次，更严重的问题在于奶源不足引起的原料奶质量。乳品企业重视市场争夺，却忽视奶源建设，直接后果是原奶质量得不到保障，最后导致了严重的三聚氰胺事件发生。自 1995 年以来，乳业保持 30％ 的增长速度，规模较大的乳品企业的增长速度高达 45％，但是奶源的增长速度仅为 10％。奶源少，合格的奶源更少。原奶挤出后，应保存在 4℃ 环境，在短时间内加工，但是由于我国大部分奶牛都是农牧民散养，取奶后往往没有合适的冷藏条件，而且集中收购后再进行加工的时间也较长，因此原奶质量较低。不仅如此，为了提高原奶检测中蛋白质的含量，在缺乏监管的情况下，不法收购商在原奶中掺杂三聚氰胺，带来了严重婴儿中毒事件。此外，奶源不足而且质量下降使很多乳品企业都进口国外的奶粉兑水做成液态奶，也就是还原奶。由于进口奶粉便宜，成本只有 2000 多元／吨，远低于国内原奶 3500 元／吨的价格，在利益的驱动下，有部分企业用进口奶粉加工还原奶，这进一步加剧了低价竞争，恶化了乳业的市场环境。

再次，消费者对整个乳品产业的产品质量普遍持怀疑态度，乳品消费效用受到损害，中国乳品企业集体遭遇空前的诚信危机，乳制品产业公信力一落千丈。根据中国经济景气监测中心发布的《中国居民奶品消费调查报告》显示，有 44％ 的消费者已经不相信乳品企业对乳品质量的承诺；45％ 的消费者不相信乳品企业对原料奶来源有很好的控制。

最后，数量竞争的 OEM（贴牌生产）方式成为"回奶"的诱因，数量竞争的价格效应导致"还原奶"出现。由于各地中小企业，尤其是以生产新鲜奶为主的城市中小型企业利用新鲜牛奶的生物特性通过强化家庭直销网络而给大企业进入该市场设置了较大的壁垒，使大企业的扩张成本较高。为了以较低成本迅速扩张，部分大企业采用了 OEM 的方式向中小企业输出品牌，把乳品生产活动外包。但是 OEM 模式对品牌输出方要求较高，必须具备相当的实力，尤其是质量监控和人力资源监控必须到位。但是部分乳品企业扩张速度超过自身的能力，无法对实施 OEM 的中小企业进行管理和监控，给了这些中小企业回收过期乳品再加工销售"回奶"的机会。乳品企业间为争夺市场份额而竞相降价促销，使乳品在部分市场上的售价已跌至成本的最低临界线，利润空间几乎为零。在价格战的极大压力下，部分企业为了生存而开始从国外进口奶粉用以还原成鲜奶出售，严重损害了消费者利益。

11.3.3 乳品企业阻挠行为引发的市场绩效问题

1）大型乳品企业实施的奶源控制阻挠行为使奶农处于受"要挟"境地，成为"三聚氰胺"事件直接诱因。在交易对象的选择上，奶农被锁定在现有企业上，无能力选择其他企业。因为在一个奶牛饲养比较集中的村子，一般只有一个收奶站，收奶半径为 2~3 千米，在农户没有冷藏运输设备的情况下，奶农无法远距离运输原奶，也承担不起远距离的运输成本；同时很少有相邻两个奶站的收奶价相差到足以使奶农除去运输成本及劳动成本后还有更多收益的情况（周俊玲，2001）。因此，奶农是高度分散的，乳品企业是相对集中的，中国原奶供给市场是接近完全竞争的市场结构，而原奶需求市场是寡头垄断或垄断结构。这种不对称性就导致原奶生产者在交易中处于"价格接受者"的地位。当乳品企业间展开"价格战"时，乳品企业为了释放价格下降的压力，理性的反应之一就是压低原奶的收购价格，而上述市场结构的不对称性使得乳品企业"后向价格压榨"成为可能。在原奶价格下降压力下，原奶生产者的理性反应之一就是减少投入，尤其是精饲料投入，导致原奶品质达不到乳品企业的要求，从而招致乳品企业拒收或亏损销售的压力。在这种压力下，无论是原奶生产者还是奶站的理性反应之一就是"造假"，"三聚氰胺"事件就可能会出现，而在原奶收购质量监管十分薄弱的制度安排下，就成为必然事件。

2）乳品企业为了构筑规模经济壁垒而展开"价格战"以争夺市场份额，使乳品在部分市场上的售价已跌至成本的最低临界线，导致"还原奶"和"倒奶"现象出现。在"价格战"的极大压力下，部分企业为了生存而开始从国外进口奶粉用以还原成鲜奶出售，严重损害了消费者利益。同时"价格战"的"蛛网"效应导致周期性倒奶"事件"现象发生。中国乳业生产的两个最基础的环节是原奶生产和乳品加工，前者是畜牧业生产活动，后者是食品加工制造活动，它们技术周期是不一致的，乳品加工项目的建设周期短，而奶牛的繁殖周期长。当乳品企业产能扩张完成时，对原奶的需求量会迅速上升，但是原奶生产扩张却没有同步完成，"奶源大战"就在乳品企业间展开，带来原奶价格上升；在价格的刺激下，原奶生产扩张进一步发生。当原奶的生产能力完全释放出来时，整个乳业的生产能力超过市场需求量，"价格战"在乳品企业间展开，乳品企业将"价格战"的市场风险转移给奶农，"倒奶"事件出现。在"蛛网效应"的作用下，"倒奶"事件就会周期性的发生。

3）部分大企业为了快速扩大企业规模以构筑规模经济壁垒，在对中小企业的收购兼并中采用 OEM 方式，导致"回奶"现象产生。由于各地中小企业，尤其是以生产新鲜奶为主的城市中小型企业利用新鲜牛奶的生物特性而通过强化家庭直销网络而给大企业进入该市场设置了较大的壁垒，使大企业的扩张成本较高。为了以较低成本迅速扩张，部分大企业采用了 OEM 的方式向中小企业输出品牌，把乳品生产活动外包。但 OEM 模式对品牌输出方要求较高，必须具备相当的实力，尤其是质量监控和人力资源监控必须到位。但是部分乳品企业扩张速度超过自身的能力，无法对实施 OEM 的中小企业进行管理和监控，给了这些中小企业回收过期乳品再加工销售"回奶"的机会。

11.3.4 乳品差异化与绩效

同一规模组别企业产品差别较小，价格竞争激烈，乳品企业间为争夺市场份额而竞相降价促销，使乳品在部分市场上的售价已跌至成本的最低临界线，利润空间几乎为零，不利于乳品产业发展。2002 年在北京、上海、广州、重庆等大城市，原 250 毫升装 56~60 元一箱的超高温灭菌奶均以 45 元或 48 元一箱的价格就能买到；1000 毫升装的原价 6.80 元一盒的长寿奶也只售 2.50 元，牛奶比茶饮料、碳酸饮料、果汁饮料等还要便宜；在天津，8 盒装的蒙牛酸牛奶原售价为 15 元，跌至 9.20 元；220 毫升装的一些其他牌子的牛奶更是降至 0.90 元一盒；在长春，250 毫升的袋装巴氏消毒鲜牛奶原价 1.50 元降至 1.00 元；在成都，光明、伊利、蒙牛三大品牌一番厮杀，刀光剑影底下，各自的销售价底线已跌至成本的最低临界线，后两者价格从原来的 2.50 元降至 1.80 元/盒，利润空间几乎为零。在价格战的极大压力下，部分企业为了生存而开始从国外进口奶粉用以还原成鲜奶出售，严重损害了消费者利益。另外在增加奶粉进口量的同时，部分企业也被迫降低原奶收购价格或减少原奶收购量，使奶农生产积极受到伤害，个别地区如四川、广东、福建、南京等地还出现倒奶或将牛奶倒给生猪食的现象。价格战虽然有利于企业生产效率的提高，但恶性价格战则可能会使消费者、奶农的利益受到损害，从而危及整个产业的健康稳定发展。

目前在酸奶品牌形象的较量上，中国乳品产业可算得上是"战国时代"。几乎每一个省的省会城市都拥有自己区域强势酸奶品牌，并且占据着当地70%以上的市场份额，少数的几家大企业虽已在全国建立自己的品牌形象，但在各自总部所在地以外的市场上都没有对当地强势酸奶品牌形成真正的威胁。从这一点上看，酸奶品牌形象的差异所构造的进入壁垒将使中国乳品产业在未来一段时间里仍保持在一个较低的集中度状态，短期内难以形成能够同国际乳业巨头相抗衡的大型企业。因此从资本市场竞争角度看，由于中国乳品企业规模与实力还太小，被兼并的风险仍然较高。这一点可以从中国乳品企业的规模与国际乳业巨头之间的比较上看出。具体见表11-3。

表11-3　2007年中国排名前10位的乳品企业与1999年世界排名前10位的乳品企业年销售收入对比

序　号	世界排名前10位的企业名称	乳品企业销售收入/亿美元	中国排名前10位企业名称	乳品年销收入/亿元人民币
1	雀　巢	133	蒙　牛	213.18
2	卡　夫	87	内蒙古伊利	193.60
3	美国奶农协会	73	原石家庄三鹿	100.16
4	达　能	63	光明乳业	82.06
5	Lactalis	51	黑龙江完达山	27.70
6	帕玛拉特	45	青岛圣元乳业	23.43
7	Friesland Coberco Dairy Foods	43	黑乳集团	22.89
8	雪　印	42	广东雅士利	19.68
9	Compina Melkunis	39	西安银桥	18.96
10	Bongrain	39	济南佳宝	18.93

资料来源：根据《我国奶业现状与2002年展望》、《2002年中国经济展望》、《入世前夕话奶业》和《中国奶业年鉴2008》统计而得

保鲜牛奶销售渠道的地区垄断，从一定程度上阻碍了全国乳品产业的整合与升级步伐，不利于乳品产业的发展。一方面，这种因企业和产品不同而产生的销售渠道的差异既方便了不同消费群体的购买，又一定程度上保证了乳品产业的有序竞争，促使了乳品产业的健康发展。但另一方面，各地保鲜牛奶生产企业通过完全本地化和封闭式的社区型直销渠道牢牢地控制了当地市场，使得中国乳品市场呈现出强烈的区域性特征，外地企业为了对付本地企业的渠道垄断，而采取了低价促销、广告促销和各种概念炒作的手段，这些活动增加了整个乳品产业的经营费用，降低了产业的利润，阻碍全国乳品产业的整合与升级步伐，不利于中国乳品产业在尽快优化组织结构的基础上参与全球的竞争。

11.3.5　乳品市场集中度与产业发展绩效

目前中国乳品市场集中度低，乳品企业间竞争存在一些问题，在一定程度上对中国乳品产业的健康发展造成了负面影响。

乳品市场集中度低，乳品企业规模与实力同国际乳业巨头相比太小，在资本市场上被兼并的风险较高。虽然在中国的国际乳业巨头近年来普遍处于亏损状态，并且在中国乳业的"奶源大战"、"无抗奶大战"中没有大的举动，但这并不能说明国际乳业巨头对中国乳品企业的威胁已经消失。因为乳业是一个全球竞争的产业，不能仅从液态奶和奶粉保存期限来判断国外乳业巨头对中国乳品企业的优劣势，而更应该从资本、技术和品牌的角度来考察这种全球化竞争的未来趋势。由于中国国内乳业市场格局尚未最后定局，中国乳品企业间的兼并整合还刚刚开始，所以为了避免付出太大的市场成本，这些跨国乳业巨头有可能正在静待时机，等到中国乳业巨头真正形成，乳品市场的扩展真正进入"快通车道"，再通过资本市场来控制中国乳品企业与市场将会使运作成本更低。因此从资本市场竞争角度看，中国乳品企业规模与实力还太小，被兼并的风险仍然较高。这一点可以从中国乳品企业的规模与国际乳业巨头之间的比较上看出。具体见表11-3。

第 12 章
世界乳业与中国乳品产业发展

在 WTO 框架下，发达国家对乳业的各种不符合规则的支持与保护将逐渐减少或取消，其国际市场竞争力必然有所下降；相反随着国内负保护的纠正，中国乳品产业的比较优势会有所上升，同时与中国相邻的各东南亚国家的乳品进口需求将会以较快的速度增长，另外加上中国国内需求的持续增长，可以预见中国乳品产业的发展前景将是美好的。但这要求中国乳品产业的各主体，尤其是乳品加工企业必须突破封闭发展的传统经营思想，建立贸易自由化的全球经营理念，同时不断优化产业组织结构和提升国际市场竞争力。

12.1 世界乳业现状与发展趋势

12.1.1 世界乳业生产

12.1.1.1 世界乳业生产现状

近十年来，亚洲、拉丁美洲和大洋洲奶类生产持续增长，但由于发达国家普遍实行牛奶产量限制政策，加上东欧及原苏联地区奶类产量下降，世界乳业一直以较低的速度缓慢增长，年际变化幅度不大，见图 12-1。

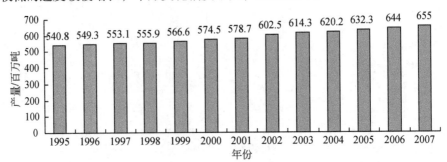

图 12-1 世界奶类产量

资料来源：根据《中国奶业年鉴》（2008）整理而得

2007 年世界奶类总产量为 6. 55 亿吨，其中欧洲和北美洲产量分别为 1. 50 亿吨和 0. 91 亿吨，二者合计占世界奶类总产量的 36. 8%，表明世界奶类生产仍主要集中于发达国家。

从人均产量看，世界各地差异较大，2000 年人均产量最高的国家是新西兰（人均占有量为 3180 千克），其次为澳大利亚（584 千克）、北美洲（312 千克）和欧洲（284 千克），最低的地区是亚洲，人均产量只有 25 千克（程广燕，2002）。

从奶类生产的畜种结构看，奶牛生产是主要的奶源供给活动，2007 年奶牛奶占世界全部奶产量的 84% 以上，其次是水牛奶占 12. 5%，山羊奶占 2%，绵羊奶占 1. 3%，其他占 0. 2%。具体情况见图 12-2。

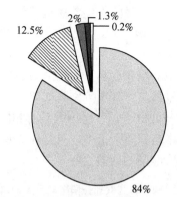

图 12-2　2007 年世界奶类产量构成

资料来源：根据《中国奶业年鉴》（2008）整理而得

12. 1. 1. 2　世界乳业生产发展趋势

世界乳业生产仍将以一个较低的速度增长（约为 1%），在 2012 年有望达到 7. 15 亿吨（联合国粮农组织商品与贸易处，2008），并且增长主要来自乳品消费增长较快的地区和乳业生产有真实比较优势的地区。在国内需求拉动下而增加乳品产量的国家将主要是亚洲的印度、巴基斯坦和中国，以及拉丁美洲和加勒比地区；因有生产比较优势而受益于乳品国际贸易自由化，使国内产量增加的主要是大洋洲的新西兰和澳大利亚；加拿大和西欧则继续推行乳品生产的限制政策，乳品产量将保持不变；俄联邦及乌克兰两个主产奶国则因许多大牧场都不赢利（这些牧场过去属于国有单位）而使乳品总产量下降。

世界乳品产量的增加将由产乳动物数量的增加与产乳能力的增强共同造成，特别是由于营养与饲料条件的改善提高了动物的单产能力。发展中国家将在产乳动物数量与产乳能力上都得到提高，而发达国家将在提高动物产乳能力的基础上继续减少牛群数量。因此将来乳牛以外的其他动物所产奶在世界乳品产量中的比例会增加。

12.1.2 世界乳品消费

12.1.2.1 世界乳品消费现状

根据 FAO 统计，目前世界每年人均消费乳品约为 100 千克，但发达国家与发展中国家的人均消费水平相差较大：西欧、东欧和原苏联、大洋洲与北美洲地区的人均乳品消费量分别为 319 千克、315 千克、381 千克和 260 千克，而东亚、南亚、中东及北美、中南美洲等地区的人均乳品消费量分别为 14 千克、67 千克、92 千克和 108 千克。其他国家和地区人均消费量合计人均约 41 千克。

（1）欧洲乳品消费现状

乳品是欧洲人日常生活中的主要食品，他们对液态奶、酸奶、乳酪都有较多的消费，其中液态奶的消费量最高，其次分别为酸奶、乳酪、稀奶油等。具体见表 12-1。虽然东欧人的收入较西欧人低，但因为具有相同的饮食习惯，在改革前东欧人的乳品消费水平却基本与西欧人持平，只是在改革后由于乳品供给的支持与计划政策取消而经历了一段时期的回落。

表 12-1　2005 年西欧部分国家乳品人均消费　　　　单位：千克/人

国　家	液态奶	酸　奶	干　酪	奶　油
丹　麦	135.7	45.9	—	1.6
英　国	111.2	—	11.1	3.7
法　国	93.9	35.5	24.5	7.7
瑞　士	111.9	30.0	22.2	5.5
德　国	92.7	28.5	22.1	6.4
荷　兰	126.5	40.7	14.7	3.1

资料来源：根据《中国奶业年鉴》（2008）整理而得

（2）大洋洲乳品消费

新西兰和澳大利亚两国的乳品消费水平居世界前列。2006 年新西兰的液态奶人均消费为 90.0 千克，干酪的消费为 7.1 千克。澳大利亚的人均液态奶消费为 106.3 千克，干酪消费 11.9 千克，奶油与稀奶油的消费为 3.7 千克。

（3）美洲的乳品消费现状

北美洲的美国和加拿大也是乳品主要消费国，其消费以液态奶干酪、酸奶、奶油为主。具体情况见表 12-2。

表 12-2　2005 年北美国家的乳品消费　　　　单位：千克/人

国　家	液态奶	酸　奶	干　酪	奶　油
美　国	83.7	—	15.7	2.1
加拿大	94.5	7.2	14.4	3.3

资料来源：根据《中国奶业年鉴》（2008）整理而得

南美洲各国都有着乳品消费的传统习惯，但由于受经济发展水平的影响，其乳品消费水平却落后于北美洲国家。具体情况见表 12-3。

表 12-3　2005 年拉美部分国家液态奶与乳酪的人均消费

单位：千克/人

乳品类型	国　家	2003 年	2004 年	2005 年
液态奶	阿根廷	62.1	65.8	—
	巴　西	71.0	72.0	73.2
乳　酪	阿根廷	10.9	10.4	10.9
	巴　西	2.3	2.8	2.6

资料来源：根据《中国奶业年鉴》（2008）整理而得

（4）亚洲的乳品消费现状

由于受收入水平和消费习惯的影响，亚洲地区的人均乳品消费量很低。虽然南亚的印度是世界上最大的乳品生产国，但由于受人均收入的影响，其人均液态奶的消费量也只有 30 千克左右。人均收入较高的日本和韩国的乳品人均消费量远高于该地区的平均水平，分别达到 74 千克和 50 千克。随着饮食习惯的变化与经济的增长，亚洲的乳品消费已表现出较强劲的增长势头。

（5）中东/非洲

中东的阿拉伯人过游牧生活，以动物的肉、奶为食，对于乳品有着强烈的消费需求，但由于自然条件不适于农业生产，他们大都靠石油出口收入来向国际乳品市场进口乳品。如以色列 2003 年的人均液态奶消费约为 75.7 千克。

在非洲国家中，只有南非共和国有较发达的乳业，其消费水平是中国的 3 倍多，2004 年人均液态奶消费量为 26.1 千克，酸奶 3 千克，干酪、黄油 2 千克。

12.1.2.2　世界乳品消费发展趋势

根据联合国粮农组织的预测，未来 5 年发展中国家对乳品的需求增长最快，增长率将达 3%，而发达国家的乳品总消费量变化不大。

从总体上看，亚洲对乳品消费的增长将列各地区之首，预计将占世界乳品需求增长量的近 60%。其中印度的需求量到 2010 年将增加 2500 万吨，占世界乳品消费增长量的 30%。巴基斯坦和中国的乳品需求量也将有较大增长，部分东南亚国家的增长则稍低一些。南美洲和加勒比地区的需求量也有很大增长，其中巴西和墨西哥的消费量增长最高，阿根廷、智利和哥伦比亚等国家也将有明显增长。非洲需求量的增长将最小，该地区许多国家的人口增长速度要快于乳品需求的增长速度，因此人均乳品消费量将进一步减少。

对人均消费量已较高的发达国家，预计乳品消费量的增长极小，乳品消费的变化将主要表现为乳品的消费品种和形式的变动。例如，发达国家将减少牛乳的饮用量，而增加奶酪的消费量，另外乳制品的消费形成上存在着以预制食品成分的形式来代替乳制品原始形式的倾向。

由于经济条件改善，波兰等东欧国家的消费需求增长也会较快，但俄联邦及乌克兰两国的消费水平将会下降。随着东欧及独联体国家上市乳品的可选择性增加，该地区居民对风味酸奶及超高温处理乳品等的消费量会显著增加。另外，人造奶油、烹调油等替代品的种类和质量的提高将导致部分消费者由乳品消费转向替代品消费。

12.1.3　世界乳品贸易

12.1.3.1　世界乳品贸易现状

世界乳品贸易主要品种是奶油、脱脂奶粉、全脂奶粉和干酪，2006 年世界四大乳制品出口总量 5290 千吨，其中奶油出口量为 890 千吨，主要出口国（地区）为新西兰和欧盟，分别占世界总出口量的 48.3% 和 27.3%；脱脂奶粉出口量为 1070 千吨，主要出口国为新西兰、美国和澳大利亚，分别占世界出口量的32.7%、27.3% 和 16.8%；全脂奶粉出口量为 1750 千吨，主要出口国（地区）为新西兰、欧盟和阿根廷，分别占世界出口量的41.7%、23.5%、12.3%；干酪的出口量为 1580 千吨，主要出口国（地区）为欧盟、新西兰和澳大利亚，出口量分别占世界的36.8%、20.9%、13.9%。具体情况见图 12-3 至图 12-6。

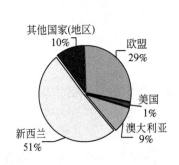

图 12-3　2006 年世界奶油出口份额

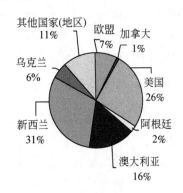

图 12-4　2006 年世界脱脂奶粉出口份额

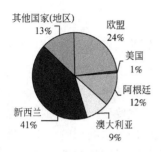

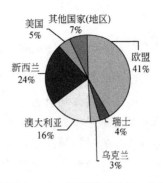

图 12-5　2006 年世界全脂奶粉出口份额　　　　图 12-6　2006 年世界干酪出口份额

2006 年世界四大乳制品进口总量 5290 千吨，其中奶油进口量为 890 千吨，主要进口国（地区）为俄罗斯和欧盟，分别占世界总进口量的 12.6% 和 9.2%；全脂奶粉进口量为 1750 千吨，主要进口国为阿尔及利亚、中国和菲律宾，分别占世界进口量的 9.8%、3.8% 和 2.7%；脱脂奶粉进口量为 1070 千吨，主要进口国为墨西哥、阿尔及利亚和菲律宾，分别占世界进口量的 10%、9.3%、8.4%；干酪的进口量为 1580 千吨，主要进口国为俄罗斯、日本和美国，进口量分别占世界的 13.8%、13.1%、13.0%。具体情况见图 12-7 至图 12-10。

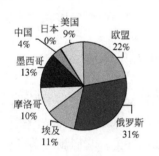

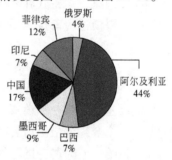

图 12-7　2006 年世界奶油进口份额　　　　图 12-8　2006 年世界全脂奶粉进口份额

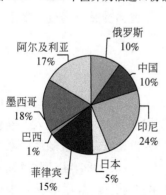

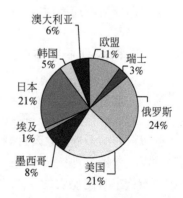

图 12-9　2006 年世界脱脂奶粉进口份额　　　　图 12-10　2006 年世界干酪进口份额

12.1.3.2　世界乳品贸易发展趋势

据联合国粮农组织的预测，未来发展中国家的乳品出口量会有所增加，但总体上发展中国家会面临日益严重的贸易逆差。其中东南亚的进口需求增长最快，阿根廷和墨西哥也将成为主要进口市场。而巴西、智利等国则因乳品生产增长较快而降低乳品的进口量。发达国家则仍将是乳品的主要输出国，但出口重心将会发生变化：新西兰和澳大利亚的出口份额将大大增加，而欧洲的出口量将有新下降，北美的情况变化不大。其中大洋洲出口量增加的原因是该地区乳品生产成本低廉，加上乌拉圭回合协议限制了欧洲及北美的补贴出口。

世界乳品贸易的产品结构也将发生变化。过去，北半球乳品出口国家的补贴供应统治着乳品市场，津贴计划的性质决定了乳品出口的品种结构。但随着进口国家政府干预的减弱，乳品进口市场的推动力也发生了变化，充当大批量乳品定期供应商的大型国营机构正被私人进口商所代替，私人进口商往往是根据国内消费者的需求而进口，即他们更多进口迎合消费者口味的增值乳品，而对散装乳品不感兴趣。这样使得出口国不得不调整乳品出口的品种结构。有迹象表明，过去出口依赖津贴国家，正将其乳品向生产增值乳品和其他无需出口津贴的适宜乳品的方向调整，以便适应乌拉圭回合协议有关减少出口津贴的规定。

12.2　世界乳品市场政策环境

世界乳品主要的生产、消费与贸易大国主要是发达国家，为了保证国内乳品生产者能以一个合理价格出售乳品以获得满意收入，保证国内乳品消费市场价格稳定与充足供给，同时避免国际波动对国内市场的冲击，它们制订了各种各样的乳业政策，采取了价格支持、直接收入支付与投入品补贴、进口配额与关税、供给管理、垄断贸易和动植物卫生检疫等措施，使得世界乳品市场被严重扭曲。

12.2.1　欧盟的乳业政策

欧盟的乳业政策以共同农业政策（CAP）为依据，规定在欧盟国家之间实行自由贸易，对非欧盟国家则采取统一政策。为了保证奶农的合理收入，欧盟各国政府一般以公布的最低价收购过剩乳制品，但这种价格支持政策却使得欧盟承担了沉重的财政包袱，且易破坏乳品的供求平衡。因此从1984年起欧盟又实行了生产配额政策来限制奶农的牛乳生产量，通过出口补贴向国际市场倾销过剩乳品，同时欧盟统一向进入欧盟的非欧盟国的乳品征收差价税。

12.2.2 美国的乳业政策

美国的乳业政策对内实行价格支持以维持奶农的合理收入，对外实行进口限制和出口促进政策。与凯恩斯集团相比，美国乳业不具有竞争优势，因此为了保护国内生产，美国对进口乳制品实行进口配额限制，同时对进入美国的乳制品征收10%以上的关税，其中奶酪的关税达13%。另外美国还制定了乳品出口促进计划，计划允许美国在别国对乳品作补贴时也采取补贴的方式促进国内乳品进入国际市场。

12.2.3 加拿大的乳业政策

加拿大的乳业政策与美国很相似，不过加拿大还采用了欧盟类似的产量限制政策，即为了使乳品维持一个较高价格而用生产配额对原奶产量实行限制。另外，加拿大还对黄油进口额实行垄断经营，只许加拿大乳业委员会从事黄油进口。

12.2.4 澳大利亚和新西兰的乳业政策

澳大利亚和新西兰乳业生产在国际上具有绝对优势，因此这两国的乳业政策是世界上最为宽松的。它们对乳品进口也征收关税，对乳品出口也给以补贴，但税率很低，补贴也很少，都不足以引起国际乳品市场的扭曲。唯一引起争议的是贸易垄断问题，即新西兰乳业局是该国唯一拥有对外贸易权的部门。

12.3 贸易自由化下的中国乳品产业发展前景

虽然贸易自由化下中国乳品进出口会继续增加，但由于中国乳品市场的成长性、乳品的自然特征和自由化下国际市场的扩大等因素共同作用，中国乳品产业未来若干年中的发展前景仍是美好的。

12.3.1 中国乳品国际贸易现状特征

12.3.1.1 中国乳品进口

近年来，随着人民收入的增加和生活水平的提高，加上乳品关税的逐步下降，中国乳品进口数量呈现出快速增长的态势。2007年中国进口乳品59.7万吨，进口值148.8亿美元，进口量比上年减少9.85吨和进口金额增长3.72亿美元。

（1）中国乳品进口的品种结构

从进口品种上看，中国进口量最多的乳品是干乳制品，其次为乳清。以2007年为例，进口的干乳制品共计29.37万吨，用汇7.35亿美元，约占乳品进口总额的54%；其次是乳清，12.3万吨，用汇0.8亿美元，约占乳制品进口总额的49.4%。具体情况见表12-4。

表12-4　2000年中国乳制品分品种进口情况

商品名称	进口数量/吨	进口金额/万美元
奶　油	13 983.79	3 679.61
乳　清	167 427.01	31 883.51
奶　酪	13 190.02	5 384.88
炼　乳	925.06	192.95
奶　粉	98 195.81	32 384.05
干乳制品	293 721.69	73 524.99
酸　奶	731.46	210.04
鲜　奶	4 127.59	666.29
液态奶	4 859.05	876.30
合　计	597 161.48	148 799.84

资料来源：根据《中国奶业年鉴》（2008）整理而得

（2）进口地区结构

新西兰、澳大利亚和法国是我国主要进口原产国。以液态奶进口为例，新西兰是中国最大的乳制品进口原产国，2007年中国从新西兰进口液态奶0.228万吨，用汇394.5万美元，占进口总额的45%。其次是法国和澳大利亚，2007年分别从这两国进口0.08万吨和0.07万吨，用汇分别为168.1万美元和110.1万美元，占液态奶进口总额的19.2%和12.6%。此外，从日本、德国进口了0.0243万吨和0.0242万吨，用汇分别为57.7万美元和45.45万美元，占液态奶进口总额的6.6%和5.2%。具体情况见图12-11。

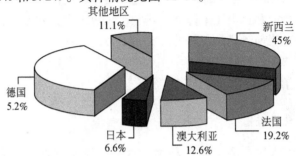

其他地区 11.1%　新西兰 45%　德国 5.2%　日本 6.6%　澳大利亚 12.6%　法国 19.2%

图12-11　2007年中国乳品进口地区结构

资料来源：根据《中国奶业年鉴》（2008）整理而得

中国乳品产业发展研究

12.3.1.2 中国乳品出口

中国乳品出口也呈增长势头，2007 年中国出口乳品 26.9 万吨，换汇 4.85 亿美元，比上年出口额（14.9 万吨，1.88 亿美元）分别增长 79.8% 和 157.3%。

（1）中国乳品出口品种结构

从出口的品种上看，中国主要出口干乳制品和奶粉。2007 年中国共出口乳品 26.9 万吨，出口金额 48 451.80 万美元，其中干乳制品 8.7 万吨，出口额 21 094.24 万美元，分别占出口总量与总额的 32.5% 和 43.5%，奶粉为 6.2 万吨，出口额 17 391.19 万美元，占总量与总额的 23.1% 和 35.9%。具体情况见表 12-5。

表 12-5　2007 年中国乳制品分品种出口情况

商品名称	出口数量/吨	出口金额/万美元
奶　油	5 928.88	1 334.75
乳　清	4 066.35	394.00
奶　酪	471.65	150.87
炼　乳	14 836.65	1 823.43
奶　粉	62 038.40	17 391.19
干乳制品	87 341.91	21 094.24
酸　奶	1 664.91	182.19
鲜　奶	4 559.02	2 949.47
液态奶	47 223.93	3 131.66
合　计	269 131.7	48 451.80

资料来源：根据《中国奶业年鉴》（2008）整理而得

（2）中国乳品出口的地区结构

中国内地乳品一半以上出口到香港地区，2007 年共计 3.5 万吨，2788 万美元，占乳品出口总额的 56%；其次是伊拉克，约占 23%；缅甸占 10%，菲律宾占 4%，日本和新加坡占 4%。可见东南亚是中国乳品的主要出口地区。具体情

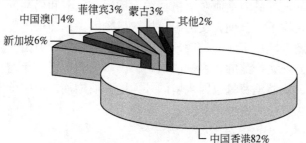

图 12-12　2007 年中国乳品出口地区结构

资料来源：根据《中国奶业年鉴》（2008）整理而得

况见图 12-12。

12.3.1.3 中国乳品净进口数量较大的原因

2006 年和 2007 年，中国乳品净进口量分别为 55.60 万吨和 32.8 万吨，进口数量远大于出口数量，其原因为如下几点。

（1）大洋洲的天然优势与欧盟和北美洲乳品的政府补贴使它们的乳品国际竞争力强于中国

由于大洋洲具有乳业生产的天然资源优势，新西兰和澳大利亚的牛羊奶生产成本比较低（如新西兰牛奶收购价比我国低 16%～18%），两国乳品在国际市场上的竞争力强于中国及其他国家，这是两国近年连续成为中国乳品进口主要国的重要原因；欧盟和美国牛羊奶生产成本虽然比中国高（欧盟和美国分别比中国高约 14% 和 20%，资料来源同上），但却有政府给予的大量出口补贴（约占 50%），加上其乳品上乘质量和著名的品牌，它们的乳品也表现出较强的国际竞争力。

（2）中国国内乳品市场的需求依然比较旺盛

尽管从 1993 年以来，中国乳品积压不断增加，似乎表明中国国内乳品市场已经饱和，但进口乳品的数量却一直超过国内库存积压的数量，且进口量呈现出快速增长态势，说明国内需求并未饱和。另外，中国政府目前对鲜奶和脱脂奶粉课以 25% 的进口关税和 17% 的增值税，对乳清及改性乳清课以 6% 的进口关税和 17% 的增值税，对其他乳品（黄油、奶酪等）都课以 50% 的进口关税和 17% 的增值税。因此，无论是大洋洲还是欧盟的乳品在中国国内的价格相应较高，但其销量一直较好，说明至少在北京、上海、广州等大城市和经济发达地区，消费者对乳品的价格并不敏感，也反映出中国乳品需求是比较旺盛的。

（3）中国国内乳品生产的质量和品种结构存在问题

中国乳品进口的特点表明，进口增长势头强劲的主要是奶粉、乳清和奶酪。这说明国内库存积压的奶粉不是因为市场需求的饱和，而是因为奶粉的质量差，品牌知名度不大。因为中国乳品消费的重点在城市和东部发达地区，这些地方的居民更多关注的是乳品质量而对价格相对不敏感。乳清和奶酪的大量进口则说明国内乳品品种结构不太合理，使国内市场缺口较大。目前中国乳品工业的乳清粉用量较大，且随着乳品工业的发展，其需求量还会增加，但国内乳清与乳清粉的生产却较少。另外，奶酪的营养价值很高，国内的消费正逐年增长，加上旅游事业的快速发展，奶酪消费量也因入境国外人增多而增加，但中国国内却没有形成奶酪的规模化生产能力，使得奶酪进口连年增加。

12.3.2 贸易自由化下中国乳品产业发展前景分析

中国乳品产业的原奶生产、乳品加工同国外发达国家相比都存在明显的差距，并且在乳品国际市场上表现出贸易逆差逐年扩大的趋势。因此，认为中国的乳品产业发展将受制于经济全球化和贸易自由化，从而乳品消费越来越依赖国际市场的看法非常普遍。但如果把世界贸易自由化与中国国内经济发展的主要因素加以综合考虑，则会发现中国乳品产业发展前景是光明的。

（1）发达国家农业的正保护与中国农业的负保护表明贸易自由化将相对提升中国乳品的国际竞争力

尽管在关贸总协定乌拉圭回合农业协定的约束下，发达国家的农业保护程度缓慢下降；与此同时，随着中国农业现代化进程加快，农业歧视程度会减轻，但中国农业保护程度显著低于发达国家且处于负保护状态，仍然是个不争的事实。具体比较见表 12-6 和表 12-7。随着世界贸易自由化的进一步发展，发达国家的乳业将因国内保护的取消而显示出真实较高成本，使其在世界乳品市场上的竞争大大削弱，其在世界乳品市场上的出口份额也将下降，导致世界乳品市场供应减少，价格上升（图 12-8）。相对而言，中国乳品产业的劣势将减弱、优势将上升，随着国际乳品价格上升，中国国内的乳品生产将比现在有更大的增长，中国奶农将有更好的发展前景。据相关研究表明，中国目前的乳制品价格，只要不高于世界市场价格的 15%，就有优势（庹国柱，2000）。

表 12-6　1997～1998 年发达国家和地区的农业生产者补贴等值（PSE）

单位：%

国家（地区）	韩 国	日 本	欧 盟	美 国	加拿大	澳大利亚
PSE	65	63	39	17	15	6

资料来源：姚莉等，2002

表 12-7　1986～1996 年中国农业生产者补贴等值变动趋势　单位：%

年　份	1986	1990	1993	1994	1995	1996
PSE	－38.54	－20.73	24.04	－7.79	－4.99	－4.50

资料来源：姚莉等，2002

表 12-8　20 世纪末世界各主要乳业国家原奶收购价格

单位：元/千克

国家（地区）	奶　价
瑞　士	6.11
日　本	5.87
以色列	3.57
荷兰、德国、意大利等	3.22～3.71
加拿大	2.80～3.20
法　国	2.67～2.93

国家（地区）	奶　价
美　国	2.33 ~ 2.92
澳大利亚	1.49 ~ 1.70
阿根廷	1.58
新西兰	1.11 ~ 1.28

资料来源：姚莉等，2002

（2）中国原奶价格在世界范围内也是有竞争力的

2007 年中国原奶收购价格在 1.45 ~ 3.25 元/千克，即使与 20 世纪末的主要产奶国相比都具有优势，仅仅高于有自然优势的大洋洲国家。表 12-9 所示，直接体现土地资源禀赋的原奶收购价格，中国远远低于高保护、人为保持国内高价的欧盟，也低于人少地多的北美，仅仅比真正有优势的大洋洲高。

表 12-9　2007 年中国各地的原奶收购价格　　单位：元/千克

地　区	收购价格	地　区	收购价格
天　津	2.50	贵　州	2.60
山　西	2.80	云　南	1.45 ~ 2.50
辽　宁	2.30	陕　西	1.80 ~ 3.20
吉　林	2.80 ~ 3.20	甘　肃	2.00 ~ 3.00
黑龙江	1.82	青　海	1.50
上　海	2.80	宁　夏	1.60 ~ 3.20
安　徽	2.80	新　疆	2.30
福　建	2.27	广　东	2.90 ~ 3.25
江　西	1.82 ~ 3.15	广　西	3.00
河　南	2.80	海　南	3.00
湖　北	2.30 ~ 2.80	重　庆	1.99
湖　南	2.40	四　川	1.80 ~ 2.20

资料来源：根据《中国奶业年鉴》（2008）整理而得

（3）液体奶的自然属性决定了中国乳品加工企业拥有广阔的国内市场及邻近国家或地区的出口市场

液体奶消费的增长是目前和未来中国乳品产业发展的动力，但由于液体奶的保鲜要求和体重大、难以远距离运输的特征，使得发达国家及具有全球比较优势的大洋洲国家很难在中国这个迅猛增长的市场发挥出应有的优势；而且中国邻近的日本、泰国、缅甸和中国香港等国家（地区）日益扩大的液态奶市场为中国乳品产业进一步开拓国际市场留出了空间。2007 年，储运不便的液态奶（鲜奶、酸奶、炼乳）出口量占总出口的 40% 以上（按原奶等值计），且最近几年逐年上升，而进口量仅占总进口量的 1% ~ 2%。在总体乳品进口增加的同时，液体奶为净出口，且逐年增加，2007 年出口量为进口量的 9.7 倍。因此，贸易自由化虽然使中国的干乳制品生产受到一定的冲击，但液体奶在拥有迅猛增加的国内市场同时也得到了更大国际市场空间。

（4）潜力巨大的国内需求将是中国乳品产业发展的主要动力

以 2007 年为例，如果占总数 3/4 的农村居民乳品消费达到城镇居民的平均水平，则中国乳品市场将扩大为目前的 3.2 倍；如果城镇居民乳品消费平均提高到目前高收入人群的消费水平，则中国乳品市场将扩大为目前的 1.3 倍。因此，仅从中国目前的消费水平差异来看，乳品市场就有 1 ~ 5 倍的拓展空间。如果同世界乳品消费水平比较，则中国乳品市场潜力更大。根据联合国粮农组织的统计，上中等收入组中中东欧国家和拉美国家的人均奶类消费分别为 64.72 千克和 100.3 千克，是我国城镇居民人均水平的 5.27 倍和 8.17 倍。这更预示着中国乳品市场存在着巨大的潜力。随着中国经济发展和人民收入水平的提高，这些潜在的市场必将变为现实的市场从而拉动中国乳品产业进一步发展。

因此，贸易自由化下虽然中国乳品净进口会继续增加，但由于中国乳品市场的成长性、乳品的自然特征和自由化下的国际市场的扩大等共同作用，中国乳品产业未来若干年中的发展前景仍是美好的。

12.3.3 贸易自由化下中国乳品产业发展的建议

（1）突破乳品产业封闭发展的传统经营思维，建立贸易自由化的全球经营理念

贸易自由化将使中国乳品产业融入世界乳业经济一体化的框架中去，从而面对全球乳业的竞争。虽然根据 WTO《农业框架协议》中的有关规定，在一定期内，各国特别是发展中国家关税还可以保持一定水平，但是最终还是会在一个水平上竞争，这一点应成为中国乳品产业未来进一步发展的思维基点。过去中国乳品产业主要依靠数目众多的小型乳品加工企业、分散的小规模个体奶牛饲养的快速增长、较高关税保护政策和国内市场的供不应求而赢得了乳品产业的快速发展，将乳品产业推进到一个崭新的阶段。但是在贸易自由化下的形势下，必定有更多来自于发达国家的乳品企业参与国内市场竞争，国内乳品行业的环境会发生巨大变化：关税保护会逐渐降低、国内乳品市场进入买方市场、有竞争力的乳品企业规模越来越大、原奶质量成为竞争获胜的重要因素。在这种环境下，中国乳品产业必须依靠优化资产质量、扩大经营规模、实行现代化生产，才能进一步发展。因此，乳品产业中的各类主体（加工企业、奶农、政府）都必须建立新的经营意识和理念，才能推动中国乳品产业进一步发展。

（2）加快国内乳品产业的资产优化重组和现代化改造，推动中国乳品产业升级换代

贸易自由化下的中国乳品产业将面临发达国家的现代化乳品产业的挑战。目前比较迫切的工作就是加快国内乳品企业的资产优化重组和现代化改造，提高资产质量，扩大生产规模，加快技术改造步伐，积极推进乳品企业的兼并重组，组建中国乳业的"航空母舰"或"联合舰队"。实践证明，无论在国内还是在国外，乳品大企业都具有更强的市场竞争力。贸易自由化下的全球竞争必然会使一大批资产质量不高、技术力量薄弱、生产规模狭小、产品既无特色也无质量优势的企业被淘汰，这样就为国内乳品产业"航空母舰"的组建创造出物质条件和市场空间。随着大型乳品企业的组建和其主导地位的形成，乳品产业就会逐渐完成升级换代过程，从而实现现代化。当然，升级换代不仅要在乳品加工领域、储运分销领域进行，还要在原奶生产领域进行，因为原奶生产是整个乳品产业发展的基础。

（3）开拓国际市场，努力增加出口

目前中国的乳品企业比较注重国内市场的开发和竞争，但对国际市场关注不多。实际上国际乳品市场前景是比较广阔的，特别贸易自由化会使欧盟和美国等高补贴的发达国家的比较优势降下来，而东南亚的乳品市场进口量也会大量增加。近几年中国乳品出口量增长较快也说明中国的部分乳品还是有国际竞争力的，因此今后要注重对国际市场的研究，积极开拓国际市场以增加出口，使中国乳品产业真正融入国际乳业一体化框架中去，享受国际贸易自由化的好处。

第13章
启示与促进乳品产业发展建议

本研究结论表明，"看不见的手"需要"自由"制度和严格的法制制度安排，需要科学观念的引导；乳品企业间无序的竞争不利于中国乳品产业的发展；中国乳品制造企业对中国乳品产业的发展有着至关重要的作用；中国乳品产业协调发展的最薄弱环节是原奶生产与乳品加工之间的纵向组织关系；中国乳品产业进一步发展受制于生产技术与研发能力；针对乳品产业的问题提出了促进乳品产业发展建议：不同规模的企业应合理定位、开拓国际市场、限制新的乳品企业产生、鼓励产业整合行为、采用税收政策促进产品结构调整、优化乳品产业纵向组织关系、建立风险保障机制和积累机制以保护奶农的经济利益、改革乳品产业管理体制，加强宏观管理。

13.1 研究启示

13.1.1 "看不见的手"需要"自由"制度和严格的法制制度安排

乳品产业链的价值创造活动有两个基本环节：原奶生产和乳品加工与销售。在"家庭联产承包责任制"下，原奶生产者主要是小规模家庭经营，无法在"看不见的手"的作用下通过竞争与兼并成长为大型的牧场，也就不可能完成资本的积聚与集中，原奶生产者也就没有能力进入乳品加工与销售环节，因此中国乳业的"前向一体化"模式无法产生；在"家庭联产承包责任制"下，由于土地使用权的平均分配与不可流转性，乳品加工企业也无法从事大规模的牧场经营，因此中国乳业的"后向一体化"模式也不可能产生。"家庭联产承包责任制"使两个环节活动的边界分割开来，两个独立的利益主体产生。在"看不见的手"发挥作用的体制下，他们又是理性的"经济人"。因此，当乳品终端市场"价格战"发生时，加工企业的"经济人"行为之一就是将市场风险转移给上游原奶生产者，而原奶生产者的"经济人"行为在质量监管制度"空白"的情况下，就一定会产生"三聚氰胺"或者类似的事件。同时在上下游彼此生产周期不一致的情况下，"看不见的手"一定会以"蛛网效应"的形式出现，"倒奶"

事件也一定会周期性的发生。如果变革现有制度，消除或降低上下游的制度性进入壁垒，使资源可以在上下游间自由流动，则原奶生产和乳品加工的一体化程度就会大幅度提高，原奶生产和乳品加工在一个利益主体内就可以获得更高的协调性，终端"价格战"引起的周期性倒奶事件就可能消除；如果健全原奶质量监控体系，建立严格的法律制度，原奶生产者或奶站的"经济人"行为就会考虑造假的"成本"，那么"三聚氰胺"事件就可能不会发生，至少不会如此普遍。

因此，市场经济体制发挥作用的前提是资源的自由流动；同时市场经济也需要严格的法制提供"游戏规则"对"经济人"行为予以制约。仅仅从市场化程度较高的乳品产业看，中国的市场经济改革尚面临艰巨的任务。

13.1.2 "看不见的手"需要科学观念的引导

在人类漫长的历史中，只有游牧民族由于资源优势将动物的奶作为必需食品，绝大多数民族从来没有把其他动物的奶作为必需食品。为什么在今日的中国非奶牛带居民忽然就把牛奶作为日常食品，乃至必需品呢？这种消费观念的形成很大程度上是"看不见的手"发挥作用的结果。乳品加工企业在逐利本性的驱动下通过铺天盖地的广告全面诱发非奶牛带居民的乳品消费需求，通过营销公关说服或俘虏营养学家，让他们宣扬"牛奶是营养最全面的食品"，甚至提出"一杯牛奶强壮一个民族"等口号；同时中国居民对以牛奶、汽车为代表的"西化现代文明方式"的盲目追求，也促进了乳品消费观念的形成；奶牛带政府在追求GDP增长的动力下，将奶业作为支柱产业，宣扬奶业在解决"三农"问题中的作用。在企业和政府的宣扬引导和消费者盲目追求的作用下，中国非奶牛带居民乳品消费需求快速增长，大量资源源源不断进入中国乳业，乳品企业数量的大幅度增加，最终引发了一轮又一轮的"数量战"和"价格战"。而"价格战"这只"看不见的手"在中国土地制度安排下，就成为倒奶事件周期性发生直接诱因；在原奶质量监管体系和制度薄弱的情况下，就使"三聚氰胺"事件成为必然事件。

事实上，由于奶牛带与广大非奶牛带居民之间距离遥远，乳品企业销售给广大非奶牛带居民的乳品主要是保质期较长的"常温奶"，是经过高温作用后再添加各种添加剂而制成的产品。如果营养学家能够告诉非奶牛带居民"常温奶"上述特征，理性的消费者不会盲目相信这种乳品"神气"的营养价值；如果政府相关部门能够对乳品企业的虚假广告进行控制，消费者也不会被误导。那么，中国非奶牛带居民乳品消费的井喷现象不会出现。

此外，联合国粮农组织的报告《牲畜的巨大阴影：环境问题与选择》指出，由于人类对肉类和奶类的需求不断上升，牲畜饲养业快速发展，牲畜产生的温室气体已经超过了汽车。如果用二氧化碳的释放量衡量，牲畜比汽车多排放18%。人类活动产生的甲烷（沼气）有37%来自反刍牲畜（如牛）的消化道，而甲烷的温室效应是二氧化碳的23倍。人类活动产生的氨有64%来自牲畜，而氨是导致酸雨的重要原因之一。另一方面，人均农业资源稀少的中国根本无法将现代西化的生活方式进行到底，因为每生产一斤①牛肉或牛奶要消耗两三斤粮食，而地球的粮食产能已经接近极限，人口仍在快速增加。因此，政府必须将GDP崇拜观念转移到科学发展观，宣传以各地区的农业资源比较优势为基础进行食品生产和消费。

因此，实现中国经济"又快又好"的发展，既需要充分发挥"看不见的手"的力量，同时必须坚持科学的发展观念。仅仅从中国乳业科学发展的基本要求来看，就包括：政府发展经济必须坚持科学发展观念，企业不得唯利是图而进行虚假的广告宣传活动，消费者消费行为必须有科学消费观念进行指导，营养学家必须坚持科学精神进行独立的科普宣传。因此，科学发展观念转变成实际行动会涉及许多主体对象的观念转变问题，而这个转变行动又会受制于各个主体对象的经济利益的制约，没有大的决心和智慧是很难贯彻实施的。

13.1.3 中国原奶生产发展的主要制约因素

中国原奶生产的发展主要靠农区和牧区分散的个体农户养殖数量的扩张来推动，发展速度快，但经营规模小，生产技术水平低、基础设施和社会化服务体系落后、组织化程度低等问题日益突出，成为中国原奶生产进一步发展的主要制约因素。

在市场机制的作用下，中国原奶生产活动不断由城郊的国营和集体牧场向具有比较优势的农区和牧区转移，其中北方奶牛带的农牧区成为中国原奶生产的主要基地；农牧区的原奶生产主要以农户个体养殖为主，其养殖数量迅速扩张，奶牛数量由1978年的88.3万头增加到2000年的827.4万头，增长近9倍，使中国原奶产量由1978年的97万吨增加到2000年的919.1万吨，年均增长11%，极大地缓解了中国乳品产业发展的奶源限制。但由于良种繁育与推广、奶牛的科学饲养方法、疫病防治等社会化服务体系不健全和机械挤奶、冷链储藏、质量检测等基础设施落后，奶牛单产较低和原奶质量较差的问题仍没有得到根本解决。此外，奶农的组织化程度低，在市场交易中处于受"要挟"的境地，导致了原奶生产的不稳定。这些是中国原奶生产进一步发展过程中必须着重加以解决的问题。

---

① 1斤=500克。

13.1.4 中国乳品需求持续增长的主要拉动力

中国乳品消费总量增长比较快，但人均消费量增长缓慢且处于较低水平状态。中国乳品消费主要集中于城市和经济发达的沿海地区，而广大农村居民消费量很少，表明收入水平是影响中国居民乳品消费的重要因素；牧区居民的消费量远高于农区居民消费量，则表明消费习惯与偏好是影响中国居民乳品消费的另一个重要因素。此外，乳品价格、质量、购买的便利性及居民的营养知识和保健意识也对乳品消费有较大影响。

乳品质量的不断提高、花色品种及购买便利性的增加，都会促使中国乳品消费量的增加，但只有居民收入水平的增长和乳品消费习惯与偏好的形成才是未来中国乳品需求增长的主要拉动力。由于农村居民收入水平低且增长缓慢，而近几年城市居民收入相对增长较快，因此城市居民仍将是乳品的主要消费群体。

13.1.5 乳品企业间无序的竞争不利于中国乳品产业的发展

中国乳品加工业处于成长时期，市场集中度和进入壁垒低、竞争激烈，部分大企业在竞争中成长迅速，对促进中国乳品产业的发展起到巨大作用，但在部分中小企业间出现了无序的甚至是恶性的竞争，在一定程度上扰乱了乳品市场秩序。例如，有的企业搞价格战，竞相降价促销；有的弄虚作假，发虚假广告，搞模糊商标，明明是含乳饮料却假充"××酸奶、钙奶"，或在包装印刷上做文章，将"酸奶"二字印得很醒目，"饮料"二字小到几乎难以看见，利用某些消费者饮奶知识的缺乏，欺骗和误导消费者；有的搞虚假承诺，甚至搞假的"学生奶"；有的无中生有，利用假情况攻击竞争对手；还有的利用报刊、网络等媒体或写匿名信反映假情况混淆视听等。以上现象对我国乳品产业将会造成破坏性的影响，迫切需要加强对乳品市场的规范和引导，加强监督管理，同时也需要加强企业的自律。

13.1.6 中国乳品加工企业对中国乳品产业的发展有着至关重要的作用

乳品企业尤其是大型乳品企业带动了原奶生产的发展，保证了农民收入的增加，同时实现了农业生产结构的调整目标，为中国乳品产业发展奠定了坚实的奶源基础；乳品企业通过生产技术改造、产品创新、销售网络建设及各种广告宣传活动开拓了国内乳品消费市场，使中国乳品产业发展具有强劲的需求拉动力；乳品企业在从原奶生产到乳品消费的整个纵向链条中起着强大的协调作用，并且从中获得较强的市场竞争力，在同国外大型乳品企业的竞争中已基本站稳脚跟。

13.1.7 中国乳品产业协调发展的最薄弱环节

乳品市场的竞争、乳品产业的协调特性、原奶生产属性、农户经营理念、辅助活动的资产专用性等是中国乳品产业中原奶生产与乳品加工之间纵向组织关系的主要影响因素，原奶生产者与乳品加工企业在对以上因素理性思考的基础上，根据各地的特点建立起4种主要纵向组织关系，具有一个共同的特征：乳品加工企业与原奶生产者之间都是一种交错式的纵向组织交易关系，即乳品加工企业直接投资于原奶生产活动中的品种改良、繁殖配种、疫病防治、机械挤奶和精饲料生产等活动上，或者与当地政府共同投资，把这些活动集成在奶牛饲养相对集中的地方，以综合奶站方式经营；奶农饲养奶牛所需的各种服务则向综合奶站购买，所生产的原奶则通过综合奶站销售给乳品加工企业。

在每种纵向组织关系中，奶农均处于严重的受"要挟"的境地，为了回避风险，他们尽量减少投资，实行小规模的生产方式，为了获得一定的利润，他们尽量节省要素投入，实行粗放式生产，结果是低成本、低质量和低单产的原奶生产方式极大地阻碍了整个乳品产业向优质、高产方向顺利推进，也使中国乳品产业通过提高奶牛单产而解决奶源"瓶颈"问题变得更加困难。乳品市场上的风险往往被乳品加工企业利用市场力量而向处于受"要挟"境地的原奶生产者转移，引起原奶生产的较大波动，从而影响整个乳品产业的协调发展。

13.1.8 中国乳品产业进一步发展受制于生产技术与研发能力

中国乳品加工业发展速度快，但由于加工设备与技术落后、研究能力低下而使得产品质量与品种结构问题随着行业竞争加剧及消费者要求上升而日益突出，成为影响中国乳品加工业进一步发展的主要问题。

中国乳品加工业的快速发展主要靠全国遍地开花的中小企业数量的增加，但由于乳品企业大多处于远离乳品主要消费区的奶源地带，而中国乳品加工设备与技术落后，使得大部分企业产品只能以奶粉为主；同时又由于研发能力低，而使产品品种少，同质化现象严重，几度出现供过于求的波折。随着行业竞争加剧，尤其是国外大型乳业巨头进入国内市场，再加上消费者对产品质量要求的上升，使得以生奶粉为主的中小企业因产品质量与成本问题而大多处于亏损状态，只有部分大型企业因为采用从国内引进的大规模生产先进设备与技术，同时增强新产品开发能力而处于快速扩张状态，带动了中国乳品结构优化与质量的提升。但中小企业在中国乳品加工业中的比重过大，因此总体看，随着国内消费行为的日趋成熟，乳品的质量与结构问题已变得较为突出，成为影响中国乳品加工业进一步发展的主要问题。

13.1.9 在国际乳品贸易自由化进一步发展的趋势下，中国乳品产业前景美好

在 WTO 框架下，发达国家对乳业的各种不合乎规则的支持与保护将逐渐减少或取消，其国际市场竞争力必然有所下降；相反，随着国内负保护的纠正，中国乳品产业的比较优势会有所上升，与中国相邻的各东南亚国家的乳品进口需求将会以较快的速度增长，再加上中国国内需求的持续增长，可以预见中国乳品产业的发展前景将是美好的。但这要求中国乳品产业的各主体必须突破封闭发展的传统经营思想，建立贸易自由化的全球经营理念，同时不断优化产业组织结构和提升国际市场竞争力。

13.2 促进乳品产业发展的建议

13.2.1 加强扶持原奶生产，进一步提高原奶的产量和质量

原奶生产的单产低与质量差成为制约乳品产业发展的主要问题，必须通过良种良法的科研与技术推广、原奶生产的基础设施建设和社会化服务体系的完善才能从根本上解决，但这些活动都是分散的小规模原奶生产者无力做到的，因此需要政府的政策扶持与资金投入。第一，要加快良种繁育步伐，增加高产奶牛数量。采取品种选育、胚胎移植和良种引进相结合的方法，加快良种奶牛繁育，扩大供种能力。良种繁育体系重点：一是完善种公牛站建设，改善设施、扩大生产能力、提高冻精质量；二是完善人工授精站点建设，更新设备，增加熟练人员；三是建设一批良种奶牛繁育场，培育高产奶牛群体；四是支持重点省区胚胎移植中心建设，建设奶牛业高新技术的科研基地。第二，要加强对原奶生产者的职业培训，提高其文化和技术水平，大力推广先进、实用的奶牛饲养配套技术，推行规范化饲养和机械化挤奶，强化疫病防治，努力提高奶牛单产和牛奶质量。第三，大力发展优质饲料草生产，建立奶畜饲料生产基地。在奶牛饲养区推广种植青储玉米和优质牧草，建立饲用玉米生产区或产业带，形成与奶业生产相配套的饲料生产、加工体系。西部和贫困地区充分利用退耕还草的有利条件，大力种植优质牧草。同时加强对奶牛营养问题的研究，改善奶牛营养，提高奶牛单产。第四，要建立健全为原料奶生产服务的社会化服务体系，包括良种供应、配种、疾病防疫、饲料供应、技术指导、原料奶收购、储运及市场研究与预测、市场行情

通报等，使奶农或奶牛场能够安心生产、专心生产且不盲目，从而提高生产效率。

13.2.2　建立奶业风险管理机制，降低奶农风险

建立风险保障机制和积累机制，形成良性循环。奶牛业的持续稳定发展面临市场和自然双重风险。饲料市场的放开，政府的补贴取消，使奶牛养殖失去了风险保障。为保护奶农利益，政府应建立奶业风险基金，在价格波动剧烈时，给奶农以适当的补贴。奶牛的自然风险，主要是疾病、意外事故和死亡，这种风险对于规模较小的奶牛场常常是灾难性的，让农民参加奶牛保险是万全之策，但对缺乏风险意识的农民来说，需要政府组织和引导。

13.2.3　优化原奶生产与乳品加工之间的纵向组织关系，保证乳品产业协调发展

（1）从现阶段看，进一步优化中国乳品产业化模式有两个切入点

第一，乳品企业要从长远生产与发展的战略高度来处理与原奶生产者的关系，即要认识到与原奶生产者的和谐关系是企业生命力和竞争力的重要来源，不能只追求短期利润最大化而利用市场力量使奶农利益受损。具体而言，就是既要通过综合奶站向奶农提供周到而价格合理的产前、产中和产后服务以消除奶农生产的后顾之忧，也要向奶农返还一部分乳品的超额利润以调动奶农生产的积极性，同时在确定原奶价格时要考虑饲料饲草等投入成本波动的影响以缓解奶农生产的市场风险。第二，政府进一步搞好相关的制度与机构建设，使纵向组织关系的协调发展有法律和制度的约束。目前比较迫切的是建立原奶质量管理和检测的相关法律与制度，组建介于原奶生产者与加工企业之间的第三方公正检测机构，解决原奶收购的"压级压价"和"优质不优价"等不公平问题。

（2）从长远来看，原奶生产者应建立自己的合作组织以提高在纵向组织关系中的市场地位

原奶生产与乳品加工之间的纵向组织关系的协调性很大程度上取决于两主体之间"准租"分配的合理程度，"准租"分配方式又主要决定于原奶生产者与乳品加工企业在纵向组织关系中的市场地位。在纵向组织关系涉及关系性专用资产时，上下游主体的市场地位又主要取决于谁对专用性资产拥有所有权与控制权。原奶生产与乳品加工之间纵向组织关系涉及各种各样的专用性资产，尤其是储奶与运奶的冷链设施和质量检测设备，它们是保证原奶品质、商品性和主体交易能力的专用性资产，具有显著的规模经济特性，奶农个体无能力投资，而如果为乳

品加工企业所有，则奶农会处于受"要挟"的境地。因此从长远看，奶农必须成立自己的合作组织，共同投资关键的关系性专用资产以改变自身的市场地位。否则，原奶生产与乳品加工之间不合理的"准租"分配将成为中国乳品产业优化纵向组织关系的一个难以解开的"结"。

13.2.4　加强消费引导，鼓励企业积极开拓市场

要从增强人民体质、促使民族强盛的高度重视奶类的消费问题。通过各种媒体，向民众广泛宣传奶产品的营养作用。政府要对宣传乳品营养知识的公益广告加以资助，对乳品的商业广告给予税收等方面的优惠政策。同时要继续扩大推进"学生饮用奶"计划和"战士奶"计划，将更多的人口纳入该计划，成为计划的受惠者和今后潜在的消费群体。为此政府应加大对学生饮用奶计划的支持力度，尽快出台对学生奶定点生产企业的减免税政策，安排专项资金用于优质学生奶源基地建设和监管人员的培训。

要组织乳品加工企业之间的国际交流，学习发达国家乳品企业市场营销的经验，提高中国乳品企业开拓市场的能力；要充分利用广告、品尝会、奶类消费知识宣传等各种营销手段，增强消费意识，扩大市场；要继续调整奶产品结构，把液态奶作为市场开拓的重点，挖掘液态奶市场的巨大潜力；要鼓励企业建立健全乳品销售网络，对企业进行乳品冷链、销售体系建设，政府要给予资金支持或贷款优惠政策；促进"送奶公司"等乳品销售企业的发展，努力改善乳品的供应方式，为消费者提供方便的购买渠道；鼓励企业在深入进行市场调研的基础上进行新产品开发，进一步细分市场，满足消费者对各种不同口味产品的需求，特别要针对儿童的心理和生理特点，开发受儿童欢迎的各种风味奶，培养新一代稳定的奶类消费者。

13.2.5　优化乳品加工行业的组织结构，扶持大型乳品加工企业，增强其对乳品产业的带动力

针对中国乳品加工业市场集中度低、企业生产规模小、竞争无序等问题，政府应该严格限制新的小型乳品企业的产生，同时鼓励一些大型乳品企业通过控股、参股、合作、租赁、联营等方式与其他乳品企业结合起来形成集团，进行集团化、规模化、一体化运营，通过资产重组来发挥大型乳品企业的资金、技术和品牌优势，盘活中小型企业的资产，提高行业的市场集中度，优化行业的组织结构，使竞争步入良性轨道。

针对中国乳品加工业的设备与技术工艺落后的现状，要在奶业大省（市、

区）选择一批市场前景好、科技含量较高、产业链条长、带动能力强的大型乳品加工企业给予重点扶持，鼓励其进行设备更新与技术改造，对引进的乳品生产设备和零配件，给以减免海关增值税，对关键设备进行技术改造所需贷款要实行优惠。目前要特别重视原料奶收购、储运设备的更新改造，解决质量的最突出问题；政府还应对乳品质量监测体系建设和大型乳品企业科技创新中心的建设直接加以扶持，促进乳品加工企业科技创新能力的提高和乳品质量的提高。

另外，政府还可以采取增加奶粉税收或限额生产，而对 UHT 奶、鲜奶、酸奶等液体奶征收低税、对生产液态奶的设备投资给予优惠贷款等措施，引导企业进行产品结构调整，既可以为国家节省能源，又可以促进乳品加工企业更好地带动整个产业协调发展，防止因产品结构问题而引发的生产波动。

13.2.6 不同规模的企业应合理定位

不同规模的企业应合理定位，通过差异化来发挥各自优势，以促进中国乳品产业的发展。大型企业可以定位于中高档乳品，通过市场细分利用规模经济和范围经济，在进一步扩大产品差异化程度的基础上，降低乳品成本以获得更强的竞争力，从而突破地区性乳品企业的市场壁垒，进一步增加市场占有率，提高整个乳品产业的市场集中度，优化产业组织结构，促进乳品产业发展。中小乳品企业则应定位于中低档乳品，在保证质量安全的基础上，深入分析低收入消费者的需求，针对特殊人群开发生产乳品，以回避同大型乳品企业的直接竞争，通过拥有这些小规模的市场来生存和发展。

13.2.7 开拓国际市场

在兼并联合的基础上，开拓国际市场，从内外两方面避免因企业间差异化缩小而带来的恶性竞争。鼓励一些大型乳品企业通过控股、参股、合作、租赁、联营等方式与其他乳品企业结合起来形成集团，进行集团化、规模化、一体化运营，通过资产重组来发挥大型乳品企业的资金、技术和品牌优势，盘活中小型企业的资产，提高行业的市场集中度，优化行业的组织结构，避免企业间的差异化缩小导致的恶性竞争，使产业内竞争步入良性轨道。同时要鼓励企业"走出去"，通过开拓国际市场而缓解国内竞争的压力。目前中国的乳品企业比较注重国内市场的开发和竞争，但对国际市场关注不多。实际上国际乳品市场前景是比较广阔的，特别贸易自由化会使欧盟和美国等高补贴的发达国家的比较优势降下来，而东南亚的乳品市场进口量也会大量增加。近几年中国乳品出口量增长较快也说明中国的部分乳品还是有国际竞争力的，因此今后要注重对国际市场的研究，积极开拓国际市场以增加出口，既可以使中国乳品产业真正融入国际乳业一体化框架中去享受国际贸易自由化的好处，又可以释放国内企业间的竞争压力。

13.2.8 采用税收政策促进产品结构调整

针对不同品类的乳品市场集中度和特有的进入壁垒不同，政府还可以采取增加奶粉税收或限额生产，而对 UHT 奶、鲜奶、酸奶等液体奶征收低税、对生产液态奶的设备投资给予优惠贷款等措施，引导企业进行产品结构调整，即可以为国家节省能源（奶粉生产比液态奶生产要消耗更多的能源），又可以利用液态奶的进入壁垒高于奶粉的特点限制中小乳品企业的发展，从而优化乳品产业组织结构，促进乳品产业发展。

13.2.9 改革乳品产业管理体制，加强宏观管理

改革目前乳品产业生产、加工、流通、贸易等分属不同部门管理的体制，实行统一管理。建议将奶牛饲养、饲料供应、疫病防治、乳品加工、运输、销售及进出口贸易等统一到农业部进行管理，这样有利于在全国形成一个统一、协调、高效、灵活的管理体制，改善各部门之间缺乏有机协调及乳品加工低级重复建设的问题。在理顺管理体制的同时，要加强对乳品产业的宏观管理，各级相关部门都要重视对乳品产业的各个环节，尤其是乳品市场的调查研究，提供相关信息，加强对乳品产业发展的指导，要制定和完善发展乳品产业的相关配套政策。各地要建立乳品产业发展基金或风险基金，增强奶业抗风险的能力。要重视对我国参加世界贸易组织后出现的新形势的研究，并及时采取应对措施。要支持和引导行业协会的工作，发挥其在行业管理中的作用，加强行业自律，以促进我国奶业的健康发展。

主要参考文献

［德］柯武刚，史漫飞 . 2000 . 制度经济学——社会秩序与公共政策 . 韩朝华译 . 北京：商务印书馆 .

［法］泰勒尔 . 1997 . 产业组织理论 . 张维迎译 . 北京：中国人民大学出版社 .

［美］戴维·贝赞可等 . 2000 . 公司战略经济学 . 武亚军译 . 北京：北京大学出版社 .

［美］科斯等 . 2000 . 契约经济学 . 李风圣等译 . 北京：经济科学出版社 .

［美］迈克尔·迪屈奇 . 1999 . 交易成本经济学——关于公司的新的经济意义 . 王铁生，葛立成译 . 北京：经济科学出版社 .

［日］植草益 . 1988 . 产业组织论 . 卢东斌译 . 北京：中国人民大学出版社 .

［英］阿弗里德·马歇尔 . 2005 . 经济学原理 . 廉运杰译 . 北京：华夏出版社 .

［英］卡布尔 . 2000 . 产业经济学 . 北京：中国税务出版社 .

［英］刘易斯·卡布罗 . 2002 . 产业组织导论 . 胡汉辉，赵震翔译 . 北京：人民邮电出版社 .

［英］亚当·斯密 . 2001 . 富国论 . 杨敬年译 . 西安：陕西人民出版社 .

曹暕，王玉斌，谭向勇 . 2005 . 中国乳品行业结构、行为与绩效分析 . 农业技术经济，1（1）：49-53 .

曹暕，王玉斌，谭向勇 . 2005 . 中国乳品行业结构行为与绩效分析，农业技术经济，1（1）：49-53

曹文广 . 2001 . "蒙牛"力耕津冀市场，中国市场（2）：34-35

陈邦助 . 2002 . 开拓市场，引导消费，促进奶业跨越式发展 . 四川农场，(3)：25-26 .

陈会英，周衍平，刘肖梅 . 2004 . 中国农产品加工产业组织创新与政策选择 . 经济地理，2（3）：271-276 .

陈健琦，黄文明 . 2002 . 创新是奶业持续发展的主题 . 中国乳业，(6)：4-8 .

陈健琦 . 2001 . 质量创新是奶业企业生存发展的永恒主题 . 中国奶牛，(3)：15-16 .

陈利昌 . 2004 . 我国乳品产业市场结构分析 . 农业技术经济，(2)：62-66 .

陈圣华 . 2002 . 中国乳品市场竞争势态透视及消费状况分析 . 市场研究，(4)：64-67 .

陈新 . 2002 . 加强生奶质量控制，提升奶业国际竞争力 . 乳业科学与技术，(3)：41-42 .

程漱兰 . 2001 . 《贸易改革对世界奶业的影响》解读 . 乳业科学与技术，(4)：1-7 .

程漱兰等 . 2002 . WTO背景下的中国奶业发展前景 . 农业经济问题，(3)：9-16 .

戴维·贝赞可等 . 2000 . 公司战略经济学 . 北京：北京大学出版社 .

丁平 . 2000 . 中国乳业经济研究 . 武汉：华中农业大学 .

杜凤莲 . 2001 . 内蒙古乳品业的现状、问题和政策建议 . 工业经济，(3)：77-81 .

杜凌等 . 2002. 我国液态奶工业的发展 . 乳业科学与技术,（3）: 43 - 45.

冯仰廉 . 2002. 关业我国奶产业稳定持续发展的几个问题 . 乳业科学与技术,（2）: 47 - 50.

顾佳升 . 2002. 都市型奶业的产品定位方向 . 乳业科学与技术,（2）: 51 - 52.

国家统计局 . 1999 ~ 2008. 中国统计年鉴 . 北京: 中国统计出版社 .

国家统计局农村社会经济调查局 . 2008. 中国农村统计年鉴 . 北京: 中国统计出版社

韩一军 . 2001. 90 年代中后期我国牛奶生产、消费及价格波动分析 . 中国农村研究,（8）: 26 - 34.

何玉成, 李崇光 . 2003. 中国原奶生产与乳品加工纵向组织关系研究 . 农村经济, 6（6）: 6 - 8.

何玉成, 李崇光 . 2005. 中国乳品市场结构、行为与绩效研究 . 未来与发展, 2（2）: 17 - 20.

何玉成 . 2003. 中国原奶生产与乳品加工纵向组织关系研究 . 农村经济,（6）: 6 - 8.

何玉成 . 2004a. 中国乳品企业差异化与产业发展 . 经济师,（10）: 47 - 48.

何玉成 . 2004b. 中国乳品企业间竞争与产业发展 . 农村经济,（11）: 33 - 35.

何玉成 . 2004c. 中国乳品市场集中度与产业发展 . 当代经济,（6）: 58 - 61.

何玉成 . 2004d. 中国乳品市场进入壁垒与产业发展 . 农业技术经济,（3）: 58 - 61.

何玉成 . 2005a. 中国乳品市场结构、行为与绩效研究 . 未来与发展,（4）: 17 - 21.

何玉成 . 2005b. 中国乳业产业组织研究 . 生产力研究,（5）: 70 - 72.

何玉成 . 2005c. 中国乳业纵向组织模式的经济学分析 . 东北财经大学学报,（2）: 41 - 44.

何玉成 . 2009. 乳品企业进入阻挠行为与市场绩效分析 . 东北财经大学学报,（5）: 35 - 38.

何玉成 . 2009a. 乳品企业研发竞争行为分析 . 当代经济,（11）: 47 - 53.

何玉成 . 2009b. 中国乳品企业"价格战"与市场绩效分析 . 中国物价,（8）: 39 - 43.

何玉成 . 2009c. 中国乳品企业"数量战"与市场绩效分析 . 价格理论与实践,（11）: 64 - 65.

洪根兴 . 1998. 赢得市场——市场经济理论的新发展 . 北京: 中国青年出版社 .

胡浩, 付江涛 . 2006. 中国果蔬汁饮料制造业分析及建议 . 广东农业科学, 6（6）: 55 - 57.

胡浩, 刘丽江 . 2006. 中国饲料加工业产业组织分析 . 饲料研究, 6: 51 - 54.

胡启涛, 刘莉 . 2005. 茶产业组织结构优化途径探讨 . 茶业通报, 27（4）: 177 - 179.

黄朋, 沈黎 . 2004. 目前我国经济型轿车的竞争博弈分析 . 科技创业月刊,（10）: 75 - 76.

孔宪臣 . 2002. 美国奶牛业的现状与黑龙江省奶牛业发展的思考 . 中国乳业,（6）: 36 - 39.

李长风 . 1995. 经济计量学 . 上海: 上海财经大学出版社 .

李传威 . 2004. 乳品加工业可持续发展与对策研究 . 北京: 中国科学技术出版社 .

李存杰, 刘增洁 . 2001. 奶牛风险互助是持续稳定发展的保障 . 中国奶牛,（6）: 11 - 14.

李全新, 郑少锋, 李瑞青 . 2006. 我国中药材加工产业市场结构分析林业经济问题, 3（6）: 241 - 244.

李易方 . 1999. 奶业春秋 . 北京: 中国农业出版社 .

李易方 . 2001a. 奶业结构调整聚焦 . 中国奶牛,（4）: 5 - 7.

李易方 . 2001b. 入世前夕话奶业 . 北京: 中国农业出版社 .

李易方 . 2002. 脚踏实地, 措施配套, 调整优化奶业结构——在 2002 年深圳中国奶业发展高峰论坛会上的讲话 . 中国乳业,（4）: 4 - 7.

李悦 . 1998. 产业经济学 . 北京: 中国人民大学出版社 .

李志强. 2002. 2002 年二季度奶业形势报告. 中国乳业，（8）：4－6.

李志强等. 2001. 2001 年奶业形势判断与 2002 年展望. 中国乳业，（12）：6－10.

林礼耀，胡浩. 2005. 中国乳品制造业的产业组织分析. 南京农业大学学报（社会科学版），5（1）：34－37.

刘波等. 2002-03-03. 让奶业成为农民增收支柱产业. 农民日报，4.

刘成果. 2002~2008. 中国奶业年鉴. 北京：中国农业出版社.

刘成果. 2003. 认清形势，搞好服务，推进我国奶业健康发展. 中国奶牛，（1）：3－8.

刘春颖等. 2002. 走规模＋规范＋产业化之路促进奶牛业快速发展. 中国奶牛，（6）：7－8.

刘刚等. 2002. 奶牛集中饲养、集中收奶、分户管理的模式，中国奶牛，（5）：13－14.

刘文奇，杨建尧. 2001. 经济合作是奶业产业化的基础. 中国奶牛，（4）：12－13.

刘小玄. 2001. 中国企业发展报告（1999~2000）. 北京：社会科学文献出版社.

刘许川等. 2001. 中国奶业跨入整合时代. 中国市场，（2）：68－70.

刘玉萍. 2001. 何以能在世界前 20 名乳业巨头的夹缝中崛起——伊利背靠 10 万牧民. 中国动物保健，（12）：42.

刘振邦. 2001. 种牧草养奶牛：现代农业的主导产业//李易方. 入世前夕话奶业. 北京：中国农业出版社.

卢凤君，孙世民，叶剑. 2003. 高档猪肉供应链中加工企业与养猪场的行为研究. 中国农业大学学报，8（2）：90－94.

卢良恕，梁克用. 2001. 发展奶业生产，强化国民体质//李易方. 入世前夕话奶业. 北京：中国农业出版社.

吕宝强等. 2002. 生产无公害牛奶 服务百姓健康. 中国奶牛，（4）：55.

罗必良，王玉蓉. 1999. 农业经济组织的制度结构与经济绩效——一个理论框架及其应用分析. 农业经济问题，（6）：11－15.

罗必良. 2004. 农业经济组织的效率决定——一个理论模型及其实证研究. 学术研究，8（8）：49－58.

骆承庠. 2000. 乳与乳制品工艺学. 北京：中国农业出版社.

马广奇. 2000. 产业经济学在西方的发展及其在我国的构建. 外国经济与管理，10（10）：8－15.

南庆贤. 2000. 中国乳品工业 50 年回顾//王怀宝. 中国奶业 50 年. 北京：海洋出版社.

倪学志. 2008. 中国乳品加工企业合作联盟：缘起、范围与方式.

牛晓帆. 2004. 产业组织理论及相关问题研究. 北京：中国经济出版社.

牛晓帆. 2004. 西方产业组织理论的演化与新发展. 经济研究，3（3）：116－123.

曲金铎. 1998. 按照社会主义市场经济要求调整天津奶业发展战略. 中国奶牛，（4）：5－6.

曲金铎. 2001. 建设奶源基地应对“入世”挑战. 中国奶牛，（1）：11－14.

任素梅，张忠诚. 2001. 对京郊奶牛养殖合作社发展的几点看法：中国奶牛，（4）：14－15.

上海财经大学课题组. 2006. 中国产业发展报告. 上海：上海财经大学出版社.

施莲英. 2002. 提高生奶质量的探讨. 中国乳业，（7）：23－24.

石惠芝. 2002. 浅谈提高奶牛场经济效益的有效途径. 中国乳业，（5）：17－18.

石磊，寇宗来. 2003. 产业经济学. 上海：上海三联书店.

宋昆冈.1995.关于我国乳制品工业发展的思考.中国乳品工业,(3):102-103.

苏东水.2000.产业经济学.北京:高等教育出版社.

孙琛.2000.我国水产品市场供需平衡分析.中国渔业经济研究,(3):33-35.

孙世民,卢凤君,叶剑.2004.优质猪肉供应链中养猪场的行为选择机理及其优化策略研究.运筹与管理,10(10):105-110.

泰勒尔.1997.产业组织理论.北京:中国人民大学出版社.

谭向勇,曹暕,周俊玲.2007.中国奶业经济研究.北京:中国农业出版社.

汤志庆.2001.中国乳业十大营销问题.中国市场,(7):46-47.

汤志庆.2002a.W乳品公司的营销诊断.中国市场,(3):40-43.

汤志庆.2002b.液态奶市场发展趋势十大特征.中国市场,(4):78-79.

王怀宝.2000.中国奶业50年.北京:海洋出版社.

王济民等.2000,中国城乡居民畜产品消费研究.中国食物与营养,(2):36-40.

王江炜.2002.文登市奶业发展的现状及对策.中国乳业,(9):6-8.

王俊豪等.2000.现代产业组织理论与政策.北京:中国经济出版社.

王庆福,黄振亚.2002.银川市发展奶业的现状和思考.中国奶牛,(6):8.

王秀清.2000.中国食品工业:增长、结构与绩效.中国农村经济,3(3):11-19.

王永康.2001.我国乳牛业的发展前景及其策略.乳业科学与技术,(1):2-5.

王运亨.2001.讨论首蓿型奶牛业.中国乳业,(4):4-6.

王运亨.2002.乳业预测饲养奶牛的经济效益.中国奶牛,(4):54.

王战锁.2002.奶畜场盈亏分析法及其应用.黄牛杂志,(3):58-59.

王战锁等.2002.陕西省岐山县奶牛业发展现状调查.黄牛杂志,(1):59-60.

卫志民.2002.20世纪产业组织理论的演进与最新前沿.国外社会科学,5(5):17-24.

邬义钧等.1997.产业经济学.北京.中国统计出版社.

萧家捷.1997.缺钙与补钙.中国食物与营养,(2):32-33,41.

徐国民,王伟民.2002.陕西液态奶的回顾与发展.中国乳业,(9):12-15.

许宗良.2001.话说我国奶牛业.中国奶牛,(6):49-52.

许宗良.2002.对"倒奶""无抗奶"浅析.中国奶牛,(5):56.

杨公朴,夏大慰.1998.产业经济学教程.上海:上海财经大学出版社.

杨公朴,夏大慰.1999.现代产业经济学.上海:上海财经大学出版社.

杨红杰.2001.中国乳业经济研究加入"世界贸易组织"对中国奶业的影响,(3):8-9.

杨稼.2001.把握乳业新形势,实现跨越式发展//李易方.入世前夕话奶业.北京:中国农业出版社.

杨丽娟.2002.点评"蒙牛"经营理念.企业研究,(1):9-10.

杨苗萌.2001.中国首蓿产业化与首蓿生产企业化.中国乳业,(6):6-7.

姚莉,王仁华,崔惠玲等.2002.WTO框架下中国奶业发展前景研究.中国奶牛,(3):5-7.

叶茂中等.2001.奔跑着去买冰淇淋——伊利冰淇淋系列电视广告片创作纪实.糖酒快讯,(7):62-64.

于陆琳.1999.日本学生营养餐开展情况简介.中国学校卫生,(4):82.

张存根,张乐昌.1994.肉蛋奶生产、流通与消费.武汉:武汉测绘科技大学出版社.

赵炼钢.2002.企业生命周期及战略应用.企业研究,(4):23-25.

赵玉田.2001.中国乳业发展现状和未来.中国农村研究,(7):1-9.

郑少锋,李全新,李瑞青.2006.西部中药材种植业的发展优势与对策研究.中国农业资源与区划,(3):12-14.

中国食品工业协会.1999.中国食品工业年鉴1998.北京:中国轻工业出版社.

中国食品工业协会.2000.中国食品工业年鉴1999.北京:中国轻工业出版社.

中国食品工业协会.2001.中国食品工业年鉴2000.北京:中国轻工业出版社.

中国食品工业协会.2002.中国食品工业年鉴2001.北京:中国轻工业出版社.

中国食品工业协会.2003.中国食品工业年鉴2002.北京:中国轻工业出版社.

中国食品工业协会.2004.中国食品工业年鉴2003.北京:中国轻工业出版社.

中国食品工业协会.2005.中国食品工业年鉴2004.北京:中国轻工业出版社.

中国食品工业协会.2006.中国食品工业年鉴2005.北京:中国轻工业出版社.

中国食品工业协会.2007.中国食品工业年鉴2006.北京:中国轻工业出版社.

中国食品工业协会.2008.中国食品工业年鉴2007.北京:中国轻工业出版社.

周俊玲.2001a.我国奶业发展滞后的原因及对策.农村经济,(2):1~3

周俊玲.2001b.中国奶类市场及其发展趋势研究.北京:中国农业大学.

周应恒,杜飞轮.2004.我国茶饮料业的产业组织分析.产业经济研究,(2):53-58.

周应恒,杜飞轮.2005.我国软饮料制造业市场结构的实证分析.当代财经,(3):92-95.

朱高峰.2000.产业大观.北京:清华大学出版社.

Alchian , Dersetz. 1972. The welfare and empirical implications of monopolistic competion. Eco. J. 74 (4):623-641.

Arrow K. 1975. Gifts and exchanges//Phelps E S. Altruism, Morality and Economic Theory, New York:Russell Sage Foundation.

Bain. 1959. Industrial ogganization. New York:Wiley.

Bain. J. 1968. Industrial Organization. New York:John Wiley&Sons.

Bain, 1958. Industrial Organization. New York:Wiley.

Baumol . 1982. Fixed cost, sunk cost, entry barriers and sustainability of monopoly, Quarterly journal of Economics.

Besanko D, Dranove D , Shanley M. 1997. What can economics offer strategy. International Journal of the Economics of Business, 4 (2):215 - 227.

Chamberlin. 1993. The Theory of monopolistic completition, cambridge, Mass:Harvard Uiversity Press.

Clark. 1940. The distribution of wealth. New York:Wiley.

Frederick W Crook . 1998. China's Livestock Sector Growing Rapidly. http://www. ers. usda. gov/publications/agoutlook/nov1998/ao256e. pdf [2007-11-13].

Grossman S, Hart O . 1986. The costs and benefits of ownership:a theory of vertical and lateral integration. Journal of Political Economy , (94):691-719.

Grossman, Hart. 1986. The cost and benefits of ownership:a theory of vertical and laternal integration. Journal of Political Economy. 94 (6):691-719.

James Eales. 1997. Generalized Model of Japanese Demand for Fish. Amer J Agr Econ, 79 (11): 1153 – 1163.

Julie A Caswell. 1997. Rethingking the Role of the Government in Agri-food markets. Amer J Agr Econ, 79 (5): 651 – 656.

Klein . 1982. Vertical integration as organization ownership. Journal of Law, Economics, and Organization. 1988 (2): 199 – 213.

Nishiguchi T. 1994. Strategic industrial sourcing: the Japanese advantage. New York: Oxford University Press.

Nishiguchi. 1994. Strategic industrial sourcing: The Japanese advantage. New York: Oxford University Press.

Robinson, J. 1933. The economics of imperfect competition. London: Macmillan.

Stigler. 1968. The organization of industry. Chicago: The University of Chicago Press.

Tirole . 1997. The theory of industrial organization. Cambridge: The MIT Press.

Tobin. 1969. A general equilibrium approach to monetary theory. Journal of Money, Credit, and Banking 1 (1): 15 – 29.

Tsunemasa Kawaguchi, Nobubiro Suzuki, Harry M Kaiser. 1997. A Spatial Equilibrium Model for Imperfectly Competitie Milk Markets. Amer J Agr Econ, 79 (8): 851 – 859.

Wan G H. 1992. Institutional effect on changes in Chinese foodgrain output and its variability. Agricultural Economics, 6 (3): 217 – 250.

Williamson. 1971. Economics as an anti- trust defense: the welfare trade- offs . Amer. Econ. rev. 86 (10): 1432 – 1453.

Williamson. 1999. The modern corporation: oringins, evolution, attributes, in industrial organization, New York· Oxford University Press

Yong Zhu, Tom Cox, Jean-paul chavas. 1998. A Spatial Equilibriam Analysis of Trade Liberalization and U. S. Dairy Sector.

中国乳品产业发展研究

208

致　谢

　　本书的写作分为两个阶段。第一阶段主要对乳品产业的主要环节和纵向组织关系进行了研究。这个阶段的研究工作是在李崇光教授和韩德乾教授的悉心指导下完成的，从选题、调研、撰写到修改的全过程都凝聚着两位老师的大量心血。不仅如此，两位老师五年以来在生活上给予了我无微不至的关怀，在学习和研究上的谆谆教诲，使我从个人情操、学术思想到人生价值观上都得到陶冶、净化和提升；尤其是李老师在治学上对我严格要求和不厌其烦地教导，在科研上为我提供锻炼机会和便利条件，使我的科研能力得到较大提高，为今后的成长奠定了坚实的基础，在此表示衷心的感谢！

　　在论证和撰写过程中，雷海章教授、韩桐魁教授、陆红生教授、王雅鹏教授、蔡根女教授、易法海教授、冯中朝教授、丁士军教授、张安禄教授等指导小组的导师们给予了我热情关怀与谆谆教诲，为我的研究工作提出了许多宝贵的意见与建议，使我深受启发、受益匪浅，在此我向他们表示衷心的感谢。尤其感谢丁宏起教授在生活上对我的无限关怀、在学习和研究上给予我的悉心指导和热情帮助。丁老师的平易近人、和蔼可亲及助人为乐的精神让我终身难忘。

　　在资料收集和调研上，感谢中国奶牛业协会秘书长方有生先生和晓霞女士、中国乳业网的梁子哲先生，同窗好友明星、吕学鹏、刘光成、刘洋、陈世雄、谭文兵、卢静、余珍明为我在调研期间所提供的巨大帮助。

　　第二个阶段是在第一个阶段研究工作的基础上进一步探讨乳品产业组织问题。李崇光教授和钟涨宝教授对这一阶段的研究工作给予了细心的指导和大力帮助；袁伟玲在生活上给予了我细心的照顾、在文章录入和校对上付出了大量的时间和精力；父母双亲和岳父岳母在我研究工作期间承担了大量的家务劳动。在此我衷心向他们道一声："谢谢！"。

　　华中农业大学经济管理学院对本书的出版给予了大力支持。在此特向学院领导、同仁及所有关心和帮助过我的人们表示衷心的感谢。

何玉成

2010 年 1 月 6 日